ДАНИЭЛА СТИЛ

КОЛЬЦО

ИЗДАТЕЛЬСТВО

Москва
1999

ББК 84 (7США)
С80

Danielle Steel

THE RING

1980

Перевод с английского Э. Вороновой

Серийное оформление А. Кудрявцева

**Печатается с разрешения автора и его литературных
агентов Morton L.Janklow Associates
и "Права и переводы".**

**Исключительные права на публикацию книги
на русском языке принадлежат издательству АСТ.
Любое использование материала данной книги,
полностью или частично, без разрешения
правообладателя запрещается.**

Стил Д.

С80 Кольцо: Роман / Пер. с англ. Э. Вороновой. – М.:
ООО "Фирма "Издательство АСТ", 1999. – 464 с.

ISBN 5-237-01688-X

Блестящая красавица Кассандра фон Готхард, ее муж –
банкир, подрастающие дети, любовник Кассандры, известный
писатель Штерн, – жизнь всех этих людей рушится, сломленная
поднимающим голову фашизмом.

Испытания, выпавшие на долю героев, растянулись на многие
годы. Обаятельный образ выросшей дочери фон Готхардов
Арианы, ее любовь, женская судьба, обретенное счастье – в центре
этого насыщенного событиями романа.

Книга первая

КАССАНДРА

Глава 1

Кассандра фон Готхард сидела на берегу пруда в Шарлоттенбургском парке и смотрела, как по воде разбегаются круги. Длинные тонкие пальцы подняли еще один гладкий камешек и, немного помедлив, швырнули его в пруд. Августовский день был солнечным и жарким; золотистые с медным отливом волосы молодой женщины плавной волной ниспадали на плечи. Тонкий гребень слоновой кости, не дававший золотым прядям опускаться на глаза, еще более подчеркивал гармонию прекрасного лица. Глаза у Кассандры были огромные, миндалевидные, синевой не уступавшие цветам, которые росли на соседней клумбе. Временами в них вспыхивали искорки веселья, но даже в такие минуты эти глаза сохраняли выражение нежной задумчивости. Они могли одновременно ласкать и дразнить, а в следующий миг становиться рассеянными и мечтательными, словно их обладательница погружалась в некие ей одной доступные грезы, связанные с реальностью не больше, чем вычурный Шарлоттенбургский замок с деловитой суетой окружавших его берлинских улиц. Старый замок, застывший во времени, парил над водами пруда и взирал на Кассандру благосклонно, словно признавал ее существом из своей эпохи.

Кассандра раскинулась на траве и стала похожа на романтический портрет или прекрасное видение. Ее длинные пальцы рассеянно перебирали стебли травы в поисках следующего камешка. Неподалеку в воде шумно плескались две утки, чем приводили в полный восторг малышей, наблюдавших за ними с берега и радостно хлопавших в ладоши. Кассандра задумчиво посмотрела на возбужденные детские лица, но ребятня со смехом убежала прочь, увлеченная какой-то новой забавой.

— О чем ты думаешь?

Как бы очнувшись от сна, молодая женщина обернулась и медленно улыбнулась:

— Так, ни о чем.

Ее улыбка стала чуть шире, и Кассандра протянула своему спутнику тонкую руку — на солнце ослепительно вспыхнул бриллиантовый перстень. Но мужчину драгоценности не интересовали. Для него существовала лишь сама Кассандра, казалось, заключавшая в себе всю тайну жизни и красоты. Она была вопросом, на который у него не было и не могло быть ответа; она была драгоценным даром, который — он знал — никогда ему не достанется.

Они познакомились прошлой зимой на презентации его второго романа — «Поцелуй». Благопристойная Германия была шокирована этим резким, откровенным произведением, однако «Поцелуй» принес автору еще большую славу, чем первая его книга. Роман был наполнен эротичностью и психологизмом; его выход в свет закрепил за Дольфом Штерном репутацию одного из лидеров современной немецкой литературы. Он был парадоксален, злободневен, временами вызывающ, но главное — талантлив. В тридцать три года Дольф Штерн достиг всего, о чем только может мечтать писатель. Именно в эту пору ему суждено было встретить женщину своей мечты.

Увидев Кассандру впервые, Дольф чуть не задохнулся, пораженный ее красотой. Он, разумеется, знал, кто она — в берлинском обществе эту женщину знали все. Она показалась ему существом из иного мира — такая недоступная, такая хрупкая. Сердце его мучительно сжалось, когда Кассандра предстала перед ним во всем великолепии: в шелковом платье, переливающемся золотистыми искрами, в золотом венце и собольем палантине, наброшенном на плечи. Но Дольфа поразила не роскошь ее наряда, а излучаемая этой женщиной магическая сила. В шумном зале она держалась так, словно находилась на некоем обособленном островке безмолвия. А когда Кассандра обернулась к нему и улыбнулась, ослепленный сиянием ее глаз, Дольф и вовсе потерял голову.

— Поздравляю, — сказала она.

— С чем? — пролепетал он, внезапно почувствовав себя десятилетним мальчуганом. Но тут он заметил, что она тоже нервничает. Эта красавица была совсем не такой, какой показалась ему на первый взгляд. Безусловно, элегантна, но вовсе не высокомерна, не замкнута в сознании своего превосходства. У Дольфа создалось ощущение, что она побаивается назойливых взглядов и всей этой сутолоки.

В тот вечер Кассандра ушла рано, исчезла, словно Золушка. Со всех сторон окруженный поклонниками, Дольф не смог остановить ее, броситься за ней, хотя готов был отдать все на свете за возможность еще раз заглянуть в эти сине-лиловые глаза.

Через две недели они встретились вновь — совершенно случайно. Произошло это в Шарлоттенбургском парке. Дольф увидел ее, когда она прогуливалась возле замка, а потом с улыбкой смотрела на плавающих уток.

— Вы часто сюда приходите? — спросил он, приблизившись.

Эти двое, стоя рядом, являли собой разительный контраст. Дольф Штерн был смугл, его черные волосы напоминали мех ее собольего манто; глаза его были цвета оникса. Хрупкая светловолосая женщина кивнула, посмотрела на него с загадочной детской улыбкой.

— В детстве я часто приходила сюда.

— Так вы из Берлина?

Вопрос был довольно глупый, но Дольф растерялся и не знал, о чем говорить.

Кассандра беззлобно рассмеялась:

— Да, я из Берлина. А вы?

— Я из Мюнхена.

Какое-то время они стояли молча. Дольф пытался сообразить, сколько ей лет. Двадцать два? Двадцать четыре? Трудно сказать. В этот миг раздался звонкий смех, и, обернувшись, они увидели, что трое детишек, расшалившись, гонятся вдоль самой кромки воды за собакой, а следом едва поспевает няня. Дело кончилось тем, что озорники промочили ноги, но собаку так и не догнали.

— В детстве однажды я тоже залезла в пруд. Няня после этого не водила меня в парк целый месяц.

Дольф улыбнулся, представив себе эту сцену. Женщина казалась ему совсем юной, но невозможно было представить, чтобы она в своих соболях и бриллиантах помчалась за собакой или залезла в воду. Он вообразил ее шаловливой девочкой, убегающей от няни в крахмальном переднике. Когда это было? В двадцатом году? Или в пятнадцатом? Сам Дольф в ту пору жил совсем иначе. Ему приходилось, кроме учебы в школе, еще и работать у отца в булочной — утром перед уроками и вечером. Серые будни, бесконечно далекие от жизни этого золотистого ангела...

После того дня Дольф стал регулярно наведываться в Шарлоттенбургский парк. Он говорил себе, что прогулки на свежем воздухе пойдут ему на пользу — нельзя же целый день просиживать за письменным столом. Но в глубине души Дольф отлично понимал, зачем сюда приходит. Он мечтал вновь увидеть это лицо, эти глаза, эти золотые волосы. В конце концов его мечта осуществилась — они вновь встретились на берегу. Ему показалось, что Кассандра обрадовалась. Со временем совместные прогулки участились, хотя свиданий друг другу они не назначали. Просто, закончив работать, Дольф шел в парк, и нередко Кассандра оказывалась там в то же самое время.

Они чувствовали себя хранителями старого замка, попечителями игравших возле пруда детей. Парк как бы стал их совместным владением, и это ощущение приносило им обоим радость. Дольф и Кассандра рассказывали друг другу о своем детстве, делились планами и мечтами. Кассандра с детства хотела стать актрисой, чем приводила в ужас своего почтенного отца. Девочка отлично понимала, что путь на сцену ей заказан, но мечтала о том, что когда-нибудь напишет пьесу. Кассандра очень любила слушать, как Дольф рассказывает о своем литературном труде, о начале писательской карьеры, об успехе первого романа. Он еще не успел свыкнуться со своей славой. Он приехал из Мюнхена в Берлин семь лет назад; пять лет назад выпустил свой первый роман; три года назад купил автомобиль, еще через год — старинный особняк в Шарлоттенбурге. Все это казалось ему каким-то чудесным сном. Глаза Дольфа светились восторгом и радостным изумлением, и от этого он казался моложе своих лет. Нет, Дольф Штерн еще не был пресыщен — ни жизнью, ни литературой, ни любовью.

Кассандра слушала его рассказы затаив дыхание. В его устах книги и истории делались реальными, оживали, и в такие минуты Кассандра чувствовала, что тоже наполняется жизнью. Шли недели, и Дольфу казалось, что затаенный страх, видевшийся ему в ее взоре, постепенно исчезает. Теперь во время их встреч в парке Кассандра вела себя иначе — веселее, раскованнее, радостнее.

Однажды, когда они прогуливались по берегу, вдыхая аромат свежего весеннего ветерка, Дольф как бы в шутку спросил:

— Знаете ли вы, как сильно вы мне нравитесь?

— Значит, вы напишете обо мне книгу?

— Вы считаете, я должен это сделать?

Кассандра на миг опустила глаза, потом, взмахнув ресницами, покачала головой:

— Нет, не думаю. Обо мне писать нечего. В моей жизни не было ни побед, ни достижений, ни свершений. Вообще ничего.

Синие и черные глаза продолжили этот разговор без слов — время для откровений еще не наступило. Потом Дольф спросил:

— Вы так думаете?

— Это правда. Я родилась, живу, потом умру. За мою жизнь мне предстоит переменить множество нарядных платьев, посидеть на тысяче банкетов, бесчисленное количество раз сходить в оперу... Больше в моей жизни ничего не будет.

Кассандре было всего двадцать девять лет, но она давно уже свыклась с мыслью о том, что от судьбы ей ждать нечего.

— А как же ваша пьеса?

Она лишь пожала плечами. Ответ был очевиден. Клетка, даже если она из золота, все равно клетка. Но Кассандра беззаботно рассмеялась:

— Поэтому сами видите, моя единственная надежда на славу и бессмертие — это вы. Вставьте меня в роман, превратите в какой-нибудь экзотический персонаж.

Дольф не осмелился сказать ей, какое место она занимает в его воображении. Он взял ее под руку и так же шутливо ответил:

— Договорились. Готов учесть ваши пожелания. Кем вы хотели бы быть? Какая профессия кажется вам достаточно экзотической? Хотите, сделаю вас шпионкой? Хотите — хирургом? Может быть, любовницей какого-нибудь знаменитого человека?

Кассандра скорчила гримасу:

— Нет, Дольф, все это скучно. Дайте-ка подумать...

Они сели на траву, и она, сняв широкополую шляпу, распустила по плечам свои светлые локоны.

— Пожалуй, сделайте меня актрисой... Примадонной лондонской сцены... А потом... — Она наклонила голову и, сверкнув перстнями, стала накручивать прядь волос на палец. — А потом я поеду в Америку и стану там звездой.

— В Америку? А куда именно?

— В Нью-Йорк.

— А вы там бывали прежде?

Она кивнула:

— Да, мы ездили с отцом, когда мне исполнилось восемнадцать. Эта была сказка...

Кассандра запнулась. Еще чуть-чуть — и она начала бы рассказывать Дольфу, как их принимали в Нью-Йорке миллиардеры Асторы, а в Вашингтоне сам президент. Но говорить всего этого не следовало — Кассандра не хотела произвести впечатление, она хотела, чтобы Штерн стал ее другом. Не стоит играть с ним в эти великосветские игры, подумала она. Каким бы знаменитым Дольф ни стал, ему все равно никогда не сделаться своим в мире знатных и богатых. Оба они это понимали, но никогда вслух на эту тему не говорили.

— Так что там было? — спросил Дольф. Его худощавое красивое лицо было совсем рядом.

— Мы оба буквально влюбились в Нью-Йорк. Особенно я.

Кассандра вздохнула и несколько печально посмотрела на пруд.

— Нью-Йорк похож на Берлин?

Она пренебрежительно покачала головой, словно от этого движения Шарлоттенбургский замок и прочие берлинские красоты могли рассеяться, как туман.

— Нет, Нью-Йорк — он удивительный. Он новый, современный, деловой, волнующий.

— Вы хотите сказать, что Берлин — город скучный? — не выдержав, рассмеялся Дольф. Ему германская столица до сих пор казалась центром мира, городом, к которому подходили все те эпитеты, коими Кассандра наградила Нью-Йорк.

— Вы надо мной смеетесь, — с упреком сказала молодая женщина, но в ее взгляде упрека не было.

Она успела полюбить эти совместные прогулки. Все чаще и чаще Кассандра находила время, чтобы ускользнуть из дома, оставив позади все повседневные заботы, и оказаться в парке как раз в то время, когда Дольф выходил на прогулку.

Он ласково посмотрел на нее:

— Да, не стану отрицать. Надеюсь, вы не в обиде?

— Нет. — Помолчав, она добавила: — У меня такое чувство, будто я знаю вас лучше, чем кого бы то ни было на всем белом свете.

Дольф испытывал то же самое, и это вселяло в него тревогу. Кассандра превратилась для него в недостижимую мечту, иллюзию, обретавшую реальность лишь на время кратких свиданий в парке.

— Вы ведь поняли, что я хотела сказать?

Штерн кивнул, не находя нужных слов. Он не хотел бы испугать ее. После этого прогулки могли прекратиться.

— Да, я понял.

На самом деле он понял ее гораздо лучше, чем ей могло показаться. Охваченный внезапным безумным порывом, Дольф взял ее за хрупкое запястье и прошептал:

— Не выпить ли нам чаю?.. У меня дома?

— Сейчас?

Ее сердце затрепетало. Да, Кассандра очень хотела бы этого, но как же... Нет, это совершенно невозможно...

— Да, прямо сейчас, — кивнул он. — Или у вас есть какие-то другие дела?

Она медленно покачала головой:

— Других дел у меня нет.

Проще простого было бы сказать, что у нее назначена встреча или, допустим, приглашены гости. Но Кассандра не стала лгать. Она подняла на него свои бездонные синие глаза и тихо сказала:

— С удовольствием.

Впервые они оставили пределы зеленого Эдема и, чересчур оживленно беседуя и смеясь — чтобы не выдать нервозности, — направились к выходу из парка. Дольф рассказывал Кассандре всякие смешные истории, а она звонко смеялась, придерживая на ходу край широкополой шляпы.

Почему-то они, не сговариваясь, ускорили шаг. У обоих возникло ощущение, что цель, ради которой они несколько месяцев встречались возле пруда, близка.

Тяжелая резная дверь бесшумно раскрылась, и Кассандра оказалась в просторном мраморном холле. Возле антикварного бидермайеровского стола на стене висела огромная картина в золоченой раме. Шаги гулко отдавались под высокими сводами.

— Так вот где живет знаменитый писатель.

Дольф нервно улыбнулся и бросил шляпу на стол.

— По правде говоря, этот дом познаменитее меня. В семнадцатом веке он принадлежал какому-то вельможе, да и в последующие столетия владельцы этих чертогов были гораздо аристократичнее нынешнего хозяина.

Штерн горделиво осмотрелся по сторонам и просиял счастливой улыбкой, когда увидел, что Кассандра с почтением разглядывает резной потолок в стиле рококо.

— Здесь просто чудесно, Дольф.

Она казалась притихшей, и он протянул ей руку.

— Пойдемте, я покажу вам весь дом.

В остальных комнатах было так же красиво, как в мраморном холле: высокие лепные потолки, наборный паркет, хрустальные канделябры, высокие узкие окна, откуда открывался вид на цветущий сад. На первом этаже находились большая гостиная и кабинет. На втором — кухня, столовая и комната для прислуги, где Дольф хранил велосипед и три пары лыж. Еще выше располагались две просторные спальни, выходившие окнами на парк и замок. В каждой из спален имелся прелестный балкон, а в углу одной из них Кассандра заметила винтовую лестницу, которая явно вела в мансарду.

— А что там, наверху? — с любопытством спросила гостья.

Дом и в самом деле был чудо как хорош — Дольф гордился им по праву.

Хозяин лукаво улыбнулся, читая в ее взоре восхищение и одобрение.

— Там находится моя башня из слоновой кости. Место, где я пишу.

— А я думала, что вы работаете внизу, в кабинете.

— Нет, там я принимаю близких друзей. Понимаете, гостиная, на мой вкус, слишком уж шикарна — я ее побаиваюсь. А работаю я вон там. — Он показал пальцем в потолок.

— Можно мне посмотреть?

— Конечно. Только не утоните в море бумажек.

Однако наверху царил образцовый порядок. Маленькая комната идеальных пропорций имела круговой обзор — окна выходили на четыре стороны. Все стены были заставлены книжными полками, в углу примостился уютный камин. Комната была само очарование, и Кассандра с восхищенным вздохом опустилась в красное кожаное кресло.

— Здесь у вас просто чудесно, — мечтательно произнесла Кассандра, глядя на замок.

— Да, именно поэтому я и купил этот дом. Особенно хороши башня из слоновой кости и панорама.

— Вы правы, хотя остальные комнаты тоже прелестны.

Кассандра расположилась в кресле очень уютно, подогнув ноги, — никогда еще Дольф не видел на ее лице такого умиротворения.

— Знаете, Дольф, у меня такое чувство, будто я наконец оказалась у себя дома. Нет, правда, мне кажется, что я ждала этого момента всю жизнь.

Она смотрела прямо ему в лицо, не отводя глаз.

— А может быть, все наоборот, — прошептал он. — Возможно, этот дом дожидался вашего прихода... И я тоже.

Штерн тут же ужаснулся собственной дерзости — он сам не знал, как у него вырвались эти слова. Но в глазах Кассандры не было гнева.

— Извините, я не хотел... — пробормотал он.

— Ничего, Дольф. Все в порядке.

Она протянула ему руку, крупный бриллиант на перстне ослепительно вспыхнул. Дольф нежно взял ее за руку и, стараясь ни о чем не думать, притянул молодую женщину к себе. Целую вечность он смотрел ей в глаза, а потом они слились в поцелуе — под ясным весенним небом, защищенные стенами его волшебной башни. Кассандра приникла к его губам жадно и страстно. Дольф вспыхнул пламенем, забыл обо всем на свете, и долгий этот миг, казалось, продолжался бесконечно.

— Кассандра... — В его взгляде читались мука и наслаждение.

Она встала и отвернулась, глядя вниз, на аллеи парка.

— Только не нужно говорить, что вы сожалеете о случившемся, — едва слышно произнесла она. — Я этого не вынесу... — Кассандра порывисто обернулась, и Дольф увидел, что ее лицо тоже искажено страданием. — Я так давно этого хотела.

— Но...

Он сам ненавидел себя за нерешительность, однако обязан был произнести это вслух — ради нее.

Но молодая женщина жестом велела ему замолчать.

— Не нужно, я и так все понимаю. Кассандре фон Готхард не пристало говорить вслух такие вещи, верно? — Ее взгляд стал жестким. — Вы совершенно правы, мне следовало бы вести себя иначе. Но я очень этого хотела. О Господи, вы даже не представляете себе, до какой степени! И поняла я это только сейчас. В жизни не испытывала ничего подобного. До этой минуты я всегда жила по правилам. И что в результате? У меня ничего нет, я ничего собой не представляю, мое существование — сплошная пустота. — Ее взор затуманился слезами. — Ты мне нужен для того, чтобы заполнить брешь моей души. — Кассандра отвернулась и пробормотала: — Прости меня, прости...

Дольф обнял ее сзади за талию.

— Не смей говорить, что ты ничего собой не представляешь. Для меня ты все. Последние месяцы я живу только одним — хочу узнать тебя как можно лучше, хочу быть с тобой, хочу отдать тебе все, чем обладаю, хочу разделить твою жизнь. Единственное, на что я не согласен, — это причинить тебе зло. Я боюсь, что, затянув тебя в свой мир, загублю тебе жизнь. У меня нет на это права. Я не должен заманивать тебя туда, где ты не можешь быть счастлива.

— Не могу быть счастлива? Здесь? — недоверчиво переспросила она. — Неужели ты правда думаешь, что с тобой я могу быть несчастлива — хотя бы на миг?

— В том-то и дело, Кассандра. Сколько времени может продолжаться наше счастье — час, два, день?

Его лицо омрачилось.

— Этого более чем достаточно. Даже один миг такого блаженства стоит больше, чем вся моя жизнь. — Ее губы чуть дрогнули, она опустила голову. — Я люблю тебя, Дольф... Люблю...

Его поцелуй не дал ей договорить, и они медленно стали спускаться вниз по лестнице. Там, в спальне, Дольф повел Кассандру к постели и бережно снял с нее всю одежду — сначала серое платье тончайшего шелка, затем бледно-бежевую комбинацию, кружевное нижнее белье, — и его пальцы коснулись бархата ее обнаженной кожи. Они провели в кровати долгие часы, невозможно было разобрать, где проходит граница между их телами и их сердцами.

С тех пор прошло ровно четыре месяца. Любовь преобразила обоих. Глаза Кассандры наполнились жизнью и огнем. Она стала веселой и шаловливой; больше всего она любила, сидя по-турецки на гигантской постели, рассказывать ему потешные истории из своей повседневной жизни.

Изменился и Дольф Штерн. Его перо обрело новый стиль, новую глубину. В душе писателя забил неиссякаемый источник творческой фантазии. И ему, и ей казалось, что в мире еще не бывало столь поразительной близости одного человеческого существа другому. Каждый из них привнес в любовь свое: он — честолюбивое стремление к успеху и волю к победе, она — свободолюбие и ненависть к золоченым путам.

Они и теперь иногда гуляли в парке, но гораздо реже. Дольф заметил, что вне пределов его дома Кассандра грустнела, утрачивала веселость. Слишком много вокруг было детей, нянек, влюбленных парочек, а Кассандра предпочла бы оставаться с ним наедине, вдали от всех. Она не хотела, чтобы окружающее напоминало ей о существовании внешнего мира, в котором у нее и Дольфа не было ничего общего.

— Хочешь вернуться?

Он давно наблюдал за ней. Кассандра грациозно раскинулась на траве; солнце вспыхивало искорками в ее золотых волосах, заставляло переливаться то розовым, то лиловым воздушную ткань платья. Шелковая шляпка того же оттенка лежала на траве, а чулки и туфли Кассандры были цвета слоновой кости. Переплетенная нитка крупных жемчужин, лайковые перчатки и лиловый ридикюль с застежкой слоновой кости дополняли ее туалет.

— Да, я хочу вернуться. — Она быстро поднялась, просияв лучезарной улыбкой. — Почему у тебя такой сосредоточенный вид?

Дольф и в самом деле смотрел на нее как-то по-особенному пристально.

— Я наблюдал за тобой.

— Почему?

— Потому что ты неописуемо прекрасна. Если бы мне пришлось давать в романе твой портрет, у меня не нашлось бы подходящих слов.

— Ну тогда изобрази меня в виде глупой и уродливой толстухи.

Они оба расхохотались.

— Тебе бы это понравилось?

— Вне всякого сомнения, — шутливо подтвердила она.

— Что ж, по крайней мере никто не догадается, о ком идет речь.

— Ты и в самом деле собираешься вставить меня в роман?

Штерн надолго задумался. Они молча шли по аллее, направляясь к дому, который так любили.

— Когда-нибудь непременно. Но не сейчас.

— Почему?

— Потому что я слишком поглощен своими чувствами. Ничего путного у меня сейчас не получится. Вполне возможно, — он улыбнулся, глядя на нее сверху вниз, — что я никогда уже не стану нормальным человеком.

Часы между обедом и вечером были для них священны. Влюбленные часто не знали, как распорядиться ими лучше — провести время в постели или перебраться наверх, в башню из слоновой кости, чтобы поговорить о творчестве. Дольфу казалось, что именно такую женщину он ждал всю жизнь. А Кассандра, в свою очередь, обрела в Штерне человека, в котором отчаянно нуждалась. Он без слов понимал малейшие движения ее души, ее чаяния и устремления, ее бунт против кабалы светских условностей. Дольф и Кассандра были буквально созданы друг для друга. И оба знали, что выбора у их нет.

— Хочешь чаю, дорогой?

В холле Кассандра бросила на столик шляпу и перчатки, достала из ридикюля ониксовый гребень, инкрустированный слоновой костью. Это было настоящее произведение искусства, как, впрочем, любая вещь и любая безделушка, принадлежащая Кассандре.

Кассандра с улыбкой оглянулась на Дольфа:

— Ну, что ты на меня уставился, дурачок? Я спрашиваю, хочешь чаю?

— А? Чаю? Да. То есть нет. Какое это имеет значение? — Он твердо взял ее за руку и потянул за собой. — Быстро идем наверх.

— Кажется, ты хочешь мне прочитать новую главу? — игриво спросила она, озорно улыбаясь.

— Да. Не главу, а целую книгу.

Час спустя он тихо спал рядом с ней, а Кассандра молча наблюдала за своим возлюбленным. Глаза ее были полны слез. Стараясь не шуметь, она выбралась из кровати. Миг расставания был ей ненавистен. Но ничего не поделаешь — время близилось к шести. Осторожно прикрыв за собой дверь, Кассандра скрылась в просторной ванной, отделанной белым мрамором. Десять минут спустя она вернулась в спальню уже полностью одетая. Глаза ее смотрели тоскливо и печально. Словно почувствовав устремленный на него взгляд, Дольф открыл глаза.

— Уже уходишь?

Она кивнула, и у обоих мучительно защемило сердце.

— Я тебя люблю.

— Я тоже, — пошептал он, сел на кровати и протянул к ней руки. — Увидимся завтра, милая.

Кассандра улыбнулась, поцеловала его еще раз, на пороге комнаты прикоснулась пальцами к губам и торопливо сбежала вниз по ступенькам.

Глава 2

От Шарлоттенбурга до Грюневальда ехать было ненамного дальше, чем из центра. Дорога занимала у Кассандры менее получаса. Если бы она гнала свой синий «форд» побыстрее, то вообще добралась бы за пятнадцать минут. Она уже знала этот маршрут наизусть и ехала самым коротким путем. Молодая женщина то и дело поглядывала на часы, сердце ее тревожно колотилось.

Сегодня она задержалась позже обычного, но времени оставалось еще вполне достаточно, чтобы переодеться к ужину. Кассандру изрядно раздражало то, что она так нервничает. Словно пятнадцатилетняя девчонка, боящаяся прогневить родителей.

Справа показались зеркальные воды Грюневальдского озера, «форд» уже мчался по узким, извилистым улицам Грюневальда. Щебетали птицы, на глади озера — ни морщинки. Вдоль улицы стояли величественные особняки, защищенные от нескромных взглядов высокими кирпичными стенами, зелеными изгородями, железными воротами. В этом респектабельном пригороде царила чинная, благопристойная тишина. Кассандра знала, что сейчас в каждом из домов хозяйки с помощью горничных обряжаются в вечерние платья. Ничего, скоро и она последует их примеру.

Кассандра остановила машину у ворот своего дома, хлопнула дверцей, открыла ключом тяжелый медный замок. Раздвинув створки ворот, она снова села в «форд» и поехала прямо к крыльцу. Ворота потом закроет кто-нибудь из слуг — у нее уже не остается на это времени. Под колесами автомобиля шуршал гравий. Кассандра привычным взглядом окинула дом — трехэтажное здание серого камня, выстроенное во французском стиле. Особняк венчала изящная мансарда с резной крышей. Там находились комнаты слуг. Ниже, на третьем этаже, во всех окнах горел свет. Еще ниже, на втором этаже, находились покои самой Кассандры, комнаты для гостей и две маленькие библиотеки — одна выходила окнами в сад, другая на озеро. На этом этаже почти всюду было темно — лишь в одном из окон горел свет. Зато внизу, на первом этаже, где располагались столовая, салон, большая библиотека и курительная комната (там хранились антикварные книги), сияли все лампы и канделябры. Кассандра недоуменно нахмурилась, а потом вспомнила, в чем дело, и испуганно ахнула:

— Господи, только не это!

Ее сердце заколотилось еще быстрее. Выскочив из машины, молодая женщина взбежала вверх по ступенькам парадного крыльца. Тщательно ухоженная лужайка с пышными клумбами, казалось, провожала ее неодобрительным взглядом. Как она могла забыть? Что скажет Вальмар? Она никак не могла попасть ключом в замочную скважину, а в другой руке держала шляпку и перчатки. Но тут дверь открылась сама. На пороге с непроницаемым лицом стоял Бертольд, дворецкий. Его лысый череп укоризненно мерцал в полумраке, отражая свет канделябров, горевших в салоне. Фрак и галстук

Бертольда были, как всегда, белее снега, а взгляд ледяных глаз не снисходил до упрека. Дворецкий смотрел на свою хозяйку без всякого выражения. За его спиной переминалась с ноги на ногу горничная в черном форменном платье и белом кружевном фартуке.

— Добрый вечер, Бертольд.

— Добрый вечер, госпожа.

Он решительно закрыл за ней дверь, щелкнув каблуками.

Кассандра нервно заглянула в салон. Слава Богу, все вроде бы было в порядке. Она совсем забыла, что на сегодня назначен ужин на шестнадцать персон. К счастью, утром Кассандра успела отдать прислуге все необходимые распоряжения. Фрау Клеммер, как обычно, оказалась на высоте. Удовлетворенно кивнув слугам, Кассандра взбежала вверх по ступенькам, но постаралась сохранить при этом достоинство. Совсем не так они с Дольфом мчались наверх, в спальню — скакали через две ступеньки, соревнуясь, кто раньше добежит до постели... Кассандра улыбнулась от этого воспоминания, но тут же согнала улыбку с лица.

На площадке второго этажа она остановилась. Холл был выдержан в серых тонах — серые ковры, жемчужный шелк на стенах, бархатные драпировки того же оттенка. Из мебели здесь имелись два великолепных сундука а-ля Людовик XV, с мраморными крышками и наборными стенками; на стенах висели старинные канделябры с лампочками в виде маленьких факелов. Между светильниками расположились небольшие офорты работы Рембрандта — они передавались в семье из поколения в поколение. Направо и налево вели двери, но лишь из-под одной из них пробивалась полоска света. Кассандра задержалась на миг возле этой двери, но тут же проследовала дальше, к своей комнате. В этот момент дверь, из-под которой выбивался свет, распахнулась, и в холле стало светло.

— Кассандра?

Вопрос прозвучал строго, но, когда молодая женщина обернулась, она увидела, что в глядевших на нее глазах гнева не было. В пятьдесят восемь лет Вальмар фон Готхард был все еще строен и красив; светлые волосы кое-где тронула седина, а голубые глаза напоминали оттенком глаза Кассандры, только с холодным мерцанием льда. Такие мужественные, горделивые лица можно увидеть на раннетевтонских портретах. Да и статью фон Готхард напоминал средневековых германцев.

— Извини... Так уж вышло... Я была вынуждена задержаться...

Кассандра не стала ничего больше объяснять. После паузы Вальмар ответил:

— Понимаю.

Он и в самом деле понимал ее — гораздо лучше, чем могла себе представить Кассандра.

— Ты успеешь? Будет неудобно, если хозяйка дома появится с опозданием.

— Я успею. Обещаю тебе.

Кассандра смотрела на него виновато. И дело было не в опоздании, а в том, что их семейному счастью наступил конец.

Вальмар улыбнулся, мучительно ощущая огромную дистанцию, которая возникла между ними.

— Поспеши же. И потом, Кассандра... — Он запнулся, но она и так догадалась, о чем пойдет речь, — чувство вины еще более усилилось. — Ты поднималась наверх?

— Еще нет. Но обязательно поднимусь, прежде чем выйти к гостям.

Вальмар фон Готхард кивнул и тихо прикрыл дверь. Здесь располагались его личные покои: большая спальня, обшитая темным деревом и уставленная английским и немецким антиквариатом. Толстый персидский ковер с сине-красным узором приглушал все звуки. Деревянными панелями были обшиты и стены кабинета, находившегося за спальней, — это была святая святых родового гнезда фон Готхардов. Кроме этих комнат, у хозяина дома были собственная ванная и гардеробная. А покои хозяйки были еще обширнее. Вбежав в спальню, Кассандра швырнула шляпку на кровать, устланную покрывалом розового шелка. Убранство спальни разительно отличалось от интерьера спальни хозяина и прекрасно соответствовало характеру и склонностям хозяйки. Все здесь было выдержано в розовых и желтоватых тонах; повсюду плавные, мягкие линии, шелк и атлас, уют и укромность. Плотные шторы были всегда задвинуты, как бы пряча обитательницу этих комнат от внешнего мира. Гардеробная была почти такого же размера, как спальня: сплошные ряды шкафов, до отказа заполненных элегантнейшими туалетами; целая шеренга туфель ручной работы; множество розовых коробок с шляпками. В гардеробной на стене висел небольшой импрессионистский пейзаж, за которым находился потайной сейф, где Кассандра хранила свои драгоценности. Следующая дверь вела в маленькую гостиную, откуда открывался вид на озеро. У окна стоял изысканный дамский стол французской работы и шезлонг, доставшийся Кассандре от матери. Полки, уставленные книгами, которые она давно уже не читала; блокнот для эскизов, к которому Кассандра не прикасалась с марта... Казалось, она здесь больше не живет. По-настоящему Кассандра оживала лишь в объятиях Дольфа.

Кассандра скинула туфли козлиной кожи, быстро расстегнула бледно-лиловое платье и распахнула дверцы двух ближайших шкафов, наскоро осматривая их содержимое. И в этот миг Кассандре вдруг стало страшно. Что я делаю? Что я натворила? Как я могла ввязаться в эту безумную авантюру? Все равно у нас с Дольфом нет никакого будущего. Я — жена Вальмара навеки...

Кассандра знала, что ее судьба решена, — знала еще с девятнадцатилетнего возраста, когда вышла замуж за фон Готхарда. Жениху было сорок восемь лет, он казался мужчиной в самом расцвете сил. Брак этот состоялся не столько по сердечной склонности, сколько из соображений делового свойства: Вальмар фон Готхард был коллегой отца Кассандры, директором другого влиятельного банка. Породнившись, обе семьи смогли объединить свои капиталы. Для круга, к которому принадлежали жених и невеста, деловые соображения были превыше всего. И тем не менее у жениха и невесты было немало общего — они привыкли к одному и тому же образу жизни, общались с теми же людьми, их семьям случалось породниться и в прошлом. По всем признакам брак должен был получиться удачным. То, что жених был почти на тридцать лет старше, не имело в данном случае никакого значения. В конце концов, он ведь не был дряхлым старцем или калекой. Вальмар фон Готхард считался писаным красавцем; да и теперь, десять лет спустя, он по-прежнему был все еще очень хорош собой. Главное же — Кассандра с самого начала чувствовала, что этот человек относится к ней с пониманием.

Он принимал ее такой, какой она была: непрактичной и далекой от житейских проблем. Вальмар знал, что эта девушка с раннего детства воспитывалась в искусственной, отгороженной от всяких внешних потрясений

Даниэла Стил

среде. Что же, он был готов и в дальнейшем защищать свою хрупкую жену от жизненных невзгод.

Итак, судьба Кассандры была решена и определена с самого начала, заботливо выстроена родителями в соответствии с освященной веками традицией. Задача, стоявшая перед молодой женщиной, была проста: делай то, чего от тебя ожидают, а об остальном позаботится муж — защитит, обеспечит всем необходимым, поможет советом и ни в коем случае не позволит рассыпаться кокону, в котором Кассандра благополучно пребывала с самого момента рождения. Даже теперь она знала, что мужа ей можно не бояться. Ей вообще некого было бояться, кроме самой себя. Она понимала это сейчас лучше, чем когда бы то ни было прежде.

Кассандра пробила маленькую брешь в скорлупе, оберегавшей ее от внешнего мира, и если не телом, то по крайней мере духом вырвалась на свободу. Однако по вечерам ей приходилось возвращаться домой и разыгрывать свою основную роль, роль супруги Вальмара фон Готхарда.

— Фрау фон Готхард?

Кассандра испуганно оглянулась, неожиданно услышав за спиной женский голос.

— Ах, Анна, это вы... Спасибо, я оденусь сама.

— Фрейлейн Хедвиг просила передать, что дети хотели бы повидаться с вами, прежде чем она уложит их спать.

О Господи, подумала Кассандра, отворачиваясь. Сердце тоскливо сжалось от сознания своей вины.

— Сейчас переоденусь и поднимусь наверх. Благодарю вас.

Эти слова были произнесены таким тоном, что горничной оставалось только удалиться. Кассандру с детства приучили безукоризненно владеть тончайшими оттенками интонации. Нюансы голоса и правильный подбор слов — эту науку девочки ее круга впитывали с молоком матери. Никогда не грубить, никогда не выходить из себя, по возможности избегать резкостей — ведь дама есть дама. Так вели себя женщины в ее мире. Но стоило двери закрыться, как Кассандра безвольно рухнула в кресло, чувствуя себя беспомощной, разбитой и глубоко несчастной. На глаза навернулись слезы. Семейные и домашние обязанности, долг жены и матери не выпускали ее из своих пут. Из этой постылой неволи она и пыталась вырваться, встречаясь с Дольфом Штерном.

Вся ее семья теперь состояла из Вальмара и детей. Больше Кассандре рассчитывать было не на кого — отец умер, мать пережила его всего на два года. Должно быть, ей было так же одиноко, как Кассандре. Теперь ее об этом уже не спросишь, а задавать вопросы интимного свойства окружающим бесполезно — правды все равно не услышишь.

С самого начала Кассандра и Вальмар сохраняли в отношениях уважительную дистанцию. По предложению мужа у каждого из них была своя спальня. По вечерам в будуаре Кассандры они встречались, пили шампанское, а затем ложились в постель. Но после рождения второго ребенка — а это случилось пять лет назад — встречи в будуаре почти прекратились. Роды были очень трудные, понадобилось кесарево сечение, и роженица чуть не умерла. Вальмар знал, что новая беременность была бы для нее слишком опасной. Вот почему шампанское в серебряном ведерке ставили в будуар все реже и реже. С марта же супружеская жизнь и вовсе прекратилась. Вальмар не задавал никаких вопросов. С ним всегда было легко — достаточно намекнуть на неважное самочувствие, на головную боль или визит к доктору, и никаких проблем не возникало. По вечерам Кассандра ложилась спать раньше, чем прежде. Вальмар относился к этому с пониманием, ни единым словом не выражал недовольства. Но, возвращаясь домой, в его дом, Кассандра чувствовала, что ведет себя недостойно. Как жить дальше? Неужели надеяться не на что? Сколько времени это может продолжаться? Очевидно, до тех пор, пока у Дольфа не лопнет терпение. Рано или поздно он устанет от всех этих игр. Кассандра прекрасно понимала, что именно так все и будет, хотя сам Дольф об этом еще не догадывался. Что будет потом? Новый любовник? Вообще никаких любовников? Она стояла перед зеркалом, грустно глядя на свое отражение, растерянная и сомневающаяся. Куда исчезла та веселая, уверенная в себе женщина, которая всего час назад ощущала себя счастливой рядом с возлюбленным? Сейчас Кассандра чувствовала себя предательницей — она изменила мужу, изменила своему образу жизни.

Глубоко вздохнув, она вновь подошла к раскрытому шкафу. Переживания переживаниями, а одеться подобающим образом все равно необходимо. Супруга Вальмара фон Готхарда обязана безупречно выглядеть перед гостями — хоть это-то она может ради него сделать? На ужин были приглашены деловые партнеры Вальмара, банкиры со своими женами. На подобных банкетах Кассандра всегда оказывалась самой молодой из присутствующих дам, но это не мешало ей вести себя, соблюдая все светские правила и установления.

Внезапно ей захотелось захлопнуть дверцы шкафа и броситься по лестнице на третий этаж, где жили дети — этот мир всегда казался ей таинственным и недоступным. Глядя на малышей, резвящихся возле шарлоттенбургского пруда, Кассандра всякий раз вспоминала о своих детях и с болью думала, что знает о них почти так же мало, как об этих чужих мальчиках и девочках, с хохотом бегающих по берегу. Настоящей матерью детям была фрейлейн Хедвиг. Она всегда рядом с ними, они постоянно видят ее перед собой. Собственные сын и дочь, так похожие на Вальмара и почти не похожие на нее, были от нее бесконечно далеки. «Не будь смешной, Кассандра, — сказал Вальмар на следующий день после рождения Арианы. — Не станешь же ты ухаживать за ней сама». «Но я очень этого хочу, — взмолилась Кассандра. — Ведь она — моя дочь». «Не твоя, а наша, — ласково улыбнулся Вальмар, а на глазах у Кассандры выступили слезы. — Ты что же, намерена сидеть рядом с ней ночи напролет, менять ей пеленки? Да тебя и на два дня не хватит. Это невозможно! Нет, я и слышать об этом не хочу!» На лице у Вальмара появилось раздраженное выражение, что случалось с ним нечасто. Но Кассандра знала, что ее желание вполне естественно. Знала она и то, что оно совершенно неосуществимо. В тот же день, когда мать и новорожденная дочь приехали из госпиталя домой, девочку перевели на третий этаж, а в доме появилась няня — фрейлейн Хедвиг. В первую же ночь Кассандра поднялась наверх, чтобы посмотреть на Ариану, но фрейлейн не подпустила ее к ребенку, да еще и строго выговорила за то, что Кассандра якобы «нарушает режим». Вальмар поддержал няню. Он сказала, что Кассандре совершенно ни к чему самой ходить в детскую — когда понадобится, младенца принесут ей на второй этаж. Отныне мать видела свою маленькую девочку только один раз в день, по утрам. Если Кассандра в течение дня наведывалась в детскую, ей всякий раз говорили, что ребенок спит, капризничает, нездоров и так далее. И молодой женщине приходилось отправляться восвояси. «Подожди, девочка подрастет, и ты сможешь видеться с ней чаще», —

говорил Вальмар. Но когда Ариана подросла, было уже слишком поздно. Она и мать были чужими друг другу. Фрейлейн Хедвиг победила. Три года спустя родился второй ребенок, но его появление на свет далось Кассандре с таким трудом, что сил возобновлять борьбу не было. Четыре недели она пролежала в госпитале, и еще целый месяц — дома, в постели. Оправившись от болезни, Кассандра четыре месяца не могла выйти из состояния глубочайшей депрессии. В конце концов закончился и этот период, но молодая женщина успела понять, что заниматься воспитанием детей ей все равно не позволят — ни при каких обстоятельствах. Никто не нуждался в ее помощи, ее заботе, ее любви... Кассандра должна была довольствоваться ролью очаровательной дамы, навещавшей своих крошек, благоухающей волшебными французскими духами и шуршащей шелками. Единственное, что она могла себе позволить, — это тайком совать детям сладости и тратить баснословные суммы на игрушки. Но Кассандра знала, что материнской любви, в которой так нуждаются ее дочь и сын, она дать им не может, а их ответное чувство уже направлено не на нее, а на няню.

Вытерев слезы, Кассандра надела вечернее платье и подобрала черные замшевые туфли в тон. Таких у нее было девять пар, и она отдала предпочтение самым новым — с открытыми мысками. Кассандра сняла чулки цвета слоновой кости — они не подходили к платью, — и выбрала другие, достав их из обшитой атласом коробки. Хорошо, что она успела перед отъездом из Шарлоттенбурга принять душ. Сейчас ей казалось невероятным, что совсем недавно она находилась в ином мире, рядом с Дольфом. Дом в Шарлоттенбурге представлялся ей каким-то сказочным видением, а реальность находилась здесь, в Грюневальде, и принадлежала она Вальмару фон Готхарду. Она, Кассандра, — его законная супруга, и отрицать этот факт бессмысленно.

Молодая женщина застегнула платье — узкое и облегающее, с длинными рукавами и закрытым горлом. Спереди она выглядела очень строго и торжественно, но стоило повернуться, и взорам открывалась спина, обнаженная до самой талии. Нежная кожа матово белела в неярком электрическом свете, как гладь океана в лунную летнюю ночь.

Кассандра накинула на плечи шелковый шарф, поправила прическу, заколов волосы длинными булавками черного коралла. Удовлетворенная результатом, она стерла с ресниц тушь, наложила косметику заново, еще раз взглянула на себя в зеркало, после чего вдела в уши серьги — две крупные грушеобразные жемчужины. На пальцах у Кассандры сияли два бесценных перстня: один с большим изумрудом, другой, на правой руке, — с бриллиантом. Он передавался в их семье от матери к дочери в течение четырех поколений. Мельчайшими бриллиантами на кольце были выложены инициалы ее прабабушки.

Уже выходя из комнаты, Кассандра обернулась и взглянула на себя в зеркало еще раз. Она выглядела так же, как всегда, — прекрасная, очаровательная и уверенная в себе молодая дама. Никто не догадается, что она провела полдня в объятиях любовника.

Кассандра вышла в длинный холл, выдержанный в серых тонах, и остановилась у подножия лестницы, которая вела на третий этаж. Напольные часы в углу пробили семь. Итак, она даже не опоздала. Гости прибудут через полчаса. Можно целых тридцать минут провести с Арианой и Герхардом. Полчаса законного материнства перед тем, как детей уложат спать. Вряд ли эти ежедневные полчаса что-нибудь значат в их жизни, думала Кассандра, поднимаясь по лестнице. Тридцать минут умножить на... Сколько дней? Впрочем, она сама виделась со своей матерью не чаще. Самое осязаемое воспоминание и наследие, доставшееся ей от матери, — это бриллиантовый перстень на пальце.

У дверей в комнату для игр Кассандра остановилась и негромко постучала. Изнутри ее, видимо, не услышали, — оттуда доносились визг и хохот. Детей к этому часу наверняка уже накормили ужином, искупали, и сейчас под руководством фрейлейн Хедвиг они должны были собирать свои игрушки. В этом ответственном и сложном деле детям помогала специальная горничная. Почти все лето Ариана и Герхард провели в загородном поместье, и мать очень по ним соскучилась. Впервые за все годы Кассандра оставалась на лето в Берлине — из-за Дольфа. К счастью, нашелся удобный предлог — благотворительная деятельность.

Кассандра постучала вновь, и на сей раз ее услышали. Фрейлейн Хедвиг открыла дверь. В комнате моментально воцарилась тишина. Дети перестали возиться и смотрели на мать с явным испугом. Этот момент Кассандра ненавидела больше всего. Сын и дочь всякий раз вели себя так, словно видели ее впервые.

— Всем привет!

Она улыбнулась и протянула вперед обе руки.

Дети не шелохнулись. Потом фрейлейн Хедвиг подала им знак, и Герхард первым приблизился к матери. Кассандра видела, что мальчик уже готов броситься ей в объятия, но строгий голос няни остановил его:

— Герхард, осторожней! Твоя мама оделась для банкета.

— Ничего-ничего, — поспешно сказала Кассандра, но мальчик боязливо замер, так и не сделав последний шаг.

— Здравствуй, мамочка.

Глаза у него были синие и широко раскрытые, совсем как у матери, но лицом Герхард больше походил на отца. Правильные черты, ясная улыбка, золотые волосы, по-младенчески пухлое тельце. Пятилетний мальчуган казался младше своего возраста.

— Я поранил ручку, — объявил он, сохраняя безопасную дистанцию.

Кассандра ласково потянулась к нему.

— Ну-ка покажи. Ой, какая ужасная царапина. Наверное, очень больно, да?

На самом деле царапина была совсем маленькая, но Герхарду, судя по всему, она казалась опасной раной. Он с серьезным видом посмотрел сначала на ссадину, потом на маму в черном платье.

— Да, — кивнул он. — Но я совсем не плакал.

— Молодец. Настоящий мужчина.

— Да, я знаю, — с довольным видом кивнул мальчик и тут же, забыв о матери, помчался за какой-то игрушкой.

Кассандра обернулась к Ариане. Та стояла возле фрейлейн Хедвиг и застенчиво улыбалась.

— Ты не хочешь меня поцеловать? — спросила Кассандра.

Девочка кивнула и медленно, нерешительно приблизилась. Она была очень хороша собой и, пожалуй, обещала со временем затмить красотой мать.

— Как у тебя дела?

— Хорошо. Спасибо, мамочка.

— Ни синяков, ни ссадин? А то давай поцелую.

Девочка отрицательно покачала головой и улыбнулась. Она и мать иногда втихомолку посмеивались над Герхардом — он был такой забавный. Ариана же росла девочкой задумчивой, тихой и стеснительной. Кассандра часто думала, что ребенок был бы гораздо живее, если бы жил не с няней, а с матерью.

— Чем ты сегодня занималась?

— Читала. И еще рисовала картинку.

— Можно мне посмотреть?

— Она еще не закончена.

Ариана никогда не показывала матери своих рисунков.

— Не важно, я все равно хотела бы на нее посмотреть.

Девочка густо покраснела и отчаянно замахала головой. Кассандра опять почувствовала себя чужой, посторонней. Хоть бы Хедвиг и горничная оставили их вдвоем, пусть даже ненадолго. Но Кассандра почти никогда не общалась со своими детьми наедине. Хедвиг не отходила от них ни на минуту, чтобы «дети не расшалились».

— Смотри, что у меня есть!

Герхард вернулся уже переодетый в пижаму, таща за собой большую плюшевую собаку.

— Откуда это у тебя, детка?

— Баронесса фон Форлах подарила. Она приходила сегодня после обеда.

— В самом деле? — удивилась Кассандра.

— Да, она сказала, что ты пригласила ее к чаю.

Кассандра зажмурилась и сокрушенно покачала головой:

— Какой кошмар! Я совершенно забыла. Надо будет ей позвонить. А собачка очень красивая. Ты уже придумал, как ее назвать?

— Бруно. А Ариана получила в подарок большую белую кошку.

— Правда?

Девочка сохранила это важное событие в тайне. Наступит ли время, когда она станет делиться с матерью своими секретами? Может быть, когда Ариана вырастет, они станут друзьями. Сейчас же, пожалуй, еще слишком рано. Или уже слишком поздно?

Снизу вновь раздался ритмичный перезвон часов, и сердце Кассандры тоскливо сжалось. Герхард обиженно скривил пухлые губки.

— Тебе уже пора?

Она кивнула:

— Извините меня. У папы званый ужин.

— У папы? А у тебя? — удивленно спросил Герхард.

Кассандра улыбнулась:

— У меня тоже. Но приглашены папины коллеги — его сотрудники и другие банкиры.

— Это, наверное, жуткая скукотища.

— Герхард! — строго нахмурилась фрейлейн Хедвиг, а Кассандра весело рассмеялась.

Заговорщически понизив голос, она шепнула своему очаровательному сыночку:

— Там и в самом деле будет жуткая скукотища, но никому об этом не говори. Это будет наш с тобой секрет.

— Ты очень красивая, — заявил Герхард, одобрительно оглядывая ее.

Кассандра чмокнула его в пухлую ручонку.

— Спасибо.

Она прижала ребенка к себе и нежно поцеловала в золотистую макушку.

— Спокойной ночи, мой маленький. Ты возьмешь собачку с собой в постель?

Герхард покачал головой:

— Хедвиг говорит, что этого делать нельзя.

Кассандра ласково улыбнулась няне, полной женщине средних лет:

— Думаю, ничего страшного не будет.

— Хорошо, госпожа.

2*

Малыш просиял, и они с матерью хитро улыбнулись друг другу. Потом Кассандра улыбнулась дочери:

— А ты возьмешь с собой в постель свою новую кошку?

— Наверное, возьму.

Девочка взглянула сначала на няню, а уже потом на мать. Кассандра почувствовала, как внутри у нее все опять сжимается.

— Завтра покажи ее мне, хорошо?

— Хорошо, сударыня, — ответила Ариана.

Это обращение больно задело Кассандру, но она не подала виду — ласково поцеловала дочку, махнула детям рукой и тихо закрыла за собой дверь.

Спустившись по лестнице настолько быстро, насколько позволяло узкое платье, Кассандра появилась в прихожей как раз вовремя — Вальмар приветствовал первых гостей.

— А вот и ты, дорогая.

Он обернулся к ней с улыбкой, как всегда, восхищенный ее красотой. Последовали неизбежные приветствия, мужчины щелкали каблуками, целовали дамам ручки. Пару, прибывшую первой, Кассандра принимала у себя дома впервые, хотя они несколько раз встречались на официальных раутах в банке. Взяв мужа под руку, Кассандра последовала за гостями в салон.

Вечер прошел как обычно — изысканные яства, лучшие французские вина, светская болтовня. Разговор вращался главным образом вокруг двух тем — банковского дела и путешествий. О детях и о политике говорить было не принято. Шел 1934 год, недавняя смерть рейхспрезидента фон Гинденбурга освободила Адольфу Гитлеру путь к безраздельной власти в стране. И тем не менее банкиры считали ниже своего достоинства обсуждать политические вопросы. Гитлер стал

рейхсканцлером еще в минувшем году, однако это событие никоим образом не отразилось на состоянии дел
германских финансистов. У Гитлера была своя работа,
у них — своя, не менее важная для блага рейха. Многие банкиры относились к выскочке-рейхсканцлеру с
презрением, считали, что опасаться его не приходится.
Живи и давай жить другим — вот золотое правило.
Но были, разумеется, и такие, которым идеи Гитлера
пришлись по душе.

Вальмар фон Готхард не относился к их числу, однако предпочитал держать свои политические убеждения
при себе. Темпы, с которыми нацисты концентрировали
в своих руках власть и влияние, внушали ему тревогу. В
приватных беседах Вальмар не раз говорил своим близким друзьям, что дело может закончиться войной. Однако на званом ужине о подобных материях дискутировать
не пристало. Блинчики с клубникой и шампанское зани-
мали гостей гораздо больше, чем проблемы третьего рейха.

Последний гость ушел в половине второго ночи. Когда
супруги наконец остались наедине, Вальмар устало обернулся к Кассандре и зевнул:

— По-моему, ужин прошел превосходно, дорогая.
Ты знаешь, утка мне понравилась больше, чем рыба.

— В самом деле?

Кассандра подумала, что нужно будет завтра сообщить об этом повару. Фон Готхарды традиционно устраивали поистине лукулловы пиршества: непременно
закуски, супы, рыбные и мясные блюда, салаты, сыры,
десерт и в заключение фрукты. Такова была традиция,
и отказываться от нее они не собирались.

— Тебе понравился вечер? — спросил муж, когда
они медленно поднимались по лестнице.

— Конечно, Вальмар. — Кассандра была тронута. — А тебе?

— Во всяком случае, польза от него была. Думаю, что теперь бельгийская сделка состоится. Мне было очень важно побеседовать с Гофманом в неофициальной обстановке. Очень рад, что он пришел.

— Что ж, тогда я тоже рада.

Кассандра сонно подумала, что, очевидно, в этом и состоит цель ее жизни — помогать мужу провернуть бельгийскую сделку, а любовнику — написать новую книгу. Так вот ради чего она живет на свете? Ее предназначение — помогать мужчинам в их деятельности? Если так, то почему мужчинам, а не собственным детям? Нет, не так: почему не самой себе?

— По-моему, у него прехорошенькая жена, — сказала она вслух.

Вальмар безразлично пожал плечами. Они были уже на площадке второго этажа. Муж грустно улыбнулся:

— Не обратил внимания. Боюсь, что после тебя другие женщины перестали казаться мне привлекательными.

— Спасибо, — с улыбкой отблагодарила Кассандра.

Настал неловкий момент — оба стояли каждый перед своей дверью и никак не решались разойтись. В обычные вечера эта сцена была менее мучительна. Вальмар просто удалялся в свой кабинет, а Кассандра отправлялась к себе в будуар почитать какую-нибудь книжку. Но сегодня им пришлось подниматься по лестнице вместе, и каждый с особой остротой ощутил свое одиночество. В прежние времена супруги нередко проводили ночь в спальне у Кассандры, однако теперь — и это было абсолютно ясно обоим — подобные встречи стали невозможны. Поэтому всякий раз, желая друг другу спокойной ночи, они чувствовали себя так, словно прощаются всерьез и надолго.

— В последнее время, дорогая, ты стала выглядеть лучше, — произнес Вальмар с нежной улыбкой. — Я имею в виду не только красоту, но и твое здоровье.

— Я и в самом деле чувствую себя гораздо лучше, — с такой же улыбкой ответила Кассандра и заметила, как при этих словах в его глазах что-то погасло. Она поспешно отвела взгляд.

Наступило молчание, прерванное перезвоном часов.

— Уже поздно, тебе пора спать.

Вальмар поцеловал ее в лоб и решительно направился к своей двери.

— Спокойной ночи, — тихо прошептала Кассандра ему вслед и быстро прошла к себе в спальню.

Глава 3

Над прудом возле Шарлоттенбурга дул холодный, пронзительный ветер. Дольф и Кассандра гуляли по пустынной аллее. Они были в парке одни. Дети еще не вернулись из школы, а влюбленные парочки и старушки, кормившие уток, в такой холодный день предпочитали сидеть дома. Но Дольф и Кассандра были даже рады непогоде — никто сегодня не нарушал их уединения.

— Тебе не холодно?

Кассандра рассмеялась:

— В таком наряде? Даже если мне было бы холодно, я бы постеснялась в этом признаться.

— Еще бы.

Дольф с восхищением посмотрел на ее новую соболью шубу, почти доходившую до земли. На голове у Кассандры была такая же соболья шапка, немного сдвинутая набок; золотые волосы тяжелым узлом лежали низко на затылке. Щеки молодой женщины раскраснелись от холода, глаза казались не синими, а фиалковыми. Дольф обнял ее за плечи и посмотрел на свою возлюбленную с гордостью. Шел ноябрь. Эта удивительная женщина принадлежала ему уже целых восемь месяцев.

— Ты рад, что закончил книгу?

— У меня такое чувство, словно я остался без работы.

— Скучаешь по своим героям?

— Да, поначалу мне их очень не хватало. — Дольф поцеловал ее в лоб. — Но когда я с тобой, мне никто не нужен. Может быть, вернемся?

Она кивнула, и они направились к дому. Шаг их постепенно ускорялся. Дольф распахнул входную дверь, и они вошли в холл. Кассандра давно уже чувствовала себя здесь как дома. На прошлой неделе они отправились в поход по антикварным лавкам, купили два новых кресла и небольшой столик.

— Хочешь чаю?

Он с удовольствием согласился и проследовал за ней на кухню. Кассандра поставила чайник на плиту, выдвинула из-под стола видавшие виды стулья.

— Известно ли вам, сударыня, какое счастье для меня видеть вас здесь? — шутливо спросил Дольф.

— А известно ли вам, сударь, какое счастье для меня здесь находиться?

В последнее время Кассандра почти избавилась от чувства вины. Она решила, что нечего угрызаться — такова уж ее судьба. Несколько месяцев назад она случайно узнала, что одна из сестер ее отца в течение тридцати двух лет имела постоянного любовника. Это открытие весьма подбодрило молодую женщину. Очевидно, ей уготован тот же путь. Не так уж это плохо — иметь при себе и Дольфа, и Вальмара. Она может быть полезна им обоим, может находить счастье в объятиях Дольфа и в то же время чувствовать себя под надежной защитой Вальмара. В конце концов, кому от этого хуже? Кассандра почти перестала терзаться двусмысленностью своего положения. Лишь встречаясь с детьми, она по-прежнему чувствовала себя скверно, но так ведь было и до Дольфа...

— У тебя такой серьезный вид, — сказал он. — О чем ты думала?

— Я думала о нас...

Разливая чай, Кассандра вновь погрузилась в раздумья. В этой уютной кухне она чувствовала себя гораздо лучше, чем на церемонных чаепитиях, устраиваемых в Грюневальде, под присмотром хмурого Бертольда.

— Когда ты думаешь о нас, тебе становится невесело?

Кассандра обернулась к нему, протягивая чашку.

— Иногда. Ты же знаешь, как серьезно я воспринимаю наши отношения.

Дольф тоже посерьезнел.

— Знаю. Я и сам отношусь к этому так же. — Внезапно ему захотелось произнести слова, которых он никогда прежде не говорил. — Если бы... Если бы все сложилось иначе... Я бы хотел, чтобы мы никогда не расставались.

Кассандра впилась в него взглядом.

— «Если бы»? А сейчас?

Он нежно сказал:

— Я все равно этого хочу. — Вздохнув, добавил: — Но поделать ничего не могу.

— Ты и не должен ничего делать. — Кассандра села напротив. — Я и так счастлива. — Она тоже решила сказать ему то, о чем раньше никогда не говорила: — Здесь, у тебя, проходит самая важная часть моей жизни.

Для него Кассандра тоже стала главным смыслом бытия. За последний год в его жизни многое переменилось. Менялся и окружающий мир, но о происходящих в нем процессах Кассандра знала гораздо меньше, чем

Дольф. Она нежно взяла его за руку, чтобы отвлечь от тревожных мыслей.

— Расскажи мне о книге. Что сказал твой издатель?

Лицо Дольфа стало отчужденным.

— Так, ничего особенного.

— Рукопись ему не понравилась? — поразилась Кассандра.

Книга была необычайно хороша. Кассандра прочитала ее в один присест, сидя на его кровати и закутавшись в одеяло.

— Что именно он сказал?

— Ничего. — Его взгляд стал жестким. — Он не сможет ее напечатать.

Так вот чем объяснялась грусть, которую Кассандра заметила в его взоре, едва переступила порог дома. Почему он не сказал ей об этом раньше? Впрочем, Дольф вообще старался не обременять ее своими проблемами. Гораздо больше его интересовало все, связанное с ней.

— Да что они все, с ума посходили? Они что, забыли про успех твоей последней книги?

— Успех не имеет к этому никакого отношения.

Дольф встал и отнес чашку в раковину.

— Я не понимаю.

— Я тоже. Но думаю, скоро мы все поймем. Наш любимый фюрер объяснит, что к чему.

— О чем ты говоришь? — недоуменно уставилась на него Кассандра.

Тут Дольф обернулся, и она увидела, что его глаза пылают гневом.

— Кассандра, неужели ты не понимаешь, что происходит в Германии?

— Ты имеешь в виду Гитлера?

Он кивнул.

— Но ведь это ненадолго. Людям скоро надоест этот бесноватый, и они утратят к нему всякий интерес.

— Ты и в самом деле так думаешь? — горько осведомился Дольф. — Или так думает твой муж?

Кассандра вздрогнула — Дольф никогда не упоминал о Вальмаре.

— Я не знаю, что он об этом думает. Вальмар не любит говорить о политике, во всяком случае со мной. Я знаю лишь, что ни один разумный человек не может любить Гитлера. Я вовсе не считаю, что он так уж опасен.

— Значит, Кассандра, ты просто дура.

Впервые Дольф разговаривал с ней таким тоном. Но Кассандра не обиделась, увидев, что он охвачен гневом и горечью.

— Неужели тебе непонятно, почему мой издатель ведет себя подобным образом? Моя предыдущая книга была бестселлером, новый роман ему понравился еще больше. Он был настолько глуп, что сам проболтался мне об этом. А потом сообразил, что к чему, и переменил свое решение. Все дело в нацистах...

На лице Штерна было такое страдание, что у Кассандры защемило сердце.

— Вся причина в том, что я еврей. — Последнее слово он произнес почти шепотом. — Еврей в этой стране не должен быть знаменитым, получать литературные премии. Гитлер хочет, чтобы в новой Германии евреям вообще не было места.

— Тогда он просто сумасшедший, — пожала плечами Кассандра.

Слова Дольфа показались ей нелепыми. Они впервые затрагивали в разговоре его еврейское происхождение. Дольф много рассказывал ей о своих родителях, о детстве, о работе в булочной, но еврейский вопрос как-то оставался за рамками их бесед. Конечно, Кассандра знала, что Дольф Штерн еврей, но не придавала этому факту никакого значения. Если же и вспоминала об этом, то скорее с приятным чувством — это было так экзотично, даже романтично. Нет, она просто не представляла себе, что это может иметь хоть какое-то значение для их отношений! А Дольф, оказывается, помнил о своем еврействе все время. Кассандра начала осознавать это только сейчас.

Она подумала над его словами и сказала:

— Нет, этого просто не может быть. Ты преувеличиваешь.

— Не может быть? Посмотри, что происходит вокруг. Я далеко не единственный. Обрати внимание, что книги еврейских писателей больше не печатают, наши статьи не берут в редакциях, на наши звонки не отвечают. Можешь мне верить, Кассандра. Я знаю, о чем говорю.

— Так обратись к другому издателю.

— Куда? В Англию? Во Францию? Но я немец, я хочу, чтобы мои книги печатались в Германии.

— Так печатайся. Не может быть, чтобы все издатели были идиотами.

— Они вовсе не идиоты. Они гораздо умнее, чем мы с тобой думаем. Им страшно, потому что они видят, к чему идет дело.

Кассандра недоверчиво смотрела на него, потрясенная услышанным. Не может быть, чтобы дела обстояли так ужасно. Дольф просто расстроен тем, что издатель не принял его рукопись. Она вздохнула и взяла его за руку.

— Даже если это правда, уверяю тебя, долго такое продолжаться не может. Как только издатели увидят, что Гитлер не такой уж страшный, они опомнятся.

— А почему ты думаешь, что он не страшный?

— Он не сможет ничего сделать. Настоящая власть по-прежнему находится в руках тех, кто всегда ею владел. Хребет нации — это банки, корпорации, аристократические семейства. Эти круги никогда не клюнут на ту чушь, которую несет Гитлер. Низшим классам, возможно, его идеи и кажутся привлекательными, но простолюдины ничего не решают.

Дольф угрюмо ответил:

— «Аристократические семейства», как ты их называешь, возможно, и не клюнули, но они сидят и помалкивают. Если так будет продолжаться, мы все обречены. И потом ты ошибаешься. Люди твоего круга утратили власть над этой страной. Всем заправляет теперь маленький человек, точнее, целые орды маленьких людей. Каждый из них в одиночку бессилен, но, сплотившись в стаю, они обретают мощь. Маленькие люди устали от твоего «хребта нации», им надоели богатые, знатные, высокородные. Маленький человек слушает Гитлера, затаив дыхание. Фюрер представляется ему новым божеством. И когда все эти человечки соберутся вместе, страна будет принадлежать им. Тогда несдобровать многим — не только евреям, но и твоему сословию тоже.

Кассандре сделалось страшно от его слов. А вдруг Дольф прав? Нет, этого просто не может быть.

Кассандра улыбнулась и положила руки ему на грудь.

— Надеюсь, твои мрачные прогнозы не оправдаются.

Дольф нежно поцеловал ее и, обняв за талию, повел по лестнице наверх. Кассандра хотела спросить, что все-таки он собирается делать с рукописью нового романа, но решила, что не стоит развивать эту тему. Пусть Дольф успокоится, пусть забудет о своих необоснованных опасениях. Невероятно, чтобы для писателя такого масштаба антисемитские предрассудки Гитлера могли иметь хоть какое-то значение. В конце концов, речь идет о самом Дольфе Штерне.

И все же, возвращаясь вечером к себе в Грюневальд, Кассандра вновь задумалась о словах Дольфа. Она никак не могла забыть выражения его глаз. До ужина оставался еще целый час, и Кассандра решила не подниматься к детям сразу, а немного побыть у себя. Вдруг все-таки Дольф прав? Что это будет означать для них обоих? Однако, опустившись в ванну, наполненную горячей водой, молодая женщина решила, что все это несусветная чушь. Книга, несомненно, будет опубликована, Дольф благополучно получит еще одну премию. Все творческие люди немножко сумасшедшие. Она вспомнила некоторые более приятные моменты их сегодняшнего свидания и заулыбалась. Улыбка все еще блуждала по ее лицу, когда в дверь ванной постучали.

— Войдите, — рассеянно откликнулась Кассандра, думая, что это горничная.

— Кассандра?

Оказалось, что это не Анна, а муж.

— Вальмар, я принимаю ванну.

Дверь была незаперта, и Кассандра подумала, что Вальмар сейчас войдет. Но он остался снаружи, и дальнейший разговор велся через чуть приоткрытую дверь.

— Зайди, пожалуйста, ко мне, когда оденешься, — очень серьезным тоном сказал Вальмар, и в сердце Кассандры шевельнулся страх.

Неужели назрел момент тягостного объяснения? Она закрыла глаза и глубоко вздохнула:

— Может быть, войдешь?

— Нет. Просто перед ужином загляни ко мне.

Пожалуй, в его голосе звучал не гнев, а тревога.

— Хорошо, я буду у тебя через несколько минут.

— Вот и отлично.

Дверь закрылась, и Кассандра поспешила закончить туалет. Ей понадобилось всего несколько минут, чтобы наложить косметику и причесаться. К ужину она надела простой пепельно-серый костюм и белую шелковую блузку с галстуком. Наряд дополняли серые чулки, серые замшевые туфли, а из драгоценностей Кассандра надела двойную нитку черного жемчуга, который очень любила ее мать, и такие же серьги. Серьезно и обеспокоенно оглядев себя в зеркале, она осталась удовлетворена — ничего лишнего, в однотонную цветовую гамму вносили диссонанс лишь темно-синие глаза и золотые волосы. Кассандра вышла в коридор, тихо постучала в дверь.

— Входи, — раздался голос Вальмара.

Шурша шелковой юбкой, она переступила порог. Вальмар сидел в удобном кресле коричневой кожи, читая какие-то деловые бумаги.

— Ты прекрасно выглядишь, — сказал он, откладывая их в сторону.

— Спасибо.

Она заглянула ему в глаза, прочла в них искренность и боль. Ей захотелось подойти ближе, успокоить его, утешить. Но сделать эти несколько шагов казалось невозможным — у Кассандры возникло ощущение, что между ней и мужем разверзлась бездна. Вальмар как бы не подпускал ее к себе.

— Садись, пожалуйста, — сказал он. — Хочешь шерри?

Она покачала головой. По его глазам Кассандра поняла: он все знает. Она отвернулась, делая вид, что любуется пламенем в камине. В этой ситуации оправдания были бессмысленны. Нужно будет терпеливо выслушать его обвинения, а потом наступит миг, когда придется принимать решение. Как поступить? От кого из них отказаться? Кассандра любила их обоих, нуждалась и в том, и в другом.

— Кассандра...

Медленно, словно нехотя, она обернулась к нему.

— Да? — выдохнула она едва слышно.

— Я должен тебе кое-что сказать... — Было видно, что слова даются Вальмару с трудом, но оба знали — обратной дороги нет. — Мне мучительно говорить на эту тему. Думаю, тебе это тоже крайне неприятно.

У Кассандры отчаянно колотилось сердце, его стук отдавался в ушах, она почти ничего не слышала. Все кончено, ее жизнь загублена.

— И все же я должен поговорить с тобой. Ради тебя, ради твоей безопасности. А может быть, не только твоей, но и нашей.

— Ради моей безопасности? — пролепетала она, глядя на него с недоумением.

— Выслушай меня.

Словно не в силах продолжать, Вальмар откинулся на спинку кресла и глубоко вздохнул. Кассандре показалось, что его глаза влажны от сдерживаемых слез.

— Я знаю... Мне известно... Что уже в течение нескольких месяцев... Ты, как бы это сказать... Находишься в весьма сложной ситуации.

Кассандра закрыла глаза, внимая каждому слову.

— Я хочу, чтобы ты знала... Я все понимаю... И я сочувствую тебе.

Ее огромные печальные глаза открылись вновь.

— Ах, Вальмар... — По лицу Кассандры потекли слезы. — Я вовсе не хотела... Я не могу...

— Ничего не говори сейчас. Слушай меня.

Он говорил с ней совсем как ее покойный отец. Вздохнув, Вальмар продолжил:

— Я хочу сказать тебе нечто очень важное. И, раз уж мы вынуждены затронуть эту тему, знай, что я по-прежнему люблю тебя. Я не хочу тебя терять, как бы ты ко мне теперь ни относилась.

Кассандра покачала головой, вынула из кармана большой кружевной платок, высморкалась и сквозь слезы уверила его:

— Я отношусь к тебе, Вальмар, с глубочайшим уважением. И еще я люблю тебя.

Это было правдой. Кассандра действительно любила этого человека, и вид его страданий причинял ей боль.

— Тогда слушай меня внимательно. Ты должна перестать встречаться с твоим... другом.

Кассандра в ужасе воззрилась на мужа.

— И вовсе не по той причине, о которой ты подумала. Дорогая, я на двадцать девять лет старше тебя, и я не дурак. Я понимаю, что в жизни случается всякое. Конечно, каждому из тех, кто оказывается в подобной ситуации, приходится несладко, но, если вести себя с умом и тактом, можно сохранить достоинство и выжить. Однако сейчас я имею в виду не это. Речь идет о совершенно иных материях. И если я говорю, что ты должна перестать видеться с... Дольфом (было видно, что произносить имя соперника ему нелегко), то дело вовсе не во мне и не в нашем браке. Даже если бы ты вообще была не замужем, с этим человеком встречаться тебе ни в коем случае не следовало бы.

— Это еще почему? — сердито воскликнула Кассандра, вскакивая на ноги. От признательности, которую она испытала к мужу в первые минуты, не осталось и следа. — Потому что он писатель? Ты что же, считаешь, что Дольф — безнравственный представитель богемы? Уверяю тебя, это глубоко порядочный и во всех отношениях достойный человек.

Абсурдность ситуации, в которой она была вынуждена расхваливать любовника перед собственным мужем, осталась незамеченной обоими супругами.

Вальмар, вздохнув, снова опустился в кресло.

— Неужели ты думаешь, что я настолько ограничен? Я вовсе не считаю, что писатели, художники и прочие представители творческих профессий нам не ровня. Никто не заподозрит меня в подобном снобизме. Надеюсь, Кассандра, ты это понимаешь. Я имею в виду совсем другое. — Он наклонился вперед и с внезапным ожесточением продолжил: — Ты не можешь встречаться с этим человеком вовсе не потому, что он писатель... Тебе нельзя бывать у него, потому что он еврей. Мне тяжело и неприятно говорить тебе об этом. Я считаю, что события, происходящие у нас в стране, отвратительны. Но факт остается фактом. Ты — моя жена, мать моих детей, и я не хочу, чтобы тебя убили или посадили в тюрьму! Понимаешь ты это или нет, черт тебя подери! Это ведь не шутка!

Кассандра не верила собственным ушам. Ей казалось, что кошмарный сон, начавшийся во время беседы с Дольфом, никак не закончится.

— Ты хочешь сказать, что его могут убить?

— Я не знаю, что они могут с ним сделать. Честно говоря, я сам уже мало что понимаю. Но мне ясно одно: если мы будем вести себя тихо и не ввязываться в неприятности, тебе, мне, Ариане и Герхарду ничто не угрожает. Но твой друг в опасности. Кассандра, прошу тебя... — Он схватил ее за руку. — Если с ним случится что-то плохое, я не хочу, чтобы он утянул тебя за собой. Если бы мы жили в другие времена, я бы страдал молча, делал бы вид, что ничего не замечаю. Но сейчас это невозможно. Я должен тебя остановить. Ты сама должна остановиться.

— А как же он?

Кассандра была так испугана, что даже не могла плакать. Слова мужа окончательно сняли пелену с ее глаз.

Вальмар лишь покачал головой:

— Мы ничем не можем ему помочь. Если он достаточно умен, то уедет из Германии. — Он взглянул на Кассандру. — Скажи ему об этом.

Кассандра смотрела на огонь, не зная, как быть.

Она твердо была уверена лишь в одном: Дольфа она не бросит ни при каких обстоятельствах — ни сейчас, ни потом.

Когда Кассандра вновь взглянула на мужа, кроме гнева, в ее глазах еще читалась и нежность. Она подошла к Вальмару и ласково поцеловала его в щеку.

— Спасибо тебе за то, что ты так великодушен со мной.

Ни единым словом он не упрекнул ее за измену. Его тревожила лишь ее безопасность, даже безопасность ее возлюбленного. Все-таки Вальмар необыкновенный, подумала Кассандра. В этот миг она любила его больше, чем когда бы то ни было. Положив руку ему на плечо, Кассандра спросила:

— Значит, все так плохо?

Он кивнул:

— Еще хуже, чем ты думаешь. Мы всего не знаем. — И добавил: — Но придет время, и мы узнаем обо всем.

— Не могу понять, как могло дойти до такого.

Она направилась к выходу, а Вальмар взволнованно крикнул ей вслед:

— Ты сделаешь то, о чем я тебя попросил?

Кассандра хотела бы успокоить его, дать какие угодно обещания, но теперь ложь между ними стала невозможна. Вальмар и сам знал правду. Вот и хорошо, можно не лгать, подумала она.

— Я не знаю.

— Но у тебя нет выбора! — сердито воскликнул он. — Кассандра, я запрещаю тебе...

Но ее в комнате уже не было.

Глава 4

Полтора месяца спустя внезапно исчез один из друзей Дольфа, тоже писатель. Он не был такой знаменитостью, как Штерн, но в последнее время тоже никак не мог найти издателя, который согласился бы его печатать. В два часа ночи любовница Гельмута (так звали этого человека) позвонила Дольфу в истерике. Она гостила у матери, а когда вернулась домой, то увидела, что квартира перевернута вверх дном, Гельмут исчез, а на полу пятно засохшей крови. Рукопись, над которой он работал, была разбросана по всей комнате. Соседи слышали крики, но ничего определенного сказать не могли. Дольф немедленно отправился на квартиру к Гельмуту и увез несчастную женщину к себе. На следующий день она переехала к своей сестре.

В тот день, когда Кассандра приехала в Шарлоттенбург, Дольф пребывал в глубочайшей депрессии. Исчезновение Гельмута совершенно выбило его из колеи.

— Я ничего не понимаю, Кассандра. У меня такое ощущение, что вся страна сошла с ума. По жилам нации разливается медленно действующий яд. Вскоре он дойдет до сердца, и тогда все мы погибнем. Но мне, я полагаю, этого момента все равно не дождаться.

Он угрюмо насупился, и Кассандра встревоженно подняла брови:

— Что ты хочешь этим сказать?

— А как ты думаешь? Рано или поздно они придут и за мной. Когда это будет — через месяц, через полгода, через год?

— Не сходи с ума. Гельмут не писал романы. Он был публицист, открыто выступал против Гитлера. Неужели ты не понимаешь, что это совсем другое дело? За что им тебя ненавидеть? За твой роман «Поцелуй»?

— Знаешь, Кассандра, я и в самом деле не вижу тут разницы.

Он с неудовольствием огляделся по сторонам, чувствуя, что стены собственного дома вдруг стали хрупкими и ненадежными. Фашисты могли ворваться сюда в любую минуту.

— Дольф, милый, ну прошу тебя, будь благоразумен. Произошла ужасная вещь, но с тобой такого случиться не может. Ты известный человек. Они не посмеют просто так взять и расправиться с тобой.

— Не посмеют? Почему? Кто им может помешать? Ты? Кто-нибудь другой? Никто ничего не сделает. Что сделал я для спасения Гельмута? Ровным счетом ничего.

— Хорошо, тогда уезжай. Отправляйся в Швейцарию. Там тебя будут печатать. А главное, там ты будешь в безопасности.

Он взглянул на нее с возмущением:

— Кассандра, я немец. Это моя страна. Я имею такое же право жить здесь, как любой другой человек. Почему я должен уехать?

— Если ты не видишь причин для отъезда, зачем тогда ты морочишь мне голову, черт подери?! — не выдержав, вспылила она.

Это была их первая ссора.

— Я всего лишь говорю тебе, что моя страна катится в пропасть, и меня от этого тошнит.

— Но ты ведь ничего не можешь изменить. Если ты уверен, что все так плохо, уезжай. Уезжай прежде, чем эта страна тебя уничтожит.

— А что будет с тобой? Ты останешься здесь и будешь делать вид, что все в порядке? Ты думаешь, тебя это безумие не коснется?

— Я не знаю... Не знаю... Я вообще больше ничего не знаю и ничего не понимаю.

Прекрасная Кассандра совсем выбилась из сил. Уже в течение нескольких недель Вальмар и Дольф донимали ее этими страшными разговорами, и она чувствовала себя совершенно беспомощной. Больше всего ей хотелось, чтобы мужчины утешили, успокоили ее, пообещали, что все будет хорошо, никаких перемен к худшему не ожидается, а вместо этого и муж, и возлюбленный твердили, что дальше будет только хуже и хуже. Вальмар добивался, чтобы она перестала видеться с Дольфом, а Дольф все время негодовал и неистовствовал, будучи не в силах что-либо предпринять. Вот и сейчас его бессвязная гневная речь растянулась на добрых полчаса. В конце концов Кассандра не выдержала и тоже впала в ярость:

— Какого черта ты хочешь от меня? Что я могу сделать?

— Ничего ты не можешь сделать, будь все проклято!

По его щекам текли слезы — Дольф оплакивал своего пропавшего друга. Он притянул Кассандру к себе и всхлипнул:

— О Господи... Кассандра... О Господи...

Они простояли, обнявшись, целый час. Кассандра утешала его, словно он был ее сыном:

— Ничего, милый, ничего. Все обойдется... Я люблю тебя...

Ничего более утешительного сказать ему она не могла. Кассандра чувствовала, как страх, которому она так
долго противилась, овладевает всем ее существом. А
что, если Дольфа и в самом деле утащат куда-то в ночь?
Вдруг она сама окажется на месте истерически рыдаю-
щей подруги Гельмута? Нет, с ней, то есть с ним, такого произойти не может... Подобные вещи случаются
только с другими...

Когда Кассандра вечером вернулась домой, Вальмар
ждал ее не у себя в кабинете, как обычно, а в салоне.
Предложив жене сесть, он плотно закрыл дверь.

— Кассандра, это становится невыносимо.

— Я не хочу говорить с тобой на эту тему.

Она отвернулась и стала смотреть в пылающий камин, над которым висел портрет деда Вальмара — казалось, вездесущие глаза на холсте следят за всем, что
происходит в комнате.

— Сейчас неподходящий момент.

— У тебя всегда неподходящий момент! Послушай,
если ты не выполнишь мое требование, я ушлю тебя из
Берлина.

— Никуда я не поеду. Я не могу сейчас его бросить.

Было безумием обсуждать подобные вопросы с мужем, но у Кассандры не было выбора. Уже два месяца
прошло с тех пор, как ее роман перестал быть тайной.
Кассандра любой ценой должна была настоять на своем — слишком часто уступала она мужу в прежней
жизни. Она отказалась от театра, отказалась от собственных детей, но Дольфа ни за что не бросит.

Кассандра резко обернулась к мужу:

— Вальмар, я не знаю, что делать. Мне трудно
верить в то, что мы живем не в кошмарном сне. Что

происходит с нами, с Германией? Неужели всему причиной этот идиот с усиками?

— Очень может быть. А скорее всего дело в том, что этот человек пробудил безумие, таившееся в наших душах. Может быть, все эти люди так восторженно встретили его, потому что давно уже ждали этого часа...

— Неужели никто не может его остановить?

— Думаю, уже поздно. Он заразил своим безумием весь народ, пообещал людям богатство, успех, процветание. На неискушенные умы это действует как гипноз. Противоядия не существует.

— А что будет с нами, с остальными?

— Поживем — увидим. Но с твоим другом, Кассандра, все ясно. Если дела и дальше пойдут подобным образом, долго ждать ему не придется. Ради Бога, послушай меня. Поезжай к моей матери, поживи какое-то время у нее, обдумай все как следует. Отдохни от нас обоих.

Но Кассандра не желала быть вдали от них. И еще она знала, что не должна оставлять Дольфа.

— Хорошо, я подумаю об этом, — сказала она, и Вальмар понял по ее тону, что надежды нет.

Больше он ничего не мог сделать. Впервые за свои без малого шестьдесят лет жизни Вальмар фон Готхард был побежден. Он медленно поднялся и направился к двери.

— Вальмар! — окликнула его Кассандра, протянув к нему руку. — Не смотри так на меня... Мне очень жаль, что все так получилось...

Он становился у дверей:

— Тебе жаль. Мне тоже жаль. Боюсь, нашим детям тоже будет о чем пожалеть. Ты губишь себя и, возможно, губишь всех нас.

Но Кассандра фон Готхард ему не поверила.

Глава 5

В феврале Вальмар и Кассандра присутствовали на Весеннем балу. Погода была еще зимняя, но все уже праздновали приближение весны. Под длинной горностаевой шубой на Кассандре было изысканно-простое бархатное платье с глубоким вырезом и расширяющейся от талии юбкой. В этом белоснежном наряде, дополняемом легкими атласными туфельками, с распущенными волосами, Кассандра казалась небесным созданием, лишенным каких бы то ни было земных забот. Невозможно было догадаться, что эта молодая женщина полдня ссорилась со своим возлюбленным из-за его неопубликованной рукописи, что она находится в крайне натянутых отношениях с мужем, с которым почти не разговаривает. С колыбели Кассандру приучили не проявлять на публике своих чувств — для чувств предназначена супружеская спальня. Поэтому фрау фон Готхард вела себя, как всегда, безупречно: ласково улыбалась всем знакомым, танцевала с друзьями и коллегами Вальмара. Ее появление в зале привлекло всеобщее внимание — Кассандра фон Готхард всякий раз поражала окружающих элегантностью своих туалетов и неземной красотой.

— Вы обворожительны, фрау фон Готхард. Просто настоящая снежная королева, — сказал очередной партнер по танцу, кажется, какой-то банкир. Вальмар был знаком с ним, и когда тот попросил позволения пригласить Кассандру на тур вальса, разрешение было тут же дано.

Плавно кружась по залу, Кассандра то и дело посматривала на мужа, беседовавшего о чем-то с друзьями.

— Спасибо, — поблагодарила она за комплимент. — Вы знакомы с моим мужем?

— Немного. Имел удовольствие встречаться с ним на ниве делового сотрудничества. Но последний год моя... деятельность почти не связана с финансами.

— Вот как? Решили устроить себе отпуск? — любезно улыбнулась Кассандра.

— Отнюдь. Просто я перестал заниматься коммерцией и помогаю нашему фюреру отрегулировать финансовую систему рейха.

Эти слова были произнесены с таким апломбом, что Кассандра взглянула на своего партнера с некоторым удивлением.

— Ясно. Должно быть, вы очень заняты.

— Безусловно. А чем заняты вы?

— Дети и муж отнимают довольно много времени.

— А что вы поделываете в свободное время?

— Что, простите?

Кассандре стало неуютно рядом с этим бесцеремонным господином.

— Я слышал, что вы вроде бы покровительствуете искусствам.

— В самом деле?

Ей уже хотелось только одного — чтобы этот танец поскорее закончился.

— Да, мне так говорили. — Финансист вежливо улыбнулся, но взгляд его оставался ледяным. — На вашем месте я не стал бы тратить столько времени на ерунду. Видите ли, наша концепция искусства в скором времени претерпит значительные изменения.

— Вот как?

Кассандре показалось, что она сейчас упадет в обморок. Кажется, этот человек предостерегал ее насчет Дольфа. Или, может быть, она сходит с ума и ей уже слышится угроза в самых невинных словах?

— Да, это так. Дело в том, что наши писатели — люди слабые и психически неполноценные. Так дальше продолжаться не может.

Нет, она ошиблась — он действительно намекает на Дольфа! Кассандра вспылила:

— По-моему, вы и так уже положили этому конец. Насколько я заметила, кое-кого из писателей больше не печатают. Или я ошибаюсь?

О Господи, что это на нее нашло? Хорошо, что не слышал Вальмар... В это время танец подошел к концу. Сейчас этот мучительный разговор закончится. Но Кассандра почувствовала, что ей хочется высказаться до конца; приходилось сдерживаться.

— Пусть вас не заботит вся эта чушь, фрау фон Готхард.

— Она меня и не заботит.

— Рад слышать это.

Вот опять. Что это было — угроза? Но партнер уже подводил ее к Вальмару. Разговор был окончен. Больше в тот вечер Кассандра этого человека не видела. На обратном пути она хотела рассказать обо всем Вальмару, но не решилась — знала, что он рассердится или, хуже того, испугается. А на следующий день Дольф был в таком хорошем расположении духа, что Кассандра не стала говорить о вчерашнем инциденте и ему. В конце концов, ничего особенного не произошло. Какой-то полоумный банкир, влюбленный в Гитлера и третий рейх, наговорил ей всякой чепухи. Ну и что с того?

Дольф наконец принял решение. Он будет продолжать писать, даже если не сможет печатать свои произведения. Он продолжит поиски издателя. Но из страны он не уедет — даже если ему будет грозить голодная смерть. Они не смогут вынудить его оставить родину. Он имеет право жить в Германии, а еврейство тут ни при чем.

— Не хочешь ли прогуляться возле замка? — с улыбкой спросила Кассандра.

За последние две недели они ни разу не были в парке.

— С удовольствием.

Прогулка продолжалась почти два часа. Они бродили вокруг пруда, возле замка, наблюдали за играющими детьми, обменивались улыбками с прохожими. Все было совсем как прошлой зимой, когда Дольф и Кассандра встретились здесь по чистой случайности, а потом эти случайные встречи повторялись вновь и вновь. Они тянулись друг к другу, хотя каждый страшился будущего.

— Знаешь, о чем я думал, когда выискивал тебя тут? — улыбнулся Дольф, сжимая ее руку.

— О чем?

— Я думал, что ты самая загадочная, самая неуловимая из всех женщин. Думал, что если смогу провести с тобой наедине один день, то этого счастья хватит на всю оставшуюся жизнь.

— А сейчас ты счастлив?

Кассандра прижалась к нему. На ней были длинная твидовая юбка, коричневые замшевые ботинки и короткое меховое манто.

— Счастливее, чем когда бы то ни было. А ты? Тебе в этот год пришлось нелегко.

Дольф все время помнил о той сложной ситуации, в которой находилась Кассандра, о ее отношениях с Вальмаром и детьми — особенно теперь, когда муж обо всем знает.

— Мне не было тяжело. Мне было чудесно. — В ее взгляде читалась неподдельная любовь. — Я всегда мечтала о таком, но была уверена, что подобного счастья мне не испытать.

Конечно, ее счастье было далеко не безоблачным, но Кассандре хватало и такого, хватало драгоценных часов, которые она проводила в обществе Дольфа.

— Я всегда буду с тобой, — уверил ее он. — Всегда. Даже после своей смерти.

— Не нужно так говорить, — расстроилась она.

— Я имел в виду, глупая барышня, тихую смерть от старости — лет в восемьдесят. И учти — без тебя я никуда не уеду.

Эти слова вызвали у Кассандры улыбку, и они, взявшись за руки, побежали вдоль пруда по направлению к дому. Вернувшись, они с удовольствием выпили чаю, однако чаепитие продолжалось недолго — обоим хотелось совсем другого. Они занимались любовью страстно и жадно, словно ничего более важного на свете не существовало. Потом оба уснули, прильнув друг к другу.

Первым проснулся Дольф. Его разбудил грохот, доносившийся снизу. Потом на лестнице загрохотали сапоги. Окончательно проснувшись, Дольф сел на кровати. Тут проснулась и Кассандра. Она инстинктивно почувствовала опасность, и глаза ее расширились от ужаса. Не говоря ни слова, Дольф накинул на нее одеяло и, совершенно обнаженный, бросился к двери, но было слишком поздно. В спальню ворвались люди в коричневой форме с красными повязками на рукавах. В первый миг Кассандре показалось, что их целая толпа, но на самом деле штурмовиков было всего четверо.

Дольф натянул халат и недрогнувшим голосом спросил:

— Что это значит?

Но они лишь расхохотались в ответ, а один схватил его за горло и плюнул ему в лицо.

— Вы только послушайте этого еврея!

Двое штурмовиков схватили Дольфа за руки, а третий со всей силы ударил его в живот. Согнувшись пополам, Дольф обмяк. Штурмовик ударил его сапогом в лицо, из разбитого рта хлынула кровь. Тем временем четвертый, очевидно бывший у них за главного, не спеша осмотрелся по сторонам.

— Так-так. А кто это у нас там под одеялом? Еврейская сучка, согревающая нашего великого писателя?

Он шагнул к кровати и сдернул одеяло. Молодчики с интересом уставились на обнаженную Кассандру.

— Да еще какая смазливенькая! Ну-ка, поднимайся!

Помедлив мгновение, Кассандра выпрямилась и грациозно спустила ноги на пол. Ее гибкое, стройное тело дрожало, застывшие от ужаса глаза были обращены к Дольфу. Трое штурмовиков, державших Штерна, вопросительно взглянули на своего начальника. Тот не спеша осмотрел женщину с головы до ног, а она видела лишь Дольфа, задыхающегося от боли и истекающего кровью. Командир обернулся к своим людям и рявкнул:

— Утащите его отсюда. — И добавил, расстегивая ремень: — Или, может, он предпочитает присутствовать?

Тут к Дольфу вернулось сознание. Он резко вскинул голову, взглянул на Кассандру и яростно крикнул главному из штурмовиков:

— Нет! Не смейте ее трогать!

— Это еще почему, господин знаменитый писатель? У нее что, триппер?

Коричневорубашечники громко расхохотались, а Кассандра затрепетала от ужаса. Только теперь она поняла, что ей угрожает. Никогда в жизни не испытывала она такого страха. По сигналу командира трое штурмовиков вытащили Дольфа из спальни, и по кошмарному грохоту, донесшемуся в следующий миг, Кассандра поняла, что его скинули с лестницы. Раздались шум голосов, гневные крики Дольфа. Он звал ее по имени, пытался сопротивляться, но после непродолжительной возни все стихло. Кассандра услышала, как по полу волочат что-то тяжелое. Дольф больше не звал ее. Окоченев от ужаса, она обернулась к командиру штурмовиков и увидела, что он расстегивает штаны.

— Вы убьете его... О Господи, вы его убьете!

Кассандра попятилась; ее сердце бешено колотилось. Даже в этот миг она думала не о себе, а о Дольфе, которого, возможно, уже не было в живых.

— Ну и что с того? — ухмыльнулся штурмовик. — Для общества потеря будет небольшая. Да и для тебя тоже. Подумаешь, какой-то еврейчик. А ты у нас кто? Маленькая еврейская принцесса?

Синие глаза Кассандры вспыхнули огнем — теперь они горели не только страхом, но и гневом.

— Да как вы смеете! — воскликнула она и вцепилась ногтями ему в лицо. Однако коричневорубашечник отшвырнул молодую женщину ударом кулака.

Лицо его исказилось от ярости, но голос звучал тихо:

— Ну, хватит. Ты лишилась своего дружка, а сейчас тебе предстоит узнать, каково это — принадлежать представителю высшей расы. Я преподам тебе, киска, маленький урок.

Он ловко выдернул из брюк ремень и с размаху хлестнул Кассандру по обнаженной груди. От обжигающей боли она согнулась пополам, обхватив себя руками.

— Господи! — едва выдохнула Кассандра.

Она поняла, что он может убить ее. Сначала изнасилует, а потом убьет. Сгорая от стыда и ярости, Кассандра решила, что у нее нет выбора. Она не такая смелая, как Дольф. Придется во всем признаться этому негодяю. Зажимая ладонями кровоточащие груди, она злобно крикнула своему мучителю:

— Я не еврейка!

— Ах вот как?

Он сделал шаг вперед, вновь занося ремень.

Кассандра увидела, что у него спереди оттопыриваются брюки. Еще немного — и он впадет в неистовство, после чего остановить его будет невозможно.

— Мои документы в сумочке! — поспешно произнесла она с гримасой стыда и отвращения на лице. — Я Кассандра фон Готхард. Мой муж — президент банка «Тильден».

Нацист недоверчиво прищурился, глядя на нее с ненавистью и злобой. Однако замер на месте — похоже, не знал, как себя вести.

— А ваш муж знает, что вы здесь?

Кассандра затрепетала. Если ответить, что Вальмар обо всем знает, он попадет в беду. Если же сказать, что мужу неизвестно ее местонахождение, живой она отсюда не выйдет...

— Муж ничего не знает. Но моя домоправительница в курсе...

— Ловко.

Он медленно вдел ремень в брюки.

— Документы?

— Вон там, — показала Кассандра.

Штурмовик схватил сумочку крокодиловой кожи, щелкнул золотой застежкой и вытащил бумажник. На пол полетели сначала водительские права, потом удостоверение личности. Свирепо оскалившись, нацист обернулся к своей жертве. Кассандра поняла, что документы ее не спасли. Ему все равно, кто она такая. Молодая женщина приготовилась к самому худшему.

Штурмовик долго стоял перед ней, разглядывая свою жертву. Потом со всей силы влепил ей пощечину.

— Шлюха! Стерва поганая! На месте твоего мужа я бы тебя прикончил. Ничего, скоро наступит день, когда за такое мы будем убивать. Надо было бы прикончить тебя вслед за твоим еврейским ублюдком. Ты — грязная, подлая сука! Ты позоришь свою расу, свою страну. Шлюха!

Он развернулся, грохоча сапогами вышел из спальни. Внизу громко хлопнула дверь.

Кончено, все кончено... Дрожа всем телом, Кассандра опустилась на колени. Из обеих грудей сочилась кровь, лицо распухло от ударов, из глаз текли слезы. Молодая женщина легла на пол и затряслась от рыданий.

Она пролежала так долго, возможно, несколько часов. Она бы отдала все на свете, лишь бы вернуть Дольфа. Думать о дальнейшем было страшно. Внезапно Кассандра подумала, что убийцы могут вернуться, могут поджечь дом, чтобы замести следы. Она лихорадочно стала одеваться. На пороге спальни Кассандра замерла, еще раз глядя на комнату, где родилось их счастье. Она не могла отвести глаз от того места, где видела Дольфа в последний раз. Кассандра непроизвольно подняла его одежду, разбросанную по полу. Всего несколько часов назад, прежде чем броситься друг другу в объятия, они беззаботно сбрасывали с себя все до последней нитки. Кассандра поднесла к лицу его рубашку, вдохнула знакомый аромат, отдававший лимоном и пряностями. Потом, не выдержав, выбежала из комнаты и бросилась вниз по лестнице. В прихожей на полу растеклась лужа крови; алый след тянулся к двери — здесь палачи тащили тело к выходу. Кассандра выскочила на улицу, со всех ног бросилась к автомобилю, припаркованному возле тротуара.

Она не помнила, как добралась до Грюневальда. Всю дорогу Кассандра судорожно держалась за руль, сотрясаясь от рыданий. Перед домом она кое-как выбралась из машины, открыла ворота, отперла входную дверь. Стараясь не шуметь, с залитым слезами лицом, она взбежала по лестнице, юркнула в спальню и затравленно огляделась по сторонам. Наконец она дома. Вот ее комната, ее розовая спальня... Розовый цвет был повсюду, розовые стены начали кружиться все быстрее и быстрее. Кассандра без чувств рухнула на пол.

Глава 6

Очнулась она в кровати, с холодным компрессом на лбу. В комнате было темно, но откуда-то доносилось странное гудение. Кассандра не сразу поняла, что этот гул звучит у нее в голове. Затем она увидела Вальмара. Он смотрел на нее сверху вниз, прикладывал к ее лицу что-то влажное и тяжелое. Потом ее обнаженной груди коснулась горячая ткань, и Кассандра дернулась от мучительной боли. Прошло много времени, прежде чем гул умолк, а взгляд прояснился. Теперь Кассандра смогла отчетливо видеть Вальмара — он сидел на стуле перед кроватью. Муж ничего не говорил, и Кассандра тоже молчала, глядя в потолок остановившимся взглядом. Вальмар не задавал ей никаких вопросов, лишь время от времени менял компрессы. В спальне было темно. Иногда раздавался стук в дверь, но Вальмар отсылал прислугу прочь. Наконец, бросив на мужа благодарный взгляд, Кассандра погрузилась в сонное забытье. Когда она проснулась, была уже полночь. Из соседней комнаты пробивался приглушенный свет лампы, и Кассандра увидела, что муж по-прежнему сидит рядом.

Он понял, что она больше не спит, что шок прошел. Он должен был выяснить, что произошло, — ради нее и ради себя.

— Кассандра, поговори со мной. Расскажи мне, что случилось.

— Я тебя опозорила, — едва слышно прошептала она.

Он резко качнул головой и взял ее за руку:

— Не говори глупостей. Дорогая, объясни мне, в чем дело. Я должен это знать.

Вальмар сидел у себя в кабинете, когда вбежала горничная Анна и закричала, что фрау фон Готхард лежит у себя в спальне полуживая. С ней произошло что-то ужасное. Вальмар в панике бросился к Кассандре и увидел, что она лежит без сознания, жестоко избитая. Догадаться о том, что произошло, было нетрудно.

— Кассандра, говори же, — попросил он.

— Этот человек... Он хотел убить меня... Изнасиловать... Я рассказала ему, кто я...

У Вальмара сжалось сердце от страха.

— Кто это был?

— Они... Они схватили его. — Кассандра перешла на шепот: — Они схватили Дольфа... Они его били... Он лежал весь в крови... Потом... Они утащили его...

Она рывком села на постели, и ее долго, мучительно рвало. Вальмар беспомощно суетился возле нее, держа в руках розовое полотенце с монограммой.

— Один из них остался... Он хотел... Я сказала ему... Я сказала... — Ее лицо скривилось. — Они думали, что я еврейка.

— Ты правильно сделала. Иначе тебя уже не было бы в живых. Его они, возможно, не убьют, но тебя бы точно не оставили в живых.

Вальмар знал, что на самом деле все было бы наоборот, но солгал, чтобы ее успокоить.

— Что они с ним сделают?

Вальмар молча обнял ее за плечи, и Кассандра проплакала еще целый час. Когда ее силы иссякли, она откинулась на подушку, а Вальмар уложил ее поудобнее.

— Тебе нужно выспаться. Я буду сидеть рядом.

Муж действительно просидел у изголовья всю ночь и ушел только под утро. Когда Кассандра проснулась, его рядом уже не было. Долгие часы Вальмар с болью смотрел, как от кошмарных видений искажается ее бледное личико, изуродованное синяками. Тот, кто бил Кассандру по лицу, явно не делал скидки на то, что перед ним женщина. Фон Готхард почувствовал, как в его душе пробуждается лютая ненависть. Так вот он какой, этот третий рейх. Чего же ожидать в будущем? Неужели человек должен благодарить Бога за то, что не родился евреем? Как вышло, что Германия, его любимая Германия, превратилась в страну бандитов и головорезов, в нацию преступников, избивающих и насилующих женщин, истребляющих людей искусства? Почему прекрасная Кассандра должна расплачиваться за грехи и преступления этого злосчастного общества? Вальмар клокотал от гнева. И, несмотря ни на что, скорбел по Дольфу.

Утром фон Готхард отправился принять душ и выпить чашку кофе. Газету он развернул с трепетом, зная, как будет выглядеть извещение о гибели Дольфа. Какая-нибудь маленькая заметка о «несчастном случае». Обычно они проделывали это именно так. Но на сей раз никаких сообщений не было, даже на последних полосах, где печатали всякие незначительные новости. Впрочем, возможно, извещение умудрились втиснуть так, что Вальмар его вообще не заметил.

Два часа спустя он вернулся в спальню жены и увидел, что Кассандра проснулась. Она неподвижно лежала и смотрела в потолок. Когда Вальмар вошел, она даже не взглянула на него.

— Тебе лучше? — спросил он.

Она не ответила, лишь закрыла глаза, потом открыла их вновь.

— Принести тебе что-нибудь?

Она едва заметно качнула головой.

— Я думаю, тебе станет лучше, если ты примешь ванну.

Кассандра долго молчала, а затем с неимоверным усилием перевела взгляд на мужа.

— А что, если они убьют тебя и детей? — спросила она таким тоном, словно все время думала только об этом.

— Не говори глупостей, этого не будет.

Но Кассандра ему не поверила. Теперь она знала, что эти люди способны на все. Они врываются в дом, вытаскивают ни в чем не повинного человека из собственной постели, тащат куда-то, убивают.

— Кассандра, дорогая моя, не беспокойся. Мы в безопасности, — утешал ее Вальмар, отлично понимая, что говорит неправду.

В этой стране ни о какой безопасности не могло быть и речи. И скоро под ударом окажутся не только евреи.

— Неправда, они придут и убьют вас. Я вас выдала. Они обязательно заявятся...

— Этого не будет. — Он взял ее за подбородок и повернул лицом к себе. — Подумай сама. Я банкир, они во мне нуждаются. Они не сделают ничего плохого ни мне, ни моей семье. Достаточно было тебе упомянуть мое имя, и они оставили тебя в покое, так ведь?

Кассандра кивнула, но оба знали, что над их домом отныне нависла опасность.

— Я опозорила тебя, опозорила, — повторяла Кассандра.

— Прекрати! — не выдержал он. — Все позади. Это был кошмарный сон, но он кончился. Тебе нужно проснуться!

Проснуться? Зачем? Дольф исчез. Кошмарный сон никогда не кончится. Впереди только пустота, боль и ужас. Забыть об этом невозможно. Кассандра хотела только одного — уснуть, навсегда уснуть. Погрузиться в глубокий черный сон, после которого не будет пробуждения.

— У меня на два часа назначены переговоры в банке по бельгийской сделке. Сразу после этого я вернусь домой и проведу с тобой весь день. Ты уверена, что сможешь быть одна?

Кассандра кивнула. Вальмар наклонился и нежно поцеловал ее тонкие пальцы.

— Я люблю тебя. Поверь мне, все образуется.

Перед уходом он велел Анне отнести наверх поднос с легким завтраком и оставить его возле постели. «Остальным слугам — ни слова», — строго предупредил он.

Анна понимающе кивнула и через полчаса после ухода хозяина отнесла наверх завтрак. На этом плетеном подносе, накрытом белой кружевной салфеткой, Кассандре приносили завтрак каждое утро. Посередине, как обычно, стояла ваза с одной-единственной красной розой; посуда была из лиможского фарфора, который так любила покойная бабушка. Кассандра даже не взглянула на горничную. Но когда Анна вышла, молодая женщина встрепенулась — сбоку на подносе лежала сложенная утренняя газета. Вдруг там есть что-нибудь о Дольфе — хотя бы маленькая заметка? Кассандра с трудом приподнялась на локте и зашелестела страницами. В отличие от Вальмара она не просматривала заголовки, а читала все подряд. На самой последней странице петитом было напечатано извещение, что писатель Дольф Штерн минувшей ночью погиб в автомобильной катаст-

рофе. Кассандра пронзительно вскрикнула, и мир для
нее погрузился в гулкую тишину.

Примерно с час она лежала неподвижно, потом рывком поднялась и села на постели. Кружилась голова,
плохо слушались ноги, но Кассандра все же добрела
до ванной и включила воду. Пока наполнялась ванна,
она смотрела на себя в зеркало. Вот глаза, которые так
любил Дольф. Эти глаза видели, как его выволакива-
ют из собственной спальни, из собственного дома, из
ее жизни.

Когда ванна наполнилась, Кассандра заперла дверь
на задвижку. Час спустя Вальмар обнаружил ее мертвой — жизнь вытекла через перерезанные вены; вода
была красной от крови.

Глава 7

Темно-коричневая «испано-сюиза», в который ехали Вальмар фон Готхард, Ариана, Герхард и фрейлейн Хедвиг, медленно катилась за черным катафалком. Было серое февральское утро; с самого рассвета лил дождь, над землей клубился туман. Состояние души Вальмара вполне соответствовало погоде. Рядом с ним сидели испуганно притихшие дети, держа за руки свою няню. Красивая госпожа с золотистыми волосами и синими глазами ушла из их жизни.

Лишь Вальмар до конца осознавал весь трагизм случившегося. Он знал, в какой мучительной раздвоенности существовала все это время Кассандра. Она разрывалась не просто между двумя мужчинами, а между различными стилями жизни, образами мышления. Она так и не свыклась со строгими правилами и установлениями сословия, в котором родилась и выросла. Может быть, следовало проявить мудрость и отпустить ее к более молодому сопернику? Но Кассандра была так очаровательна, так мила, так искрилась жизнью — Вальмар всю жизнь мечтал именно о такой жене... И еще ему не давала покоя мысль, что он поступил жестоко, оторвав от нее детей.

Вальмар искоса взглянул на фрейлейн Хедвиг, заменившую детям мать. Суровое, некрасивое лицо, добрые глаза, сильные руки. Эта женщина прежде служила гувернанткой при племяннике и племяннице Вальмара. Хорошая женщина, упрекнуть ее не в чем. Но фон Готхард знал, что часть вины за гибель Кассандры лежит и на ней. После трагедии, произошедшей с Дольфом, существование для Кассандры утратило всякий смысл. Она не справилась с утратой, не вынесла страха за Вальмара и семью. Ее поступок можно было объяснить малодушием или приступом безумия, но фон Готхард знал, что дело совсем в другом. В ванной осталась записка, написанная дрожащей рукой: «Прощай... Прости, К.». Вспомнив эти строчки, Вальмар прослезился. Прощай, милая, прощай...

«Испано-сюиза» остановилась возле ворот Грюневальдского кладбища. Пологие холмы, со всех сторон окруженные клумбами, красивые мраморные памятники, безразличные к моросящему дождю.

— Мы оставим маму здесь? — удивленно спросил Герхард.

Ариана взглянула на фрейлейн Хедвиг, и та кивнула. Ворота кладбища открылись, Вальмар жестом велел шоферу ехать вперед.

Заупокойная служба состоялась в Грюневальде, в лютеранской церкви. Никаких посторонних — только приехала мать Вальмара. Вечерние газеты напечатают сообщение о скоропостижной смерти Кассандры фон Готхард, скончавшейся якобы от гриппа. Фрау фон Готхард была такой хрупкой, что вряд ли кому-нибудь это известие покажется подозрительным. А что до представителей власти, то они предпочтут молчать, чтобы избежать огласки.

Лютеранский пастор сопровождал маленькую похоронную процессию в своем видавшем виды автомобиле. В католической церкви служить заупокойную мессу отказались, ибо самоубийство — смертный грех. К счастью, лютеранская церковь оказалась более милосердной. Вслед за Вальмаром к свежевырытой могиле подошла его мать, баронесса фон Готхард, прибывшая на собственном «роллс-ройсе». Два шофера в ливреях осторожно спустили гроб в яму. Тут же находился представитель кладбищенской конторы: торжественное выражение лица, черный зонтик. Священник достал из кармана маленькую Библию, раскрыл заложенную закладкой страницу.

Герхард тихо заплакал, вцепившись ручонками в фрейлейн Хедвиг и сестру. Ариана оглядывалась по сторонам. Вокруг было так много надгробий, так много имен. Плавные холмы, высокие статуи, памятники, унылые, похожие на призраки деревья. Весной все здесь оживет и зазеленеет, но сейчас на Грюневальдском кладбище царили мрак и уныние. Ариана знала, что никогда не забудет этот день. Всю ночь она проплакала, думая о маме. Девочка всегда немного боялась ее ослепительной красоты, сияющих волос, огромных грустных глаз. Фрейлейн Хедвиг все время одергивала детей, не подпускала к матери, чтобы они не помяли нарядное платье. Было жутко оставлять маму здесь, под дождем, в каком-то деревянном ящике. Как она будет лежать одна под холмиком из зеленого дерна?

Кассандру похоронили на земельном участке рода фон Готхард. Здесь уже лежали отец Вальмара, старший брат, дед с бабушкой, трое теток. А теперь к ним присоединится его нежная невеста, хрупкая жена, чьи глаза лучились загадочным светом, чей смех звенел так мелодично. Вальмар взглянул на своих детей. Ариана, пожалуй, немного походила на мать, но Герхард был совсем другой.

Вот Ариана: тонкие и длинные, как у жеребенка, ножки; белое платьице, белые чулки, темно-синее вельветовое пальто с горностаевым воротником, сшитым из меха, который остался от роскошной шубы Кассандры. Герхард: одет почти так же, как сестра, — белые брючки, белые чулки, темно-синее пальто. Дети — все, что у Вальмара осталось. Мысленно он поклялся, что сумеет защитить их от зла и скверны, погубивших Кассандру. Что бы ни случилось с Германией, как ни исказились бы людские представления о добре и зле, он должен защитить своих детей. Нужно уберечь их от нацистского яда, дождаться дня, когда Германия избавится от Гитлера и его своры. Это не может продолжаться вечно. Буря утихнет, и опять воцарится мир.

— «...И сохрани дитя Твое, Отче наш, и да пребудет она в мире вечном у престола Твоего. Да покоится душа ее в мире. Аминь».

Пятеро скорбящих молча перекрестились и застыли, глядя на темную крышку гроба. Вальмар и пастор держали свои зонтики повыше, чтобы укрыть от дождя женщин и детей. Казалось, небо льет на землю горькие слезы. Но стоявшие возле могилы не замечали дождя, перешедшего в сплошной ливень. Наконец Вальмар тихо обнял детей за плечи:

— Пойдемте, нам нужно уходить.

Но Герхард заупрямился — он отчаянно замотал головой, во все глаза глядя на гроб.

В конце концов фрейлейн Хедвиг просто взяла его на руки и отнесла к машине. Ариана сама последовала за няней — теперь возле гроба остался один отец. Бабушка тоже вернулась к себе в машину. Ушел и пастор, а Вальмар все стоял над гробом, усыпанным белыми цветами — орхидеями, лилиями и розами. Все эти цветы Кассандра очень любила.

Внезапно Вальмару неудержимо захотелось забрать Кассандру отсюда, не оставлять ее там, под землей, с остальными фон Готхардами, которые были так не похожи на нее. Да, все они — и тетка, и отец, и погибший на войне брат — были совсем другими. Кассандра фон Готхард, умершая в тридцать лет, слишком для них молода, слишком похожа на ребенка... Вальмар стоял, не в силах пошевелиться, и все не мог поверить, что ее больше нет.

Вернулась за ним Ариана. Он почувствовал, как маленькая ручка стиснула его пальцы, и, посмотрев вниз, увидел потемневшее от дождя синее пальто с горностаевым воротником.

— Папа, нам нужно ехать. Мы увезем тебя домой.

Девочка выглядела такой взрослой, такой мудрой, такой любящей. Ее большие синие глаза были чем-то неуловимо похожи на глаза той, которую Вальмар потерял. Ариана не обращала внимания на дождь. Она неотрывно смотрела на отца снизу вверх, цепко держа его за руку. И тогда Вальмар молча кивнул. По его лицу текли слезы и капли дождя. С вымокшего котелка на плечи тоже сбегали струйки, но он не замечал этого, чувствуя лишь прикосновение маленькой ручонки.

Отец и дочь зашагали к машине, не оглядываясь назад. Шофер закрыл за ними дверцу, и «испано-сюиза» тронулась с места. Тогда кладбищенские рабочие стали забрасывать гроб комьями земли. Скоро могила превратится в зеленый холмик, и Кассандра фон Готхард окончательно присоединится к тем, кого при жизни не знала и кто ушел прежде нее.

Книга вторая

АРИАНА. Берлин

Глава 8

Он ждал на нижней площадке лестницы.

— Ариана!

Куда она запропастилась? Еще немножко, и они опоздают.

Этаж, где раньше находилась детская, был переоборудован — ведь теперь там жили не маленькие дети, а подростки. Вальмар не раз собирался перевести Ариану и Герхарда на второй этаж, поближе к себе, но дочь и сын слишком привыкли к своим комнатам, а кроме того, фон Готхард никак не мог решиться изменить интерьер в покоях Кассандры, которые были заперты вот уже семь лет.

Тренькнули часы, и, словно дождавшись этого сигнала, наверху зажегся свет. Вальмар увидел, что по лестнице спускается Ариана в белом платье из тончайшего органди, в золотистые локоны вплетены маленькие белые розы. Вальмар залюбовался дочерью — матовым оттенком ее шеи, точеными чертами лица, радостным сиянием синих глаз. Девушка медленно спускалась по ступенькам, а сзади, ухмыляясь, выглядывал ее брат. Он-то и нарушил волшебство этого мгновения — крикнул отцу:

— А она ничего, правда? Конечно, для девчонки.

Ариана и отец переглянулись, и Вальмар взглянул на сына с усталой улыбкой.

— Я бы сказал, что она выглядит просто потрясающе, — сказал он.

Весной этого года Вальмару фон Готхарду исполнилось шестьдесят пять лет. Жить в стране день ото дня становилось все труднее, а человеку пожилому — тем более. Третий год продолжалась мировая война. Правда, на образе жизни семьи фон Готхард это никоим образом не отражалось. Да и столица рейха не слишком страдала от военных тягот — город стал еще красивее, еще оживленнее. Каждый день балы, спектакли, всевозможные празднества и развлечения. Вальмар в свои годы уже с трудом выдерживал этот ритм безумного, натужного веселья. А ведь у него хватало дел и без исполнения бессмысленных светских обязанностей — много сил отнимало управление банком, не жалел Вальмар времени и для своих детей, которых решил во что бы то ни стало уберечь от нацистской заразы. Обе эти задачи оказались не из легких, но пока Вальмару удавалось с ними справляться. Банк «Тильден» прочно стоял на ногах, отношения с властями складывались неплохо, и Вальмар знал, что его семье ничто не угрожает — как банкир он был нужен нацистской партии, а это гарантировало ему и детям защиту.

Когда Ариана и Герхард подросли, оказалось, что они при всем желании никак не могут включиться в деятельность молодежной фашистской организации. Дело в том, что Герхард неважно учится, страдает астмой, а кроме того, болезненно застенчив. Что же касается девочки, то после трагической смерти матери она как бы не в себе — все не может оправиться от шока. Вдовцу-аристократу, владевшему собственным банком, выжить в нацистской Германии было не так уж сложно — для этого требовались терпение, осторожность, а главное — умение не видеть лишнего и вовремя промолчать.

Однажды — это было через три года после гибели Кассандры — Ариана отправилась навестить господина Ротмана, меховщика, услугами которого семья фон Готхард пользовалась с незапамятных времен. Ариана не раз бывала там с матерью, и Ротман угощал ее горячим какао, печеньем, дарил пушистые хвостики, которыми Ариана так любила играть. А тут она увидела, что магазин оцеплен людьми с повязками на рукавах. Вывеска была сорвана, стеклы выбиты, на стене крупными буквами выведено ЕВРЕЙ.

Ариана бросилась к отцу, в банк. Она вбежала в его кабинет вся заплаканная, но Вальмар запер за ней дверь и твердым голосом сказал:

— Ариана, об этом ни с кем разговаривать нельзя! Ни с кем — ты поняла? И вопросов задавать не нужно. О том, что ты видела, следует помалкивать.

Ариана уставилась на него, ничего не понимая.

— Но я была там не одна, другие люди тоже видели... Там стояли солдаты с ружьями, все окна были выбиты... И еще, папа, я видела там кровь!

— Ничего ты не видела. Ты вообще там не была.

— Но...

— Молчи! Сегодня мы с тобой вместе обедали в Тиргартене, а потом вместе отправились ко мне на работу. Ты посидела у меня в кабинете, выпила чашку какао, после чего шофер отвез тебя домой. Тебе все ясно?

Ариана никогда еще не видела отца таким. Ясно? Нет, она ничего не понимала. Неужели отец испуган? Но ведь они не посмеют сделать ему ничего плохого. Он — важный человек, банкир. К тому же не еврей. И все же куда исчез Ротман? Что теперь будет с его магазином?

— Ариана, ты меня поняла? — сурово, почти сердито повторил отец.

Ариана чувствовала, что он сердится не на нее...

— Да, поняла. — И тихонечко добавила: — Но почему?

Вальмар фон Готхард тяжело вздохнул и опустился в кресло. Кабинет у него был просторный, с массивной мебелью. Двенадцатилетняя Ариана, сидевшая по ту сторону огромного письменного стола, казалась совсем маленькой. Как ей это объяснить? Что сказать?

Через год после этого инцидента начались еще более страшные времена — в сентябре грянула война. Вальмар удвоил меры предосторожности, и благодаря этому до сих пор с его семьей ничего плохого не случилось. Дети были живы и здоровы. Герхарду исполнилось двенадцать с половиной, Ариане — шестнадцать. В их жизни мало что изменилось. Разумеется, сын и дочь подозревали, что их отец ненавидит Гитлера, но эта тема никогда не обсуждалась. Всякий знал, что ругать фюрера вслух слишком опасно.

Семья фон Готхард по-прежнему жила в Грюневальде, дети ходили в те же учебные заведения, в ту же церковь. Единственное, что в последние годы изменилось, — очень сузился круг знакомых; фон Готхарды почти перестали ходить в гости. Вальмар объяснял детям, что страна находится состоянии войны, и поэтому лучше пореже выходить из дома. Герхард и Ариана понимали это и не спорили. Но в Берлине было так весело! Повсюду красивые мундиры, смеющиеся солдаты, хорошенькие девушки. По вечерам из соседних домов доносились звуки музыки — там устраивали банкеты и приемы. Казалось, столица третьего рейха погрузилась в атмосферу безудержного веселья. Но дети фон Готхарда знали, что вокруг происходит и немало грустного. Отцы и старшие братья их сверстников воевали на фронте, многие уже погибли. Соученики дразнили Ариану и Герхарда тем, что их отец отсиживается в тылу, но в глубине души брат и сестра были рады, что Вальмар уже слишком стар для войны. Мысль о том, что вслед за матерью они могли бы лишиться и отца, казалась им невыносимой.

— Но ведь для балов ты не слишком старый? — спросила как-то Ариана у отца с озорной улыбкой.

Той весной девочке исполнилось шестнадцать, и она мечтала попасть на свой первый бал. По раннему детству она помнила, что папа и мама когда-то весьма активно вели светскую жизнь. Но последние семь лет Вальмар нигде не бывал, кроме банка. Каждую свободную минуту он проводил дома — у себя на втором этаже или с детьми. После смерти Кассандры балы и званые вечера для него кончились. Но дети плохо помнили мать. Они не знали, как и почему она умерла, — Вальмар никогда им об этом не рассказывал.

— Ну так что, папа? Мы пойдем на бал? Ну пожалуйста!

Девочка смотрела на Вальмара так умоляюще, что он не выдержал и улыбнулся:

— На бал? Сейчас? В военное время?

— Ну папа, сейчас все ходят на балы. Даже у нас, в Грюневальде, люди развлекаются ночи напролет.

Это была правда. Даже в тихом, респектабельном Грюневальде шум и музыка часто не стихали до рассвета.

— Не слишком ли ты молода для балов?

— Молода? — Ариана наморщила носик, явно унаследованный не от отца, а от матери. — Мне ведь уже шестнадцать!

В конце концов, не без помощи Герхарда, Ариана своего добилась. И вот теперь она спускалась по ступенькам, похожая на сказочную принцессу в своем воздушном наряде, который соорудила фрейлейн Хедвиг, мастерица на все руки.

— Ты смотришься просто очаровательно.

Ариана совсем по-детски улыбнулась и с одобрением посмотрела на белый фрак отца.

— Ты тоже ничего.

В этот момент подал голос Герхард.

— А по-моему, вид у вас обоих довольно дурацкий, — со смехом крикнул он сверху.

Но было видно, что он тоже гордится красавицей сестрой.

— Иди спать, урод! — весело крикнула ему Ариана и легко сбежала вниз по ступенькам.

Перед самым началом войны место «испано-сюизы» в гараже занял черно-серый «роллс-ройс». Автомобиль уже стоял перед подъездом, пожилой шофер держал дверцу открытой. Ариана набросила на плечи легкую шаль и, вся в трепетании белоснежных кружев, скользнула в машину. Оперный театр, где проводился бал, сиял огнями. Широкий бульвар в эту весеннюю пору был необычайно хорош. Унтер-ден-Линден за военные годы ничуть не изменилась.

Вальмар горделиво посмотрел на свою нарядную дочь, припавшую к окну автомобиля.

— Волнуешься?

— Очень! — кивнула она.

Ариана была сама не своя от счастья — наконец-то она дождалась своего первого бала.

Все оказалось еще чудеснее, чем она думала. Просторная лестница была устлана красным ковром; в вестибюле сияли хрустальные люстры. Женщины были в вечерних платьях и сверкали бриллиантами; мужчины щеголяли в парадных мундирах, украшенных орденами, или в белых фраках и белых галстуках. Единственное, что покоробило Вальмара, — огромный нацистский флаг со свастикой.

Из зала маняще доносилась музыка, там кружились изящные кавалеры и нарядные, сверкающие драгоценностями дамы. Широко раскрытые глаза Арианы были похожи на два огромных аквамарина; рубиновый ротик был восхищенно приоткрыт.

Первый вальс она танцевала с отцом, а затем Вальмар отвел ее в сторонку, где уже собрались его коллеги-банкиры. Минут двадцать Ариана простояла рядом с отцом, весело болтая со знакомыми и глядя на танцующие пары. Затем Вальмар вдруг увидел, что на нее пристально смотрит высокий молодой человек, о чем-то перешептывающийся с приятелем. Вальмар отвернулся от высокого офицера и пригласил дочь на танец. Он знал, что ведет себя не очень красиво, но так хотелось отсрочить неизбежное... Конечно, Вальмар знал, что Ариана будет танцевать и с другими мужчинами. Но эти мундиры... Очевидно, ничего не поделаешь. Оставалось только надеяться, что для всех этих кавалеров девочка слишком юна.

Но, кружась с дочерью в танце, фон Готхард понял, что такая красавица не может остаться без мужского внимания. Она была не просто юной, свежей и очаровательной — в темно-синих глазах ощущалась магическая сила, действовавшая на мужчин гипнотически. Вальмар заметил это по реакции своих друзей. Когда на тихом и спокойном лице Арианы внезапно появлялась улыбка, казалось, что золотые лучи солнца вспыхивали на поверхности горного озера. Было в этих юных чертах что-то волшебное, что-то притягивающее, вызывающее неудержимое желание узнать эту девушку поближе. Ариана была тоненькой и невысокой — едва доставала до плеча Вальмара, даже Герхард ее перерос. Но как легко скользили по паркету ее ножки!

Как только Вальмар и Ариана вернулись к столику, молодой офицер тут же приблизился к ним. Вальмар внутренне напрягся. Если уж это неизбежно, почему обязательно военный? Лучше бы какой-нибудь молодой человек, не находящийся на службе у рейха. Все эти люди в мундирах были для него не личностями, а членами одной хищной шайки. Они угрожали, насиловали, убивали, это они погубили Кассандру.

— Герр фон Готхард?

Вальмар сухо кивнул. Молодой человек вскинул правую руку в нацистском приветствии:

— Хайль Гитлер!

Улыбка Вальмара стала ледяной.

— Насколько я понимаю, это ваша дочь?

Больше всего фон Готхарду хотелось врезать офицеру по физиономии, но, взглянув на Ариану, он неохотно ответил:

— Да. Вообще-то она еще слишком юна для подобных вечеров, однако я все же взял ее с собой. Но при одном условии — все время быть рядом со мной.

Ариана удивленно воззрилась на него, но ничего не сказала. Молодой офицер понимающе покивал и ослепительно улыбнулся девушке, похожей на принцессу из сказки. Зубы у офицера были ровные и белые, губы яркие и изящно очерченные, а улыбка необычайно обаятельная. Вальмар заметил, что глаза у него такие же синие, как у Арианы, но волосы были гораздо темнее, почти черные. Высокий, широкоплечий красавец, да и мундир был ему к лицу — еще больше подчеркивал стройность фигуры.

Офицер учтиво поклонился Вальмару — этот жест относился к эпохе, когда еще не было принято вместо «здравствуйте» говорить «хайль Гитлер!». Щелкнув каблуками, он представился:

— Я — Вернер фон Клауб. — И, улыбнувшись Ариане, продолжил: — Я вижу, что фрейлейн фон Готхард очень молода, но все же надеюсь, что вы доверите ее моему попечению. Всего на один танец.

Вальмар заколебался. Он знал семью фон Клауб и понимал, что ответить отказом на столь любезное предложение было бы неприлично, тем самым он нанес бы оскорбление и почтенному семейству, и военному мундиру. К тому же Ариана смотрела на него с такой надеждой... Нет, отказать было невозможно. Да и как противостоять всем этим мундирам, если они заполонили белый свет...

— Не могу вам отказать, — с явным сожалением в голосе сказал он, глядя на дочь ласково и нежно.

— Правда, папа? Можно? — Огромные глаза Арианы радостно вспыхнули.

— Да, можно.

Фон Клауб поклонился вновь — на сей раз уже Ариане — и увел ее за собой. Они медленно вальсировали по залу, похожие на принца и Золушку. Казалось, эти двое созданы друг для друга. «Смотреть на них — одно удовольствие», — сказал вслух сосед Вальмара. Может быть, и так, но не для меня, подумал фон Готхард. Он только теперь понял, какая новая и опасная угроза нависла над его семьей. Хуже всего то, что под ударом могла оказаться его девочка, Ариана. Взрослея, она становилась все очаровательнее. Вечно держать ее взаперти не удастся — это Вальмар понимал. Рано или поздно он ее лишится. И скорее всего достанется она одному из «тех». Как странно, думал фон Готхард, наблюдая за танцующей дочерью. В другой жизни, в другую эпоху фон Клауб был бы хорошей партией, этого приятного молодого человека охотно принимали бы в доме, рассматривали бы как потенциального жениха. Но мундир олицетворял всю скверну мира. Сама мысль о подобном союзе была ему невыносима.

Когда танец кончился, Ариана вопросительно оглянулась на отца. Он хотел отрицательно покачать головой, но почувствовал, что это было бы слишком жестоко. Пришлось дать согласие. То же повторилось и перед третьим танцем. Но после этого офицер наконец проявил тактичность, подвел Ариану к отцу, поблагодарил и пожелал им обоим приятно провести вечер. Однако улыбка, с которой он взглянул на Ариану, подсказала Вальмару, что знакомство с Вернером фон Клаубом на этом не закончено.

— Ариана, он сказал, сколько ему лет?

— Двадцать четыре. — Девушка смотрела на отца с улыбкой. — Знаешь, он очень милый. Он тебе понравился?

— Главное — понравился ли он тебе?

Ариана равнодушно пожала плечами. Впервые за весь вечер Вальмар рассмеялся:

— Так-так, начинается. Я вижу, дорогая, что ты разобьешь много мужских сердец.

Только бы не разбила отцовское, подумал он. Он так долго оберегал дочь от фашистской заразы, что просто не вынесет, если девочка не устоит перед духом времени.

Но Вальмар тревожился напрасно. Шли месяцы, а дочь не давала ему поводов для беспокойства. Вернер фон Клауб и в самом деле пару раз появился у них в доме, но на этом все и кончилось. Молодой офицер находил Ариану обворожительной, но на его вкус девушка была чересчур юна и слишком застенчива. Вернер предпочитал общество более зрелых женщин, которым его мундир казался неотразимым. Ариана фон Готхард была слишком зелена, а ждать, пока она повзрослеет, у Вернера фон Клауба желания не было.

Вальмар был рад, что это ухаживание закончилось. Еще больше его утешило то, что Ариана не слишком опечалилась, когда кавалер перестал появляться у них в доме. Девушка была вполне довольна своей жизнью. Ей хорошо жилось с отцом и братом, в школе у нее было множество подруг. Пожалуй, Ариана могла показаться недостаточно зрелой для своего возраста. Отчасти виновен был Вальмар, ревниво оберегавший ее от любого внешнего воздействия. Но невинность и неопытность странным образом уравновешивались в Ариане совсем недетской мудростью, результатом ранней утраты и перенесенного горя. Смерть матери, которую девочка толком и не знала, тем не менее легла тенью на ее еще не сформировавшийся характер. В глазах юной красавицы поселилась затаенная грусть, столь свойственная детям, выросшим без матери. Но печаль эта объяснялась исключительно причинами внутренними, ибо лишений и горя, связанных с военной порой, Ариана не знала. Начиная с 1943 года бомбежки Берлина участились, и обитателям дома в Грюневальде нередко приходилось проводить ночь в подвале, служившем бомбоубежищем. Однако впервые с реальностью войны девушка столкнулась лишь весной 1944-го, когда ей было восемнадцать.

Натиск союзников нарастал, и Гитлер издал ряд указов, укрепивших систему тотальной войны.

Как-то раз, вернувшись из гимназии, Ариана обнаружила, что дверь салона закрыта — Бертольд объяснил, что господин фон Готхард беседует с другом.

— А с кем именно? — с улыбкой спросила Ариана. Старый Бертольд в последнее время совсем оглох. Девочка знала дворецкого с самого детства — у нее было ощущение, что Бертольд жил в их доме всегда.

— Да, фрейлейн, — с важным видом кивнул старик, и его суровое, словно вырубленное из камня лицо расплылось в улыбке. Ариана поняла, что он ее не расслышал.

Тогда она повысила голос и терпеливо повторила вопрос. В отличие от Герхарда, она никогда не позволяла себе подтрунивать над глухотой старика. Бертольд души не чаял в мальчике и готов был простить ему что угодно.

— Так кто у отца?

— А... Я не знаю, фрейлейн. Господин фон Готхард не сказал мне. Гостя впустила фрау Клеммер. А я был внизу, помогал господину Герхарду привести в порядок лабораторное оборудование.

— О Господи, только не это!

— Что?

— Ничего, Бертольд. Спасибо.

Ариана беззаботно пересекла просторный вестибюль. Она привыкла к этим залам, к роскошному убранству, к обилию слуг — другой жизни девушка просто не знала, и ей невозможно было представить себе, что можно жить как-то иначе.

На лестнице она встретилась с фрау Клеммер. Утром они разговаривали о том, что пора бы уже отпереть покои матери. Во-первых, после несчастья прошло девять лет, во-вторых, Ариане исполнилось целых восемнадцать лет, и жить на одном этаже с Герхардом, постоянно устраивавшим беспорядок и взрывы в своей химической лаборатории, становилось невыносимо. В университет Ариана пока поступать не собиралась. Они с отцом решили подождать с продолжением учебы до конца войны. Через два месяца девушка окончит гимназию и почти все время будет проводить дома. Ариана собиралась всерьез заняться домашним хозяйством, благотворительностью, помогать раненым. Она и сейчас уже работала в госпитале медсестрой, но всего два раза в неделю. После окончания гимназии можно будет заняться подобной деятельностью более интенсивно. Кроме того, если бы она заняла комнаты, некогда принадлежавшие матери, это закрепило бы за ней статус хозяйки дома. В общем, Ариане эта идея казалась весьма привлекательной. Проблема была только в одном — как уговорить отца.

— Ну как, вы с ним поговорили? — заговорщическим шепотом спросила фрау Клеммер.

Ариана покачала головой:

— Не успела. Сегодня вечером. Надо еще будет отправить куда-нибудь Герхарда. — Она вздохнула и закатила глаза. — Он такой надоедливый!

Герхарду недавно исполнилось пятнадцать.

— Думаю, если вы не будете слишком наседать на отца, а дадите ему время все обдумать, он не станет возражать. Ему даже будет приятно, что вы окажетесь его соседкой. В его годы не так-то просто по десять раз на дню подниматься на верхний этаж и спускаться.

В качестве мотива это звучало неплохо, но Ариана сомневалась, что на Вальмара подобный довод подействует. В шестьдесят восемь лет он был вполне крепок, да и не любил, когда ему лишний раз напоминали о возрасте.

— Ничего, я что-нибудь придумаю. Хотела поговорить с ним прямо сейчас, но у него кто-то сидит. Вы не знаете, кто? Бертольд сказал, что дверь гостю открыли вы.

— Да, — немного удивилась фрау Клеммер. — Но это всего лишь герр Томас. По правде говоря, вид у него неважный.

Ничего удивительного — в последнее время у всех вид неважный, подумала Ариана. Даже отец выглядит после работы усталым и подавленным. Рейх возлагает на финансистов непомерное бремя, все время требуя пополнения денежных ресурсов.

Расставшись с фрау Клеммер, девушка задумалась, как ей быть — подняться к себе или спуститься вниз, к отцу. Ей захотелось тайком заглянуть в покои матери, полюбоваться красивой спальней, прикинуть, уместится ли в будуаре ее письменный стол. Но ничего, это подождет. Пожалуй, лучше побыть немного с отцом и его другом.

Максимилиан Томас был лет на тридцать младше Вальмара фон Готхарда. Однако, невзирая на столь значительную разницу в возрасте, отец всегда относился с особым уважением к этому мягкому, вежливому человеку. Максимилиан четыре года проработал у отца в банке, а потом решил заняться правом. Учась на юридическом факультете, он женился на соученице, и вскоре у них один за другим родились трое детей. Самому младшему сейчас было бы три года, но Максимилиан не видел жену и детей с тех пор, как малышу исполнилось четыре месяца. Дело в том, что его жена была еврейкой и ее с детьми депортировали. Макс бился за них, сколько мог. Ему удалось продержаться целых два года после начала войны, но в конце концов неизбежное случилось. Сару и детей забрали и увезли. Произошло это в сорок первом году. Максимилиан был совершенно раздавлен. Прошло почти три года, а он так и не оправился от удара. В свои тридцать семь он выглядел по меньшей мере лет на пятнадцать старше. Максимилиан пытался всеми правдами и неправдами выяснить, где содержат его жену и детей, но в последний год надежды у него почти не осталось.

Ариана осторожно постучала, но приглушенный гул голосов, доносившийся изнутри, не прервался. Она хотела было повернуться и уйти, но в это время Вальмар позвал ее.

Приоткрыв дверь, Ариана с улыбкой заглянула в салон:

— Папа, можно войти?

Но тут она увидела картину настолько непривычную, что в нерешительности замерла на месте. Максимилиан Томас сидел спиной к ней, закрыв лицо руками. Его плечи подрагивали. Ариана взглянула на отца, ожидая, что он велит ей удалиться, но, к удивлению девушки, Вальмар движением головы попросил ее войти. Он сам растерялся. Сказать в этой ситуации было нечего. Может быть, девушка сумеет хоть как-то утешить Макса? Впервые Вальмар давал понять, что уже не считает Ариану ребенком. Если бы в салон заглянул Герхард, Вальмар немедленно велел бы ему уйти и не мешать, но Ариана уже не девочка, она способна на нежность и участие. Вальмар жестом попросил Ариану приблизиться, и, услышав ее шаги, Макс отнял руки от лица.

Когда он обернулся к ней, Ариана увидела, что его лицо искажено отчаянием.

— Макс... Что случилось?

Она опустилась рядом с ним на колени и без колебаний протянула к нему руки. Он тоже потянулся к ней, обнял ее и всхлипнул. Долгое время Макс не произносил ни слова, а затем, вытирая глаза, медленно отодвинулся.

— Спасибо. Извините меня...

— Не нужно извинений.

Вальмар подошел к антикварному столику, на котором в большом серебряном ларце стояли бутылки с коньяком и последние запасы шотландского виски. Не спрашивая Макса, Вальмар налил полный стакан коньяка и молча протянул другу. Тот взял, сделал несколько глотков и вытер платком мокрые глаза.

— Что-нибудь с Сарой? — спросила Ариана.

Неужели Макс сумел что-то узнать?

Макс растерянно взглянул на нее, и по его наполненным ужасом глазам Ариана поняла: его худшие страхи подтвердились.

— Они все... — Он с трудом заставил себя произнести эти слова. — Они все мертвы. — Макс судорожно вздохнул и отхлебнул коньяку. — Все четверо — и Сара, и мальчики...

— О Господи!

Ариана чуть было не спросила, за что их убили. Но ответ был ясен и так. Только за то, что они евреи.

— Вы это знаете наверняка?

Макс кивнул:

— Они сказали мне, что я должен быть им благодарен. Теперь я могу начать новую жизнь с женщиной своей расы. О Господи, Господи... Мои сыночки... Ариана...

Он безотчетно потянулся к ней, и девушка прижала его к себе. Теперь по ее щекам тоже катились слезы.

Вальмар знал, что нужно делать: Макс должен немедленно уехать, оставаться в Берлине ему нельзя.

— Послушайте, Макс. Вы думали над тем, как вам быть дальше?

— Что вы имеете в виду?

— Разве вы можете оставаться в этой стране после того, что произошло?

— Не знаю... Не знаю... Я хотел уехать еще в тридцать восьмом. Убеждал Сару, но она не желала и слушать... У нее тут были сестры, мать...

Сколько раз Вальмар слышал истории, похожие на эту.

— А потом я не мог уехать, потому что искал Сару и детей. Думал, если найду их, может быть, удастся как-то договориться с нацистами... О Господи, мне следовало догадаться раньше...

— Это ничего бы не изменило. — Вальмар смотрел на друга с глубоким сочувствием. — Но теперь вы знаете правду. Если вы не уедете, они не оставят вас в покое. Будут следить за вами, смотреть, с кем вы встречаетесь, с кем общаетесь. Вы и так все эти годы считались у них подозреваемым — из-за Сары. Остается только одно — бегство.

Макс Томас горько покачал головой. Утверждения Вальмара не были голословными. Дважды адвокатскую контору Томаса разгромили неизвестные лица, причем на стенах, на мебели оставили надписи: «Еврейский любовничек». И все же Макс не сдавался, он не мог уехать, не мог бросить жену и детей.

— У меня не укладывается в голове, что все уже кончено... Мне не нужно больше никого искать. — Макс выпрямился в кресле, словно лишь в эту секунду до конца осознал произошедшее. — Но куда мне податься?

— Куда угодно. В Швейцарию, например. Потом, возможно, переберетесь в Соединенные Штаты. Главное — уезжайте из Германии. Эта страна вас уничтожит.

«Как она уничтожила Кассандру и Дольфа», — мысленно добавил Вальмар. Глядя в лицо своего друга, он вновь ощутил боль давней утраты.

— Нет, я не могу уехать, — сказал Макс.

— Но почему? — вспылил фон Готхард. — Вот уж не думал, что вы такой патриот. Или, может быть, Германия была к вам необычайно добра? Послушайте, дружище, чего ради вам здесь оставаться? Уносите ноги, пока целы.

Ариана смотрела на отца с испугом — никогда еще она не видела его таким.

— Макс, — тихо сказала она. — Я думаю, папа прав. Уезжайте. А потом, когда все кончится, вы сможете вернуться.

— Если у вас есть хоть капля здравого смысла, никогда сюда не возвращайтесь, — сердито прервал ее Вальмар. — Начните новую жизнь. Где-нибудь в другой стране. И уезжайте отсюда поскорей, пока вас не погребло под обломками рейха.

Макс Томас вяло ответил:

— Меня и так уже погребло под обломками.

Вальмар глубоко вздохнул, откинулся назад, но по-прежнему не сводил глаз с лица друга.

— Да, я хорошо вас понимаю. Но все равно нужно жить. Хватит того, что вы лишились семьи. — Он говорил так нежно, что Макс вновь не удержался от слез. — Вы должны выжить. Это ваш долг перед Сарой. Зачем нужна еще одна трагедия, еще одна утрата?

Если бы он сказал все это Кассандре, если бы успел... Но поняла бы она его?

— Уехать? Но как?

Макс никак не мог смириться с мыслью, что нужно все бросить — дом, имущество, страну, в которой родились и погибли его дети, его мечты.

— Не знаю. Это надо будет обдумать. В нынешнем хаосе, я полагаю, можно взять и исчезнуть. Если это сделать прямо сейчас, они подумают, что вы не выдержали потрясений — тронулись рассудком и покончили с собой. Позднее, возможно, у них возникнут подозрения, но дело будет сделано.

— Как вы себе это представляете? Я выхожу прямо сейчас из вашего дома и иду пешком к швейцарской границе? При себе у меня портфель, пальто и золотые часы, оставшиеся от дедушки.

Макс похлопал себя по нагрудному карману, где лежали упомянутые часы.

Вальмар задумчиво кивнул:

— Что ж, это тоже вариант.

— Вы серьезно?

Ариана слушала их, не веря собственным ушам. Неужели все это происходит на самом деле? Неужели где-то совсем рядом убивают женщин и детей, заставляют добропорядочных граждан спасаться бегством среди ночи? Сердце ее сжалось от страха, тонкое личико стало еще бледнее, чем обычно.

У Вальмара в голове составился план.

— Да, я говорю вполне серьезно. Вам лучше пуститься в бега прямо сейчас.

— Сегодня?

— Да. То есть в дорогу пока пускаться не нужно — сначала следует приготовить документы. Но исчезнуть вы должны прямо сегодня. — Фон Готхард пригубил бокал. — Что вы на это скажете?

4-2

Макс слушал его внимательно, отлично понимая, что старый банкир говорит разумные вещи. Какой смысл оставаться в стране, которая уничтожила все, что было дорого твоему сердцу?

Он молча кивнул и после паузы сказал:

— Да, вы правы. Я уеду отсюда. Не знаю куда, не знаю как, но уеду.

Вальмар обернулся к дочери. Наступил критический момент, от которого зависела жизнь всех присутствующих.

— Ариана, может быть, тебе лучше выйти?

В салоне воцарилась тишина. Девушка непонимающе смотрела на отца.

— Папа, ты хочешь, чтобы я ушла?

Нет, она не хотела уходить, не хотела оставлять сейчас отца и Макса.

— Если хочешь, оставайся. Но учти: все, что здесь будет сказано, следует хранить в строжайшей тайне. Об этом нельзя говорить ни с Герхардом, ни с прислугой — вообще ни с кем. Даже со мной. Все дальнейшее будет происходить молча. А когда дело будет сделано, мы с тобой обо всем забудем. Это ясно?

Ариана кивнула, и Вальмар вдруг засомневался — не рехнулся ли он, решив впутать собственную дочь в эту рискованную затею. Но так или иначе, все они уже не могут оставаться в стороне от происходящего. Возможно, скоро им предстоит совершить то же самое. Пусть девочка привыкает. Она уже достаточно взрослая. Пусть поймет, в какой отчаянной ситуации все они находятся.

— Ты поняла меня, Ариана?

— Да, папа.

— Очень хорошо.

Он на миг прикрыл глаза, затем вновь обернулся к Максу:

— Вечером вы уйдете отсюда как обычно. Вид у вас должен быть еще более расстроенный, чем до встречи со мной. После этого вы просто возьмете и исчезнете. Никто больше не должен вас видеть. Идите к озеру, погуляйте там, а поздно ночью, когда все лягут спать, я впущу вас обратно. Проведете здесь день или два, после чего незаметно отправитесь к швейцарской границе. Пересечете границу — и дело сделано. Начинайте новую жизнь.

— А деньги? Вы сможете снять наличность с моего счета? — встревоженно спросил Макс.

— Об этих деньгах забудьте, — покачал головой Вальмар. — Ваша главная задача — незаметно пробраться обратно в дом. После этого останется только доехать до границы. О деньгах и документах я позабочусь.

Макс взглянул на старшего друга с изумлением, которое граничило с восхищением.

— Вы знаете людей, которые могут это устроить?

— Да, знаю. Я провел кое-какую предварительную работу еще полгода назад. Так, на всякий случай — вдруг пригодится.

Ариана была потрясена этим известием, но ничего не сказала. Ей и в голову не приходило, что отец планирует подобные вещи.

— Так вы меня поняли?

Макс кивнул.

— Поужинаете с нами? А после этого исчезнете, предварительно выйдя через парадную дверь.

— Хорошо. Но где вы будете меня прятать?

Вальмар ответил не сразу — он ломал себе голову над тем же самым вопросом. Ответ нашелся у Арианы:

— В маминой комнате, — сказала она.

Отец взглянул на нее с явным неудовольствием, и Макс понял, что между ними происходит какая-то безмолвная борьба.

— Папа, это единственное место в доме, где никто не бывает.

Ариана не стала говорить ему, что утром она и фрау Клеммер заглядывали в пустующие комнаты. Именно поэтому ей и пришла в голову эта идея. Обычно домочадцы и слуги вели себя так, словно покои Кассандры фон Готхард уже не являлись частью дома, их как бы вообще не было.

— Папа, он там будет в полной безопасности. А после того как Макс уедет, я уничтожу все следы. Никто не догадается.

Вальмар долго молчал. Последний раз он заходил в комнату Кассандры в тот самый день, когда обнаружил жену плавающей в собственной крови. С тех пор он ни разу не заглядывал в ту часть дома. Слишком мучительны были воспоминания о несчастном, изуродованном синяками лице Кассандры, о ее полных отчаяния глазах, о нежной груди, располосованной ремнем штурмовика.

— Да, очевидно, выбора нет, — с явным усилием признал он.

Макс отлично понимал, о чем думает Вальмар. Они оба слишком хорошо знали, на что способны нацисты.

— Извините, Вальмар, что я вынуждаю вас идти на это, — сказал Макс.

— Не говорите глупостей. Мы сделаем все, чтобы помочь вам. — По лицу Вальмара скользнула невеселая улыбка. — Может быть, настанет день, когда мы тоже будем нуждаться в вашей помощи.

После продолжительной паузы Макс спросил:

— Неужели вы в самом деле подумываете об отъезде?

— Не уверен, что у меня это получится, — задумчиво ответил старый банкир. — Я все время на виду. Они следят за мной, нуждаются во мне. Я добываю для них деньги. Банк «Тильден» необходим рейху. Это камень, висящий у меня на шее. И в то же время это мое спасение. Как знать, возможно, в один прекрасный день окажется, что банк «Тильден» — мой смертный приговор. Если бы у меня был выбор, я непременно последовал бы вашему примеру.

Эти слова поразили Ариану. Ей и в голову не приходило, что отец всерьез может думать о побеге. В этот миг в дверь постучал Бертольд, объявивший, что ужин подан. Вальмар, Макс и Ариана вышли из салона в полном молчании.

Глава 9

Вальмар фон Готхард спустился по лестнице на цыпочках и подошел к входной двери. Он велел Максу Томасу приблизиться к дому разувшись, чтобы гравий не скрипел под каблуками. Кроме того, он снабдил друга ключом от ворот. Макс вышел из дома около одиннадцати, а сейчас было уже почти три часа ночи. В небе светила полная луна, и из окна было отчетливо видно, как темная фигура быстро пересекает лужайку перед особняком. Вальмар впустил Макса в дом. Оба не произнесли ни слова, лишь кивнули друг другу. Томас насухо вытер ноги, чтобы не оставлять грязных следов на белом мраморном полу. Вальмару понравилось, что Макс настолько владеет собой, что может обращать внимание на подобные детали. Он уже не плакал и не казался сломленным, как несколько часов назад. Похоже, Макс понял: его жизнь и спасение зависят от хладнокровия и находчивости.

Мужчины быстро поднялись по лестнице и через несколько секунд оказались перед запертой дверью на втором этаже. Вальмар замер на месте, не решаясь войти туда. Но Ариана, ждавшая за дверью, услышала их тихие шаги и приоткрыла дверь. Увидев в щель напряженное лицо Макса, она пропустила его внутрь. Вальмар же остался за дверью, по-прежнему не решаясь войти. Фон Готхард подумал, что ему тоже, как Максу, пора забыть о прошлом и смелее входить в эти двери.

Он сделал шаг вперед и последовал за Арианой в маленькую комнату, некогда бывшую кабинетом Кассандры. За минувшие годы комната совсем не изменилась, разве что розовые обои немного выцвели. В углу по-прежнему стоял шезлонг, на который Ариана положила несколько теплых одеял — там будет спать Макс.

Приложив палец к губам, девушка прошептала:

— Мне кажется, ему лучше спать здесь. Даже если кто-то заглянет в эти комнаты, из спальни шезлонга не видно.

Вальмар молча кивнул, а Макс взглянул на Ариану с благодарностью. Вокруг глаз у него залегли усталые морщинки. Вальмар еще раз взглянул на друга, кивнул ему, и вместе с дочерью они вышли из кабинета. Фон Готхард надеялся, что до следующей ночи сумеет раздобыть для Макса новые документы.

Они с дочерью расстались без слов, каждый отправился спать к себе. Ариана долго не могла уснуть, думая о Максе и об опасном путешествии, которое ему предстояло совершить. Еще она вспоминала Сару, маленькую, худенькую женщину с темными смеющимися глазами. Сара вечно рассказывала всякие смешные истории, к Ариане она всегда была очень добра. Казалось, с тех пор миновала целая вечность. Ариана часто думала о Саре в последние три года, гадала, куда увезли ее и детей. Теперь наконец все стало ясно.

О том же самом думал и Макс Томас, лежа под атласным покрывалом в комнате женщины, которую видел всего один раз в жизни. Она была необычайно хороша собой, с чудесными золотистыми волосами. Более прекрасной женщины он не встречал. А вскоре после этого она умерла. Говорили, что от гриппа. Но Макс догадался, что умерла она вовсе не от болезни. Недаром он чувствовал в последние годы странную близость к Вальмару. Безошибочное чутье подсказывало ему, что фон Готхард тоже пострадал от нацистов. Подобная мысль казалась невероятной, но Макс знал, что не ошибается.

Сам фон Готхард тоже не спал. Он стоял возле окна и смотрел на освещенное лунным светом озеро, однако видел перед собой не ночные воды, а прекрасное, сияющее улыбкой лицо Кассандры. Он страстно любил ее, в этой самой спальне они не раз мечтали о будущем. Теперь все здесь стало пустым, безжизненным, тусклым. Вальмару нелегко дался тот шаг через порог запертой комнаты. И потом глаза Арианы были удивительно похожи на бездонные синие глаза ее матери. Вальмар печально отвернулся от окна, разделся и лег в постель.

— Ну как, вы поговорили с ним? — шепотом спросила фрау Клеммер, встретившись с Арианой в прихожей.

— О чем? — удивилась девушка — голова у нее была занята совсем другим.

— Как о чем? О комнатах вашей матери.

«Какая странная девочка, — подумала фрау Клеммер. — Такая рассеянная, такая отстраненная. Неужели она забыла? В этих синих глазах явно есть что-то загадочное...»

— Ах да... То есть нет, он не согласился.

— И рассердился, да?

— Нет, не рассердился. Но ответил решительным отказом. Придется мне пока пожить у себя, как прежде.

— А может быть, проявить настойчивость? Господин фон Готхард подумает-подумает, да; глядишь, и согласится.

Ариана решительно покачала головой:

— Нет, у него и так достаточно забот.

Экономка пожала плечами и пошла дальше. Девочку понять трудно, думала она, но ведь и мать ее была особой престранной.

Когда Ариана утром уходила в гимназию, отца дома уже не было — он уехал в банк на своем «роллс-ройсе». Больше всего Ариана хотела бы провести весь день дома, с Максом, но Вальмар сказал, что она должна вести себя точь-в-точь как в обычные дни. Иначе это может вызвать подозрения. Вальмар сам запер покои Кассандры на ключ.

Уроки тянулись томительно долго, Ариана думала о Максе, беспокоилась за него. Бедняга, как это, должно быть, странно — сидеть взаперти в чужом доме.

В конце концов наступило время возвращаться домой. Ариана неторопливым шагом пересекла прихожую, поздоровалась с Бертольдом, поднялась по лестнице к себе на третий этаж. Анна хотела подать чай, но девушка отказалась — сказала, что хочет заняться прической. Минут через пятнадцать она осторожно спустилась на второй этаж. Вынула из кармана ключ, который два дня назад взяла у фрау Клеммер, повернула его в замке.

Дверь бесшумно распахнулась. Ариана проскользнула внутрь, быстро пересекла спальню и на пороге кабинета столкнулась с усталым и небритым, но улыбающимся Максом.

— Здравствуйте, — прошептала она.

Макс улыбнулся и предложил ей присесть.

— Вы ели?

Он покачал головой.

— Так я и думала. Вот, держите. — Ариана достала из кармана юбки бутерброд. — Попозже принесу вам молока.

Утром, перед уходом в гимназию, она оставила ему ведерко с водой. Воду в ванной лучше было не включать. После стольких лет бездействия трубы наверняка проржавели и будут гудеть, слуги сразу догадаются, что в комнатах хозяйки кто-то есть.

— С вами все в порядке? — спросила Ариана.

— Все отлично, — ответил Макс с набитым ртом. — Вам не следовало утруждать себя. Но я рад, что вы это сделали, — добавил он с улыбкой.

Сегодня Макс выглядел помолодевшим, словно сбросил с плеч годы тревог и волнений. Вид у него, правда, все равно был усталый, а на щеках проступила щетина, но выражение страдания, так поразившее накануне Ариану, исчезло.

— Как прошли уроки?

— Ужасно. Я все время думала только о вас.

— Ну и зря. Мне здесь было хорошо.

Макс Томас провел в тайнике всего несколько часов, но у него уже было такое ощущение, будто он отрезан от всего мира. Ему не хватало шума автобусов, телефонных звонков, знакомых стен рабочего кабинета, даже грохота кованых сапог по мостовой. Отсюда все это казалось бесконечно далеким. Макс словно попал в другой мир — поблекший, полузабытый мир розового шелка и атласа, принадлежавший женщине, которой давно уже нет на свете. Ариана и Макс оглядывали комнату с одним и тем же чувством.

— А какая она была... ваша мать? — спросил он.

Ариана пожала плечами:

— Я сама толком не знаю. Она умерла, когда мне было девять лет, да и до этого виделись мы нечасто.

Она вспомнила, как они с Герхардом стояли под дождем на кладбище, крепко вцепившись в руки отца.

— Она была очень красивая. Больше я ничего о ней не помню.

— Да, она была невероятно хороша собой. Я видел ее один раз. Мне показалось, что ваша мать — самая прекрасная женщина на свете.

Ариана кивнула.

— Она поднималась к нам в детскую, вся благоухая духами, в вечерних нарядах. Ее платья восхитительно шуршали шелком, бархатом и атласом. Мама всегда казалась мне таинственной и загадочной. Наверно, такой она для меня и останется.

Ариана грустно посмотрела на него своими огромными глазами:

— Вы уже думали над тем, куда отправитесь?

Им приходилось разговаривать шепотом, и Макс улыбнулся — слишком уж она была похожа на девочку, пытающуюся выведать у взрослого секрет.

— Да, в общих чертах. Думаю, ваш отец прав. Сначала нужно попасть в Швейцарию. Потом, после конца войны, попробую перебраться в Штаты. У моего отца там был двоюродный брат. Не знаю, жив ли он, но нужно ведь с чего-то начинать.

— И сюда вы больше не вернетесь? — с испугом спросила Ариана.

Он покачал головой.

— Никогда-никогда?

— Никогда. — Он тихо вздохнул. — Я не хочу больше все это видеть.

Ариане показалось удивительным, что этот человек хочет перечеркнуть всю свою предыдущую жизнь. Но может быть, он прав. Вот и отец тоже столько лет отказывался переступать порог этих комнат. Наверное, есть места, куда человеку не следует возвращаться. Это слишком больно, слишком мучительно. Когда

Ариана подняла глаза, она увидела, что Макс смотрит на нее с мягкой улыбкой.

— Может быть, после войны вы с отцом приедете навестить меня в Америке?

Ариана засмеялась:

— Ну, это будет еще очень нескоро.

— Надеюсь, раньше, чем вы думаете.

Макс протянул к ней руку, крепко стиснул пальцы. И тогда Ариана наклонилась и нежно поцеловала его в лоб. Наступило молчание. Макс прижимал к лицу ее руку, а она гладила его по голове. Какое-то время спустя он сказал, что ей нужно уходить — долго оставаться здесь опасно. На самом деле Макса тревожило, что его стали одолевать мысли и чувства, явно неуместные в данной ситуации.

Когда вечером Вальмар зашел к своему другу, вид у него был гораздо более усталый и подавленный, чем у Макса. Однако фон Готхарду все же удалось раздобыть проездные документы и паспорт на имя Эрнста-Йозефа Фрая. Фотография на бумаге была самого Томаса, а печати выглядели как настоящие.

— Неплохая работа, — заметил Макс, разглядывая документы. — Что теперь? — спросил он у Вальмара, который в этой розовой комнате явно чувствовал себя неуютно.

— Еще вы получите карту, немного денег. Вот разрешение на поездку в приграничный район. Доедете туда на поезде, а дальше действуйте по обстановке. Надеюсь, этого вам хватит. — Он протянул Максу конверт с деньгами. — Больше взять не смог, иначе служащим могло бы показаться подозрительным.

— Вы меня просто изумляете, — с искренним восхищением сказал Макс. Старик предусмотрел буквально все!

— Надеюсь, что я ничего не забыл. Дело для меня, сами понимаете, новое. Однако опыт может пригодиться.

— Вы и в самом деле подумываете об отъезде? — пристально взглянул на него Вальмар. — Но почему?

— На то есть свои причины. Трудно предсказать, что произойдет, когда земля затрясется у них под ногами. Кроме того, я должен думать о Герхарде. Ведь осенью ему исполнится шестнадцать. Если война к тому времени не закончится, его могут мобилизовать. Тогда и наступит момент.

Макс понимающе кивнул. Если бы у него был сын, он пошел бы на что угодно, лишь бы не отдавать его нацистам.

Но Вальмару приходилось думать не только о сыне, но и о дочери. Берлин слишком переполнен офицерами в блестящих мундирах. Ариана так хороша собой, так обворожительна, так беззащитна. Как бы не случилось беды. Эти солдафоны могут начать приставать к ней, причинить ей боль. Не дай Бог какой-нибудь высокопоставленный генерал начнет оказывать девочке знаки внимания... Ариана стала уже совсем взрослая, через пару месяцев она окончит гимназию. Больше всего Вальмара беспокоило то, что девочка продолжает работать медсестрой в госпитале Мартина Лютера. Вот о чем размышлял фон Готхард, пока Макс разглядывал свои новые документы.

— Вальмар, чем я могу вас отблагодарить?

— Доберитесь до безопасного места. Начните новую жизнь. Больше мне ничего от вас не нужно.

— Могу я по крайней мере сообщить вам о своем новом адресе?

— Да, но очень осторожно. Просто пришлите записку с адресом, без имени. Я пойму, от кого она.

Макс кивнул.

— Поезд уходит в полночь.

Вальмар вынул из кармана ключи от машины.

— В гараже за домом вы найдете старый синий «форд». Когда-то на нем ездила Кассандра. Сегодня утром я проверил автомобиль. Как это ни странно, он все еще функционирует. Подозреваю, что слуги время от времени пользуются машиной тайком от меня. Доедете на «форде» до станции, а потом оставьте машину на площади. Утром я сообщу в полицию, что автомобиль угнали. К тому времени вы будете далеко. Я позабочусь о том, чтобы сегодня все улеглись пораньше. Вам нужно уехать в половине двенадцатого, и я надеюсь, что к тому времени все будут уже спать. Вот, собственно, и все, что я хотел вам сказать. Остается только одно.

Максу казалось, что все и так уже сказано. Интересно, что же еще осталось? Но Вальмару сделанного показалось недостаточно. Он отправился в спальню Кассандры и снял со стены две картины. Складным ножом он отделил рамы, которыми холсты были обрамлены по меньшей мере лет двадцать. Маленькая картина Ренуара досталась Вальмару от матери. Пейзаж Коро он сам купил жене в Париже, во время медового месяца. Без лишних слов фон Готхард свернул оба холста в трубку и протянул другу.

— Вот, берите. Делайте с ними все, что захотите, — продайте, обменяйте, можете даже съесть. Эти картины стоят немалых денег. Надеюсь, этого хватит, чтобы начать новую жизнь.

— Нет, Вальмар, нет! Это стоит больше, чем я оставляю денег в банке! — Почти все состояние Макса ушло на поиски Сары и детей.

— Берите, берите. Нечего им здесь висеть попусту. Вам эти картины принесут больше пользы... А мне смотреть на них тяжело. Слишком долго находились они в этой комнате... Отныне картины ваши. Считайте, что это подарок друга.

В этот момент в комнату бесшумно вошла Ариана. Увидев на глазах Макса слезы, она недоуменно застыла на месте, но взгляд ее тут же упал на пустые картинные рамы, и девушка сразу все поняла.

— Макс, вам уже пора уходить? — спросила она, глядя на него широко раскрытыми глазами.

— Через несколько часов. Ваш отец... Вальмар, я просто не знаю, что сказать.

— Прощайте, Максимилиан. Желаю удачи.

Мужчины крепко пожали друг другу руки, Макс еле сдерживал слезы.

После этого фон Готхард вышел, а Ариана задержалась на несколько минут. Едва они остались наедине, Макс потянулся к ней, и они поцеловались.

Семейный ужин прошел как обычно. Покой нарушал лишь Герхард, кидавший в спину Бертольду хлебные шарики. Вальмар устроил ему нагоняй, но юноша лишь ухмыльнулся и тут же бросил хлебным мякишем в сестру.

— Если ты будешь безобразничать, — насупился Вальмар, — я велю, чтобы тебе подавали ужин в детскую!

— Извини, папа.

Выходки Герхарда сегодня совсем не веселили Вальмара и Ариану. Вскоре за столом воцарилось гробовое молчание.

После ужина Вальмар удалился к себе в кабинет, Ариана закрылась в спальне, а Герхард занялся какими-то своими мальчишескими делами. Девушка хотела спуститься к Максимилиану, но не решилась. Отец строго-настрого предупредил ее о соблюдении мер предосторожности. Слуги не должны были ничего заподозрить. Успех предприятия зависел исключительно от соблюдения тайны, да и безопасность всех, кто ему помогал, тоже. Несколько часов Ариана просто просидела у себя в комнате, а в пол-одиннадцатого, как велел отец, выключила свет. Она ждала, думала, молилась и в конце концов не выдержала. В двадцать минут двенадцатого девушка бесшумно спустилась по лестнице и проскользнула в дверь, которая вела в покои Кассандры.

Макс стоял сразу за дверью, словно знал, что она придет. На сей раз поцелуй был таким долгим, что Ариана чуть не задохнулась. Затем, застегнув пальто, Макс отстранился.

— Теперь мне пора идти. — Он нежно улыбнулся. — Берегите себя, милая. До следующей встречи...

— Я люблю вас, — беззвучно прошептала Ариана. — Да хранит вас Господь.

Макс кивнул и поднял портфель, где, спрятанные среди газет, лежали бесценные полотна.

— Мы встретимся, когда все это безумие закончится. — Он произнес это таким тоном, словно отправлялся не в опасное путешествие, а к себе в контору. — Возможно, это произойдет в Нью-Йорке.

— Вы сошли с ума, — улыбнулась она.

— Может быть. — Его глаза посерьезнели. — Знайте, что я вас тоже люблю.

Это было правдой. Девушка разбередила ему сердце. Она возникла в жизни Томаса в тот самый момент, когда он больше всего нуждался в дружеском участии.

Молча Макс Томас шагнул к двери; Ариана пропустила его вперед, потом повернула ключ. Помахав ему на прощание рукой, она поднялась наверх, а Макс, стараясь не шуметь, спустился по лестнице вниз. Вскоре Ариана услышала, как во дворе негромко заурчал мотор «форда».

— Прощайте, милый, — прошептала она, стоя у окна.

Девушка смотрела в темноту долго, не меньше получаса, думая о первом в своей жизни поцелуе и о мужчине, с которым они, возможно, никогда больше не увидятся.

Глава 10

На следующее утро Вальмар и Ариана встретились за завтраком. По их поведению никто не мог бы заподозрить, что минувшей ночью случилось нечто необычное. Во второй половине дня шофер встревоженно доложил, что старый «форд» госпожи фон Готхард исчез. Вальмар немедленно позвонил в полицию. Автомобиль был найден вечером. Он стоял возле станции целый и невредимый. Полицейские были уверены, что это проделки юного Герхарда, решившего немного покататься. Эта история их развеселила, а Герхард, призванный для ответа, весьма убедительно бушевал и возмущался. Поскольку дело было внутрисемейным, полицейские удалились, а машину поставили на место в гараж.

— Папа, я не брал автомобиль! — негодовал Герхард.

— Правда? Ну тогда говорить вообще не о чем.

— Нет, я вижу, что ты все-таки меня подозреваешь!

— Это не имеет никакого значения. Главное, что машина вернулась на место. Однако мне хотелось бы, чтобы в будущем ты или твои приятели больше... не одалживали машину Кассандры.

Вальмару было неприятно вести с собственным сыном подобную игру, но выбора не оставалось. Ари-

ана увела Герхарда из кабинета отца и попыталась
его утешить.

— Но это нечестно! Я ни в чем не виноват! —
кипятился подросток. Потом вдруг с подозрением уставился на сестру. — А может, это твоих рук дело?

— Конечно, нет. Не говори глупостей. Я и водить-
то не умею.

— Нет, это ты, я знаю!

— Герхард, не пори чушь.

Брат и сестра расхохотались и поднялись по лестнице на свой этаж. В результате Герхард уверился, что
машину брала Ариана.

Несмотря на наигранную веселость, с которой держалась Ариана, отец почувствовал, что с девушкой что-
то не в порядке. По утрам она почти все время молчала,
а вечером, после гимназии или госпиталя, немедленно
удалялась к себе в спальню. Разговоров с отцом она
избегала. Так продолжалось целую неделю. Потом Ариана внезапно появилась у Вальмара в кабинете, и он
увидел, что глаза ее мокры от слез.

— Ты что-нибудь знаешь о нем, папа? — спросила
она, и Вальмар сразу обо всем догадался. Именно этого
он и опасался.

— Пока нет. Пройдет немало времени, прежде чем
он даст о себе знать.

— Откуда ты знаешь? — Она опустилась в кресло
возле камина. — А вдруг он убит?

— И это не исключено, — с тихой печалью ответил он. — Надеюсь, что с ним все в порядке. Так или
иначе, его здесь больше нет, он ушел из нашей жизни.
Теперь он пойдет своим путем, трудно сказать, куда
выведет его эта дорога. Тебе лучше забыть о Максе.
Для него мы — частица прежней жизни, с которой он
покончил.

Но вид дочери не на шутку испугал Вальмара и, не удержавшись, он спросил:

— Ты что, влюбилась в него?

Ариана резко обернулась к нему, пораженная вопросом. Отец никогда еще не спрашивал ее ни о чем подобном.

— Я не знаю... — Она зажмурилась. — Но я так беспокоилась за него. Он ведь может...

Она слегка покраснела и отвела глаза, не желая говорить всю правду.

— Понятно. Надеюсь, ты все же в него не влюблена. В таких делах не прикажешь, но...

Как объяснить ей? Что тут можно сказать?

— Понимаешь, в наше время лучше не торопиться с любовью, приберечь ее до более спокойной поры. В необычайных обстоятельствах, в период войны многое может показаться романтичным, но ощущение это обманчиво и недолговечно. Пройдет время, может быть, годы, ты встретишься с Максом вновь и увидишь, что он совсем не такой, каким тебе представлялся.

— Я понимаю это, — ответила Ариана.

Да, она понимала, и именно поэтому старалась не слишком сближаться с ранеными в госпитале, в котором работала.

— Я знаю это, папа.

— Вот и хорошо.

Вальмар глубоко вздохнул — приближался еще один опасный поворот, и отступать было уже поздно.

— Пойми, что человека, находящегося в таком положении, как Макс, любить опасно. Он в бегах, его могут схватить. Если ты связала свою судьбу с таким человеком, за тобой тоже начнут охотиться. Даже если лично с тобой ничего плохого не случится, боль утраты может погубить тебя, как она чуть не погубила Макса.

— Но как можно преследовать людей за то, что они кого-то любят? — возмутилась Ариана. — Разве человек может заранее угадать, кто прав, а кто виноват в политической борьбе?

Этот вопрос, такой наивный и в то же время такой закономерный, заставил Вальмара вновь вспомнить о Кассандре. Ее он тоже предупреждал...

— Папа, ты меня слышишь? — спросила Ариана, видя, что мысли отца витают где-то далеко.

— Тебе придется его забыть. Не хочу, чтобы ты подвергала себя опасности.

Он смотрел на нее сурово, но она не отводила глаз.

— Ты тоже рисковал, когда решил помочь ему.

— Это другое дело. Но в определенном смысле ты права. И все же я не связан с Максом узами любви. — Его взгляд стал еще пристальнее. — Надеюсь, ты тоже.

Ариана не ответила. Вальмар подошел к окну и стал смотреть на озеро. Вдали виднелось Грюневальдское кладбище. Перед его мысленным взором предстала Кассандра — такой, как в последнюю ночь перед самоубийством. А ведь он предупреждал ее, но она смотрела на него теми же глазами, что сейчас Ариана.

— Ариана, я должен рассказать тебе нечто такое, о чем мне меньше всего хотелось бы тебе рассказывать... Речь пойдет о цене любви. О нацистах... о твоей матери.

Его голос звучал приглушенно и нежно. Ариана слушала как завороженная, глядя на стоявшего к ней спиной отца.

— Я не осуждаю ее, не критикую, и я не затаил на нее злобу. В этой истории нет ничего постыдного. Я и она — мы по-настоящему любили друг друга. Но когда мы поженились, Кассандра была слишком юна. Я любил ее, но не всегда понимал. Она во многом была не похожа на других женщин своего времени. В ее душе как бы тлел неугасающий огонек. — Вальмар обернулся к дочери: — Когда ты родилась, она не хотела нанимать няню, хотела воспитывать тебя сама. Мне это желание показалось нелепым, неслыханным. Поэтому я пригласил фрейлейн Хедвиг. После этого в твоей матери что-то переменилось. Она словно потеряла себя и никак не могла отыскать. — Он снова отвернулся и надолго замолчал. — Через десять лет после нашей свадьбы Кассандра встретила мужчину, который был намного моложе меня. Красивый, умный, к тому же известный писатель. Она влюбилась в него. Я знал обо всем с самого начала, даже еще раньше, чем у них начался роман. Знакомые рассказывали, что их видели вместе, да я и сам по ее глазам догадывался о происходящем. Ее глаза вновь засветились жизнью, счастьем, волшебством. — Голос Вальмара стал еще тише. — От этого, пожалуй, я стал любить ее еще больше. Трагедия заключалась не в том, что Кассандра полюбила другого, а в том, что страной завладели фашисты. Человек, которого она полюбила, был евреем. Я предостерегал ее — и ради нее самой, и ради того, кого она любила. Но Кассандра не пожелала его оставить. Она не хотела бросать его и не хотела уходить от меня. По-своему она хранила верность нам обоим. Я даже не могу сказать, что ее увлечение доставляло мне невыносимые страдания. Кассандра относилась ко мне еще лучше, чем прежде. Но в то же время она была предана и своему возлюбленному. Его перестали печатать, его подвергали остракизму, а затем... — Голос Вальмара дрогнул. — А затем они его убили. Кассандра видела, как его схватили, избили, выволокли из дома. Потом они взялись за нее. Подвергли побоям, хотели убить, но она вовремя сообщила им, чья она жена, и тогда ее оставили в покое. Кое-как твоя мать добралась до дома. Когда я вернулся, она говорила и думала только об одном — о том, что опозорила меня, что подвергает всех нас опасности. Ей казалось, что ради спасения семьи она должна пожертвовать своей жизнью... Кроме того, она не могла смириться с утратой. У меня было заседание в банке, я уехал всего на два часа, а когда вернулся, она была уже мертва. Я обнаружил ее в той ванной. — Он неопределенно показал в ту сторону, где неделю назад скрывался Макс. — Такова история твоей матери. Она полюбила человека, которого фашисты хотели уничтожить. Когда же ей пришлось лицом к лицу столкнуться с беспощадной реальностью, она не вынесла ужаса, зверства, страха... Можно сказать, что ее тоже убили нацисты. — Вальмар взглянул на дочь. — Точно так же они могут убить и тебя, если ты полюбишь Макса. Ради Бога, Ариана, не делай этого!

Он закрыл лицо руками, и впервые в жизни Ариана увидела отца плачущим.

Притихшая, дрожащая, она подошла к нему, обняла, и ее слезы оросили его плечо, а ее золотистые волосы упали ему на грудь.

— Извини, папочка... Прости, — повторяла она вновь и вновь, потрясенная рассказом. Впервые покойная мать показалась ей живым, реальным человеком. — Папа, не надо... Прошу тебя... Прости... Я сама не знаю, как это вышло... Я совсем запуталась. Было так странно, что он прячется здесь, в нашем доме. Он был такой испуганный, несчастный. Я хотела ему помочь. Мне было его жалко.

— Мне тоже было его жалко. — Отец поднял лицо. — Но лучше забыть о нем. Когда-нибудь ты встретишь человека, который будет тебе парой. Я надеюсь, что ты сделаешь правильный выбор. И еще я надеюсь, что времена тогда будут лучше, чем сейчас.

Ариана молча кивнула, утирая слезы.

— Так ты думаешь, мы никогда больше не увидим Макса?

— Может быть, когда-нибудь и увидим. — Он обнял ее за плечи. — Надеюсь.

Она опять кивнула, и какое-то время они стояли молча.

Вальмар, потерявший Кассандру, прижимал к себе девочку, оставленную ему той, кого он любил...

— Пожалуйста, дорогая, будь осторожна. Ведь сейчас война.

— Хорошо, я обещаю. — Она взглянула на него снизу вверх и робко улыбнулась. — Все равно я ни за что не хотела бы с тобой расстаться.

Тут улыбнулся и Вальмар:

— Увы, милая, так будет не всегда.

Две недели спустя в банк «Тильден» пришло письмо без обратного адреса. В конверте оказался листок бумаги, на котором значился только адрес. Итак, Максимилиан Томас обосновался в Люцерне. Больше Вальмар не получал от него никаких известий.

Глава 11

За лето ничего примечательного не произошло. Вальмар много времени проводил в банке, а Ариана три раза в неделю по утрам ходила на дежурство в госпиталь. Теперь, когда учеба в гимназии закончилась, у нее было больше времени для работы в Красном Кресте и для ведения домашнего хозяйства. На неделю они втроем съездили в горы, а когда вернулись, Герхарду исполнилось шестнадцать. Вальмар с торжественно-недоуменным видом объявил, что его сын может теперь считаться взрослым человеком. Очевидно, того же мнения придерживалось и командование гитлеровской армии — в осенние дни сорок четвертого года в армию призывали всех подряд, даже шестнадцатилетних мальчишек. Герхард получил повестку через четыре дня после своего шестнадцатилетия, которое семья отметила весело и беззаботно. Явиться на призывной пункт надлежало в течение трех суток.

— Как это? — растерянно пробормотал мальчик, разглядывая официальную бумагу. Она пришла как раз перед тем, как ему надо было отправляться в гимназию. — Разве они могут так поступить, а, папа?

Вальмар угрюмо смотрел на него.

— Не знаю, но попробую это выяснить.

Тем же утром фон Готхард отправился к старинному приятелю, армейскому полковнику. Тот сразу сказал, что сделать ничего нельзя.

— Твой мальчик нужен нам, Вальмар. Каждый человек на счету.

— Неужели дела обстоят так скверно?

— Хуже чем скверно.

— Понятно...

Они немного поговорили о войне, о здоровье жены полковника, о банке, а затем Вальмар вернулся в контору. Он ехал в «роллс-ройсе» и лихорадочно размышлял. Нет, сына он им не отдаст. Они и так уже отняли у него слишком много.

Из своего кабинета фон Готхард сделал два телефонных звонка. Во время обеденного перерыва он съездил домой, вынул из сейфа какие-то бумаги и вернулся в банк. Вечером он приехал в Грюневальд поздно, в седьмом часу. Дети сидели в комнате Герхарда — Ариана плакала, а лицо сына было искажено страхом и отчаянием.

— Папа, неужели они его заберут?

Ариана была уверена, что отцу под силу сдвигать горы, но в этот миг в ее взгляде уже не было надежды. Вальмар мрачно ответил:

— Да, они могут это сделать.

Герхард сидел молча, потрясенный случившимся. Повестка лежала у него на письменном столе. Он перечитал ее, наверное, раз сто. Еще двое мальчиков из их класса получили такие же извещения. В гимназии Герхард никому не сказал про повестку — отец велел помалкивать, поскольку еще надеялся, что дело можно как-то уладить.

— Значит, мне придется идти в армию, — тусклым, безжизненным голосом произнес Герхард, и Ариана вновь залилась слезами.

— Да, Герхард, придется, — торжественно подтвердил фон Готхард, нежно глядя на сына и дочь. —
Будь горд тем, что сможешь послужить своей родине.

— Папа, ты что?!

Герхард и Ариана уставились на отца в ужасе.

— Тихо.

Вальмар плотно закрыл дверь, потом приложил палец к губам и прошептал:

— Ты не пойдешь в армию.

— Нет? — радостным шепотом переспросил Герхард. — Тебе удалось договориться с ними?

— Нет. Ничего не получилось. Поэтому мы уезжаем.

— Что-что? — поразился Герхард, а отец и дочь
понимающе переглянулись.

Им предстояло пройти путь, преодоленный Максом
несколько месяцев назад.

— Но как?

— Завтра я увезу тебя в Швейцарию. Скажем всем,
что ты заболел и лежишь в постели. На призывной
пункт тебе следует явиться в четверг, у нас есть еще
целых три дня. Я переведу тебя через границу и оставлю у своих друзей в Лозанне или, может быть, в Цюрихе. Потом вернусь сюда за Арианой.

Он нежно взглянул на дочь и коснулся ее руки.
Возможно, они увидят Макса раньше, чем предполагали.

— А почему она не может отправиться вместе с
нами? — с недоумением спросил Герхард.

Отец покачал головой:

— Я не сумею так быстро приготовить документы.
Кроме того, если она останется, это поможет избежать
лишних подозрений. Я вернусь на следующий день, и
мы с Арианой присоединимся к тебе. Но учтите: об
этом плане никому ни слова. От соблюдения тайны за-
висит наша жизнь. Понятно?

Брат и сестра кивнули.

— Герхард, я заказал для тебя новый паспорт. Может быть, нам придется использовать его при переходе границы. Однако пока ты здесь, ты должен вести себя так, словно собираешься в армию. Изображай, что ты рад и доволен. Даже здесь, дома.

— Ты что, не доверяешь слугам?

В шестнадцать лет Герхард все еще был по-детски наивен. Он не придавал значения тому, что дворецкий Бертольд — верный член нацистской партии, а фрейлейн Хедвиг слепо верит в Адольфа Гитлера.

— Не до такой степени.

— Ну хорошо, — пожал плечами мальчик.

— Никаких вещей готовить не нужно. Мы купим все на месте.

— Мы что, берем с собой деньги?

— У меня в Швейцарии есть деньги. — Вальмар готовился к этому шагу несколько лет. — Жаль только, что упущено столько времени. Мы могли бежать в Швейцарию во время каникул.

Он тяжело вздохнул, и Ариана, желая его утешить, сказала:

— Ты ведь не мог знать, что все так обернется. Скажи, когда ты вернешься за мной из Швейцарии?

— Сегодня понедельник. Утром мы отправляемся в путь... Вернусь я в среду ночью. В четверг появлюсь в банке, а вечером мы с тобой уедем. Скажем, что отправляемся на званый ужин, и больше не вернемся. Придется сказать слугам, что Герхард отправился в армию, не попрощавшись с ними. Главное — не пускай Анну и фрейлейн Хедвиг к Герхарду завтра и в среду. А потом мы скажем, что он ушел на рассвете в четверг, не пожелав никого видеть. Поскольку ты и я будем на месте, слуги ничего не заподозрят. Днем я буду в банке, в конце дня вернусь за тобой...

— А как ты объяснишь на работе свое отсутствие?

— Никак. Мне ничего не придется объяснять. Я часто бываю на всякого рода секретных встречах и совещаниях. Ну как, вы все поняли? Война почти закончилась. Когда наступит финал, нацисты постараются всех утащить на дно следом за собой. Я не хочу, чтобы мы находились на их тонущем корабле. А значит, пора уносить ноги. Когда все будет кончено, вернемся на развалины. Итак, Герхард, мы встречаемся в кафе возле банка в одиннадцать утра. Оттуда идем на вокзал. Понятно?

— Да, — очень серьезно кивнул мальчик.

— Ариана, значит, ты ухаживаешь за больным братом, поняла?

— Да, папа. Но как он утром выйдет из дома, чтобы его никто не видел?

— Герхард, ты должен покинуть дом в пять утра, пока все еще спят.

— Хорошо, папа.

— Одевайся потеплее. Границу, очевидно, придется пересекать пешком.

— А как же ты, папа? — встревоженно спросила Ариана.

— Не беспокойся, сил на это у меня хватит. Полагаю, что я покрепче этого сосунка. — Вальмар потрепал сына по волосам и ободряюще улыбнулся своим детям. — Ни о чем не тревожьтесь. Все пойдет как надо. А потом наступит день, и мы сюда вернемся.

Он вышел из комнаты, а Ариана задумалась над его словами, не зная, верить им или нет.

Глава 12

— Фрау Гебсен, я ухожу и сегодня больше не вернусь. У меня важная встреча. — Вальмар фон Готхард остановился с шляпой-котелком в руке перед секретаршей. — Надеюсь, вы понимаете, куда я отправляюсь.

— Разумеется, герр фон Готхард.

— Вот и отлично.

Вальмар быстро вышел. Секретарша, естественно, понятия не имела, куда на самом деле он направляется и чем будет заниматься. Она была уверена, что господин директор едет в рейхстаг на очередную встречу с министром финансов. Если завтра шеф не появится, секретарша будет уверена, что переговоры затянулись. Фрау Гебсен вообще отличалась понятливостью.

По времени момент был выбран удачно. Министр финансов на неделю уехал во Францию, где ему предстояло провести консультации по экономической ситуации в оккупированной зоне, а также произвести инвентаризацию произведений искусства, которые подлежали отправке в Берлин. Эти трофеи помогут пополнить казну рейха.

Фон Готхард сказал шоферу, что утром машина ему не понадобится, и пешком отправился в ближайшее кафе. Там его дожидался Герхард. В пять утра, поцеловав на прощание сестру и в последний раз оглянувшись на родной дом, мальчик пешком отправился в сторону центра. Путь был не близкий — двенадцать миль.

Войдя в кафе, Вальмар не подал виду, что видит Герхарда. Надвинув на глаза шляпу, фон Готхард вошел в мужской туалет. В запертой кабинке он снял одежду, достал из чемоданчика рабочий комбинезон, свитер, теплую куртку, старую шапку. Все эти вещи он взял в гараже. Костюм и пальто Вальмар засунул в чемоданчик, котелок скомкал и спрятал в мусорную корзинку. Через минуту, превратившись из респектабельного господина в простецкого старика, он вошел в зал, кивнул Герхарду и жестом позвал его за собой.

До вокзала они доехали на такси и затерялись среди шумной толпы пассажиров. Двадцать минут спустя Вальмар и Герхард уже ехали в поезде по направлению к швейцарской границе. Паспорта и проездные документы у них были в порядке, на лицах читалось полнейшее спокойствие. Фон Готхард очень гордился своим сыном, проявлявшим такое присутствие духа. Мальчик стал беглецом всего несколько часов назад, но он быстро осваивался с новой ролью.

— Фрейлейн Ариана!.. Фрейлейн Ариана!

В дверь постучали. Ариана приоткрыла дверь и увидела фрейлейн Хедвиг. Девушка быстро приложила палец к губам и вышла в холл.

— Что случилось?

— Ш-ш-ш... Вы его разбудите. Герхард нездоров.

— У него температура?

— Кажется, нет. Но он сильно простыл.

— Я должна его увидеть.

— Ни в коем случае. Я обещала, что все оставят его в покое. Пусть как следует отоспится. Герхард очень боится, что разболеется и не сможет в четверг попасть на призывной участок. Будем надеяться, что сон восстановит его силы.

— Конечно. Он прав. Может быть, все-таки вызвать доктора?

Ариана покачала головой:

— Пока не стоит. Вот если ему станет хуже...

Фрейлейн Хедвиг кивнула, довольная тем, что ее воспитанник проявляет такой патриотизм.

— Он у нас хороший мальчик.

Ариана обезоруживающе улыбнулась и поцеловала воспитательницу в щеку.

— Исключительно благодаря вам.

Фрейлейн Хедвиг порозовела от удовольствия.

— Может быть, принести ему чаю?

— Нет, не стоит. Я сама приготовлю ему чай. Чуть позже. А пока пусть поспит.

— Ну хорошо. Если понадобится моя помощь, немедленно позовите меня.

— Непременно. Спасибо.

— Не за что.

И фрейлейн Хедвиг удалилась.

Она появлялась в тот день еще трижды, всякий раз предлагая свою помощь. Ариана отвечала, что Герхард проснулся, немного поел и снова уснул. Наконец наступила ночь. Оставалось продержаться еще сутки, а потом вернется отец и все устроится. Он скажет, что сам отвез Герхарда на призывной пункт, и комедия будет окончена. Продержаться еще двадцать четыре часа, и все. Послезавтра вечером их с отцом здесь уже не будет.

Поздно ночью Ариана, чувствуя себя бесконечно усталой и разбитой, спустилась вниз по лестнице. Этот день дался ей нелегко — все время приходилось дежурить у двери, отбивая «атаки» Анны и фрейлейн

Хедвиг. Неудержимо захотелось хотя бы на несколько минут отлучиться с опостылевшего третьего этажа. Ариана зашла в кабинет отца, остановилась возле погасшего камина. Неужели Вальмар был здесь еще утром? Именно в этой комнате они наскоро попрощались. Без него кабинет выглядел безжизненным — бумаги аккуратно сложены на столе, книги ровными рядами стоят на полках. Ариана подошла к окну, посмотрела на озеро, вспомнила прощальные слова отца: «Ни о чем не тревожься. Послезавтра я вернусь. С Герхардом все будет в порядке».

— Я волнуюсь не о Герхарде, а о тебе, — сказала она тогда.

— Не говори глупостей. Неужели ты не доверяешь своему старому отцу?

— Доверяю. Больше всех на свете.

— Вот и хорошо. Я тоже бесконечно тебе доверяю. И поэтому, моя дорогая Ариана, я покажу тебе кое-какие вещи, которые в один прекрасный день могут оказаться очень кстати. Думаю, тебе пора это знать.

Он показал дочери потайной сейф в спальне, еще один в большой библиотеке и, наконец, маленький сейф в спальне Кассандры, где по-прежнему хранились все ее драгоценности.

— Когда-нибудь все это будет принадлежать тебе.

— Почему ты решил сказать мне об этом сейчас? — дрогнувшим голосом спросила Ариана, и на глазах у нее выступили слезы.

Ей не понравилось, что отец выбрал именно этот момент, чтобы посвятить ее в подобные секреты.

— Потому что я люблю тебя, потому что я должен быть уверен, что в случае чего ты не пропадешь. Если дело примет скверный оборот, ты скажешь им, что ни о чем не знала. Ты думала, что Герхард заперся у себя в комнате наверху. Говори им все, что сочтешь нужным. Лги. Главное — защити себя. Тебе помогут ясная головка и вот это. — Он показал ей карманный пистолет и несколько пачек купюр. — После поражения Германии эти деньги утратят всякую ценность, но камни и золото всегда будут в цене.

Еще он показал Ариане томик Шекспира, где в потайном отделении хранились кольцо с крупным изумрудом и перстень с бриллиантом, который Кассандра всегда носила на правой руке. Ариана непроизвольно потянулась к нему, сразу вспомнив это знакомое сияние. Когда-то, много лет назад, бриллиант украшал руку ее матери...

— Кассандра всегда носила его, — с грустью произнес отец, неотрывно глядя на перстень.

— Да, я помню.

— Правда? — удивился он. — Итак, ты знаешь теперь, где кольца. Воспользуйся этим перстнем, если возникнет необходимость. Считай, что это будет дань памяти твоей матери.

Вспоминая слова отца, Ариана со вздохом подумала, что надо ложиться спать — ожидание в пустом кабинете никоим образом не приблизит долгожданный миг встречи. А утром снова надо рано вставать, чтобы занять пост у двери Герхарда — домогательства фрейлейн Хедвиг наверняка возобновятся с новой силой.

Она выключила свет, прикрыла дверь и поднялась по лестнице к себе.

А в это время поезд, на котором ехали Вальмар и Герхард, стоял на вокзале в Мюльхайме. Утомленный долгой дорогой, юноша уснул и не просыпался уже четыре часа. Во сне лицо его казалось невинным, совсем детским. С момента отъезда из Берлина прошло двенадцать часов. Несколько раз в вагон входили военные, дважды они заглядывали в купе и проверяли документы. Вальмар называл Герхарда вслух «мой юный друг», документы у них были в порядке. Объясняясь с проверяющими, фон Готхард произносил слова на простонародный манер, держался робко и почтительно. Герхард помалкивал, пугливо поглядывал на солдат. Один из них шутливо потрепал его по волосам и пообещал, что скоро он тоже станет военным. Мальчик изобразил радостную улыбку, и патруль двинулся дальше.

Остановка в Мюльхайме была короткой, в вагон никто не сел, однако Вальмар решил, что пора будить сына — скоро Лерах, конечная остановка. Девятимильная прогулка по ночному холоду поможет ему окончательно проснуться. Самое трудное — пересечь границу и пораньше добраться до Базеля. Оттуда до Цюриха они доедут на поезде. Там Герхард будет в полной безопасности, и Вальмар сможет пуститься в обратный путь. Два дня спустя он вернется в Цюрих с Арианой, и тогда все втроем они отправятся в Лозанну.

Фон Готхарду не терпелось поскорее вновь оказаться в Берлине, с Арианой. Девочке наверняка сейчас приходится несладко. Но важнее всего сейчас доставить Герхарда в Цюрих. Итак, сначала Лерах, потом ночной марш. От Мюльхайма до Лераха по железной дороге было восемнадцать миль — полчаса езды. Герхард еще сонно потягивался и протирал глаза, когда поезд прибыл на станцию. Дальше состав не шел.

В половине второго ночи многочисленные пассажиры ступили на перрон. У Вальмара, успевшего отвыкнуть от ощущения твердой земли под ногами, дрогнули колени. Он не сказал об этом сыну, а лишь натянул на глаза шапку и поднял воротник. Они зашагали к станции. Ничего примечательного — просто старик и подросток возвращаются домой после поездки по железной дороге. Одеты они были очень просто, и никто не обращал на них внимания. Вальмара могли бы выдать холеные руки и ухоженные волосы, но в вагоне он так и не снимал шапку, а руки как следует вымазал грязью еще на берлинском вокзале.

— Проголодался?

Герхард снова зевнул и пожал плечами:

— Нет, я в порядке. А ты?

Отец улыбнулся:

— Держи.

Он протянул сыну яблоко, припрятанное еще с обеда. Герхард впился в яблоко зубами, и они зашагали вдвоем по пустой дороге.

Путь до границы занял целых пять часов. Мальчик мог бы идти и быстрее, но Вальмар едва поспевал за ним — сказывался возраст. И все же для семидесятилетнего старика он был в неплохой форме. Наконец впереди показалась пограничная полоса — бесконечно длинная изгородь, вся покрытая колючей проволокой. Откуда-то издали доносились голоса пограничников. Вальмар и Герхард свернули с дороги еще два часа назад. Если бы кто-то встретил их в этот предрассветный час, то вряд ли что-нибудь заподозрил — два деревенских жителя отправились куда-то ни свет ни заря, только и всего. Вальмар не взял с собой никакого багажа, если не считать портфеля, который он намеревался зашвырнуть в кусты, если по дороге им кто-нибудь встретится. Велев Герхарду посматривать по сторонам, он вынул из кармана кусачки, и через несколько минут в колючей проволоке образовался проход, через который можно было пролезть.

У Вальмара бешено колотилось сердце. Если их сейчас обнаружит патруль, то обоих пристрелит на месте. Фон Готхард тревожился не о себе, а о сыне. Они быстро пролезли через дыру — куртка, зацепившись, затрещала, — и через несколько секунд оба стояли уже на швейцарской земле, в чистом поле, под каким-то деревом. Вальмар махнул рукой, и они побежали через рощицу. Бежали долго, пока не выбились из сил. Кажется, никто их не заметил, никто не услышал. Фон Готхард знал, что еще год назад перейти через границу было бы значительно труднее, но в последние месяцы вермахт отправил почти всех пограничников на фронт. Патрулей на швейцарской границе осталось немного.

Еще через полчаса, когда забрезжил рассвет, они достигли Базеля. Из-за гор выглянуло яркое солнце, и, завороженные багрянцем и пурпуром восхода, отец и сын замерли на месте. Вальмар обнял Герхарда и подумал, что никогда еще не ощущал себя таким свободным. В Швейцарии всем им будет хорошо — и сейчас, когда идет война, и тем более потом, когда она закончится.

Когда впереди показалась железнодорожная станция, отец и сын уже еле держались на ногах. Тем не менее они успели на первый поезд. Вальмар купил два билета до Цюриха, они сели в вагон, и старший Готхард тут же провалился в сон. Ему показалось, что прошло всего несколько секунд, а Герхард уже дергал его за рукав. На самом деле фон Готхард проспал четыре с половиной часа, упустив возможность полюбоваться живописными пейзажами долины Фрик.

— Папа, — позвал его Герхард. — По-моему, мы приехали.

Вальмар сонно выглянул из окна, увидел знакомую вокзальную площадь, шпиль Гросмюнстерского собора, а вдали — громаду Этлибергских гор. Ему показалось, что они наконец дома.

— Да, мы приехали.

У Вальмара ломило спину, гудели ноги, но ему хотелось схватить Герхарда в охапку и закружиться с ним в танце прямо на платформе. Однако фон Готхард лишь улыбнулся и обнял сына за плечи. Дело сделано, мальчик на свободе, теперь ему ничто не грозит. Он не будет служить в гитлеровской армии, они не отнимут у него сына.

Вальмар вспомнил, что когда-то, дожидаясь поезда, обедал в небольшом пансионе, находившемся неподалеку от вокзала. Он без труда отыскал это заведение — небольшое, уютное, не бросающееся в глаза. Здесь Герхард будет в безопасности, пока он, Вальмар, съездит за Арианой.

Отец и сын плотно позавтракали, после чего оба поднялись в номер. Осмотревшись, он обернулся к сыну, который за последние дни из ребенка стал мужчиной. Отец и сын смотрели друг на друга, взволнованные этой минутой. Первым нарушил молчание Герхард. В его взгляде читалось неприкрытое восхищение. Этот пожилой человек прошел с ним пешком много миль, перерезал колючую проволоку, спас ему жизнь.

— Спасибо тебе, папа... Спасибо.

Он крепко обнял Вальмара. А его соученики еще смели называть его отца «стариком». Никакой он не старик! Отец ни перед чем не остановится, чтобы спасти своего сына, — Герхард имел возможность в этом убедиться. Вальмар крепко прижал Герхарда к себе, потом разжал объятия.

— Все в порядке. Ты теперь в безопасности. Здесь с тобой ничего плохого не случится.

Он подошел к письменному столу, взял лист бумаги, достал из потайного кармана ручку с золотым пером.

— Я дам тебе адрес и номер телефона господина Мюллера... На случай, если мы с Арианой задержимся.

Лицо юноши омрачилось, но Вальмар тут же успокоил его:

— Это всего лишь предосторожность.

Адрес Максимилиана Томаса он решил сыну не давать — это было бы слишком опасно. Мюллер был банкиром, хорошим знакомым Вальмара.

— Я оставлю тебе свой портфель. Там документы, немного денег. Полагаю, что на пару дней тебе вполне хватит.

В путь фон Готхард брал с собой лишь бумажник, набитый деньгами. На этот раз документы ему не понадобятся — наоборот, в случае ареста он ни в коем случае не должен себя выдавать. Переход границы среди дня еще опаснее, чем ночью, но времени терять нельзя — Ариана ждет. Вальмар обещал к вечеру уже быть дома. Он обернулся к Герхарду и увидел, что по лицу сына текут слезы. Они вновь обнялись и попрощались.

— Не нужно волноваться. Ложись поспи. Когда проснешься, поужинай, погуляй, посмотри город. Это свободная страна — никаких нацистов, никаких свастик. Наслаждайся жизнью. А мы с Арианой присоединимся к тебе завтра ночью.

— Ты думаешь, Ариана выдержит переход от Лераха до Базеля? — с сомнением спросил Герхард.

— Ничего, справится. Я скажу, чтобы она не надевала туфли на высоких каблуках.

Герхард улыбнулся сквозь слезы и в последний раз прижался к отцу.

— Можно, я провожу тебя на станцию?

— Нет, молодой человек, отправляйтесь-ка спать.

— Но ведь ты тоже не отдыхал.

Вид у Вальмара и в самом деле был усталый, но он лишь тряхнул головой.

— Посплю в поезде, пока буду ехать до Базеля. А потом еще и всю дорогу до Берлина буду спать.

Они обменялись последним, долгим взглядом. Все уже было сказано.

— До свидания, папа, — тихо произнес Герхард.

Отец помахал ему рукой на прощание и быстро стал спускаться по лестнице. До базельского поезда оставалось десять минут. Вальмару пришлось бежать до вокзала. Он едва успел купить билет. А Герхард, оставшись в номере один, растянулся на постели и тут же уснул.

Глава 13

— Ну как он? — встревоженно спросила фрейлейн Хедвиг, когда Ариана спустилась в столовую, чтобы отнести наверх поднос с завтраком.

Девушка успокаивающе улыбнулась:

— Ему гораздо лучше, но он еще кашляет. Думаю, еще денек в постели, и все будет в порядке.

— Неплохо было бы, чтобы его навестил доктор. Мы ведь не хотим, чтобы мальчик попал на призывной участок с пневмонией. Хорошенький подарок будет для нашего рейха.

— Ну какая там пневмония, фрейлейн Хедвиг — снисходительно отмахнулась Ариана. — Судя по раздражительности Герхарда, дела его не так уж плохи. Рейх останется им доволен.

Она стала подниматься по лестнице с подносом в руках, намереваясь сразу же спуститься вниз еще раз и взять второй поднос. Но фрейлейн Хедвиг уже схватила его и двинулась следом.

— Не беспокойтесь, я спущусь за ним сама, — поспешно сказала Ариана.

— Зачем же все делать самой? Вы весь день вчера ухаживали за братом, и я с удовольствием немножко помогу вам.

Хедвиг, неодобрительно качая головой, поднялась за Арианой и поставила поднос на стол в гостиной.

— Спасибо, фрейлейн, — поблагодарила Ариана, дожидаясь, пока та выйдет.

— Пожалуйста, очень вас прошу, — взмолилась Хедвиг, не выпуская из рук подноса. — Я хочу отнести ему завтрак сама.

— Нет, Герхарду это не понравится, — твердо отрезала Ариана. — Вы ведь знаете, он терпеть не может, когда с ним обращаются как с младенцем.

— Не с младенцем, а с солдатом. Это минимум того, что я могу сделать, — упорствовала няня.

— Благодарю вас, фрейлейн Хедвиг, но Герхард заставил меня пообещать, что я никого к нему не впущу.

— Я ведь не чужой ему человек, — возмутилась Хедвиг, выпрямившись в полный рост.

В другое время Ариана, несомненно, испугалась бы, но сейчас она была обязана во что бы то ни стало настоять на своем.

— Конечно, вы ему не чужой человек, но сами знаете, какой он бывает упрямый.

— Похоже, в последнее время он внезапно стал еще упрямее. Надеюсь, армия пойдет ему на пользу.

— Я обязательно ему это передам.

Ариана озорно улыбнулась, внесла поднос в комнату Герхарда и тут же закрыла за собой дверь. На всякий случай она привалилась спиной к створке, чтобы фрейлейн Хедвиг не могла войти. Однако раздался звук удаляющихся шагов, и Ариана вздохнула с облегчением. Скорее бы уж возвращался отец. Долго от няни отбиваться она не сможет.

Ариана нервно выждала некоторое время, потом отнесла вниз оба подноса, позаботившись о том, чтобы они выглядели так, будто завтракали два человека. Горничная дала ей стопку чистых полотенец, а няни, слава Богу, в столовой не оказалось. Новое наступление она предприняла уже после обеда.

— Ну как он?

— Ему гораздо лучше. Уверена, что к завтрашнему дню он поправится. Думаю, напоследок он может нам еще и взрыв устроить. Просит, чтобы я принесла ему кое-какое оборудование из лаборатории.

— Только этого нам не хватало, — неодобрительно покачала головой фрейлейн Хедвиг.

Ей не нравилось, что девчонка в последнее время ведет себя так высокомерно. Возможно, ей кажется, что девятнадцать лет — вполне зрелый возраст, но для няни она по-прежнему остается ребенком.

— И скажите ему, деточка, что я с ним еще поговорю. Что за капризы такие? Спрятался у себя в комнате, как мальчишка, отказывается со мной разговаривать!

— Я непременно ему об этом скажу.

— Да-да, обязательно.

Хедвиг сердито протопала к себе на четвертый этаж. Минут через двадцать в дверь снова постучали. Ариана изобразила на лице вымученную улыбку, уверенная, что это опять Хедвиг. Но на сей раз в дверях стоял Бертольд, шумно дыша после ходьбы по лестнице.

— Звонят из банка. Кажется, что-то срочное. Вы возьмете трубку?

Ариана заколебалась, не решаясь оставить свой пост. Но Хедвиг вроде бы угомонилась. За несколько минут ничего страшного не произойдет. Девушка быстро спустилась вниз и взяла трубку.

— Да?

— Фрейлейн фон Готхард? — раздался голос фрау Гебсен, секретарши отца.

— Да, это я. Что-нибудь случилось?

Вдруг в банке что-то узнали? Не пришлось ли отцу каким-то образом изменить первоначальный план?

— Видите ли... Извините ради Бога... Я не хотела бы вас беспокоить, но господин фон Готхард... Он сказал вчера утром, когда я видела его в последний раз, что... В общем, я думала, что он встречается с министром финансов, а теперь выяснилось, что это не так.

— Вы в этом уверены? А может быть, у отца какая-нибудь другая встреча? И вообще какое это имеет значение?

— Не знаю... Тут был срочный звонок из Мюнхена, я попыталась связаться с господином фон Готхардом в министерстве, а мне сказали, что министр уже целую неделю в Париже.

— Может быть, вы неправильно поняли отца. Где он сейчас?

У Арианы учащенно забилось сердце.

— Потому-то я и звоню. На работу он утром не пришел, в министерстве финансов его тоже нет. Так где же он? Может быть, вы знаете?

— К сожалению, нет. Отец, очевидно, присутствует на какой-то другой встрече. Уверена, что он сам вам позвонит.

— Но он не звонил целый день! И кроме того... — секретарша явно смутилась, памятуя о том, что разговаривает с совсем молоденькой девушкой, — Бертольд сказал, что господин фон Готхард не ночевал дома.

— Фрау Гебсен, позвольте напомнить вам, что образ жизни моего отца не касается ни вас, ни Бертольда, ни меня.

Голос Арианы дрогнул как бы от сдерживаемого гнева. На самом деле это был страх.

— Конечно-конечно, фрейлейн. Ради Бога, извините, но этот звонок из Мюнхена... Я подумала, уж не случилось ли с господином директором чего-нибудь... Понимаете, так странно, что он мне не позвонил...

— Полагаю, он находится на каком-нибудь секретном совещании. Министр финансов — не единственный государственный деятель, с которым моему отцу приходится вести тайные переговоры. Я вообще не понимаю, из-за чего вы так разволновались. Свяжитесь с Мюнхеном, скажите, что господин фон Готхард временно отсутствует. А когда отец вернется домой, я попрошу его немедленно связаться с вами. Думаю, ждать осталось недолго.

— Надеюсь, что вы правы.

— Я абсолютно в этом уверена.

— Хорошо, непременно попросите его позвонить мне.

— Так и сделаю.

Ариана дрожащей рукой повесила трубку и, надеясь, что страх не слишком явно читается на ее лице, стала подниматься по лестнице. На площадке второго этажа ей пришлось сделать остановку — слишком сильно билось сердце. А на третьем этаже она с ужасом увидела, что дверь гостиной распахнута. Девушка бросилась внутрь и увидела, что Бертольд и Хедвиг о чем-то угрюмо перешептываются, заглядывая в пустую комнату Герхарда.

— Что вы здесь делаете? — чуть ли не крикнула Ариана.

— Где он? — рявкнула Хедвиг, впиваясь в нее взглядом.

— Откуда я знаю? Где-нибудь прячется. Может быть, в подвале. Однако, насколько я помню, я строго-настрого запретила вам...

— А где ваш отец? — перебил ее Бертольд.

— Прошу извинить, но это совершенно вас не касается. Как, впрочем, и меня.

Лицо Арианы стало мертвенно-бледным. Она внутренне молилась только об одном — чтобы не дрогнул голос, иначе Хедвиг, так хорошо ее знающая, сразу обо всем догадается.

— А что касается Герхарда, то он совсем недавно был здесь.

— Когда это «недавно»? — с подозрением осведомилась Хедвиг. — Мальчик за всю жизнь ни разу сам не застелил за собой постель.

— Постель застелила я. А теперь, если позволите, я хотела бы немного поспать.

— Разумеется, фрейлейн, — чопорно кивнул Бертольд и жестом позвал Хедвиг за собой.

Оставшись одна, Ариана опустилась в любимое кресло Герхарда. Он была бледна и дрожала от страха. Господи, что теперь будет? Закрыв глаза и прижав пальцы к губам, она мысленно представляла себе картины одна страшнее другой. Но действительность оказалась еще ужаснее. Полчаса спустя в дверь решительно постучали.

— Не сейчас! — крикнула Ариана. — Я отдыхаю.

— Неужели, фрейлейн? Тем не менее вам придется извинить мое вторжение.

В комнату вошел лейтенант вермахта.

— Тысяча извинений, фрейлейн.

Ариана изумленно вскочила на ноги. Неужели офицер пришел за Герхардом? Да он не один! В прихожей ждали еще трое солдат. Тем временем лейтенант решительно приблизился к ней и повторил:

— Еще раз прошу извинить, фрейлейн.

— Не стоит извинений, — учтиво ответила Ариана, наскоро закалывая волосы. Она набросила на плечи синий кашемировый свитер и с нарочитой неторопливостью двинулась к двери.

— Может быть, мы поговорим внизу?

— С удовольствием, — кивнул лейтенант. — Заодно вы сможете захватить плащ.

— Плащ? — с бьющимся сердцем переспросила Ариана.

— Да. Капитан считает, что будет лучше, если мы побеседуем у него в кабинете, а не будем играть в светские чаепития.

Глаза офицера блеснули недобрым блеском, и Ариана внутренне содрогнулась от отвращения. Судя по всему, этот человек был настоящим нацистом — начиная с отворотов мундира и до самых глубин души.

— Что-нибудь случилось?

— Очень может быть. Надеюсь, вы сами нам все объясните.

Неужели они схватили Герхарда и отца? Нет, этого не может быть! Ариана спускалась по лестнице, сохраняя внешнее спокойствие. Внезапно она сообразила, что они ничего достоверно не знают, иначе им не понадобилось бы устраивать ей допрос. А раз они ничего не знают, нужно молчать. Любой ценой молчать.

Глава 14

— Итак, фрейлейн фон Готхард, вы считали, что ваш отец находится на каком-то секретном совещании. Как интересно! С кем же он, по-вашему, встречается?

Капитан Дитрих фон Райнхардт рассматривал допрашиваемую с явным любопытством. Хорошенькая штучка. Гильдебранд не обманул, девчонка действительно лакомый кусочек, как и предупредил лейтенант, прежде чем ввести ее в кабинет. Такая молоденькая, а уже столько выдержки. Полнейшее хладнокровие и спокойствие, настоящая дама — от золотистых локонов до кончиков туфель из крокодиловой кожи.

— Так с кем же, по-вашему, встречается ваш отец?

Допрос продолжался уже почти два часа.

Ариану усадили в длинный черный «мерседес» и доставили на Кенигсплац, где возвышалась громада рейхстага. Оказавшись в мрачном кабинете старшего офицера, Ариана, как и многие до нее, ощутила озноб ужаса. Но внешне она не выказывала ни страха, ни гнева, ни усталости. Просто отвечала на вопросы вежливо, спокойно, как и подобает барышне из аристократической семьи.

— Я не знаю, господин капитан, с кем встречается отец. Он не посвящает меня в свои профессиональные тайны.

— Значит, по вашему мнению, у него есть тайны?

— Конечно. Но лишь те, которые связаны со служением рейху.

— Прекрасно сказано. — Капитан откинулся на спинку стула и закурил. — Не хотите ли чаю?

Ариана с трудом сдержалась — чуть было не напомнила ему, что игра в чаепития на повестке дня вроде бы не стоит. Однако вместо резких слов девушка лишь вежливо покачала головой:

— Нет, спасибо, капитан.

— Может быть, шерри?

Все это была пустая трата времени. Ариана все равно не смогла бы «чувствовать себя как дома» в этом кабинете, где с портрета на стене на нее пялился Гитлер.

— Нет, капитан, благодарю.

— Расскажите-ка мне про тайные встречи, в которых участвовал ваш отец.

— Я не говорила, что он участвовал в каких-то тайных встречах. Мне известно лишь, что папа иногда возвращался домой довольно поздно.

Ариана очень устала, и хладнокровие стоило ей все больших и больших усилий.

— Может быть, речь идет о даме?

— Сожалею, капитан, но мне ничего об этом неизвестно.

— Разумеется. Как неделикатно с моей стороны! — В его глазах зажглись злые, насмешливые огоньки. — А ваш брат, фрейлейн? Он тоже участвует в каких-нибудь «тайных встречах»?

— Что вы, ему всего шестнадцать.

— Насколько мне известно, в деятельности молодежных организаций он тоже не принимает участия. Значит ли это, фрейлейн, что ваше семейство относится к рейху с меньшей симпатией, чем можно было бы предположить?

— Вовсе нет. Просто у брата нелады с учебой, к тому же он болен астмой. И потом, знаете ли, после смерти нашей матери... — Она не договорила, надеясь, что капитан не станет развивать эту тему.

Но фон Райнхардт не смутился:

— Когда же умерла ваша матушка?

— Десять лет назад.

«Из-за таких типов, как вы», — мысленно добавила она.

— Понятно. Очень трогательно, что ваш брат до сих пор ее помнит. Должно быть, весьма чувствительный молодой человек.

Ариана кивнула, не зная, что на это ответить, и отвела глаза.

— Боюсь, он слишком чувствителен для службы в армии. Может быть, ваш отец решил увезти его из страны в этот тяжкий час лишений и испытаний?

— Это совершенно невозможно. Неужели вы думаете, что они оставили бы меня здесь одну?

— Об этом следует спросить вас. Кстати, не могли бы вы рассказать мне о вашем друге Максимилиане Томасе? Помните, был такой господин, навещавший вашего отца. Или, может быть, он навещал не его, а вас?

— Господин Томас был другом моего отца.

— А пять месяцев назад он сбежал. Любопытно, что исчез господин Томас в ту самую ночь, когда угнали один из автомобилей вашего отца. Потом, разумеется, машина нашлась. Она стояла в целости и сохранности

возле одного из берлинских вокзалов. Безусловно, слу-
чайное совпадение, так ведь?

«Господи, — подумала Ариана, — неужели они
знают и про Макса? Все-таки выследили!»

— Не понимаю, какое отношение угнанная машина
имеет к господину Томасу.

Капитан не спеша затянулся.

— Давайте-ка вернемся к вашему брату, фрейлейн.
Куда он все-таки запропастился? — Фон Райнхардт
разговаривал с ней так, словно имел дело с маленькой
девочкой или умственно отсталой. — Насколько мне
известно, вы ухаживали за вашим братом, который про-
студился и провел в постели два дня.

Ариана кивнула.

— Потом произошло чудо. Вы спустились вниз поговорить по телефону, а когда вернулись, мальчик испа-
рился. Как некрасиво с его стороны! Мне, правда, более
вероятной кажется другая гипотеза — что мальчик ис-
парился не сегодня, а несколько ранее. Например, вчера
утром, когда, кстати, в последний раз видели и вашего
отца. Опять совпадение?

— Ваша гипотеза несостоятельна. Герхард все время
находился у себя в комнате вчера, ночью, сегодня утром.

— Счастлив, что у этого юноши столь преданная
сестра. Насколько мне рассказывали, вы защищали вход
в его комнату с самоотверженностью львицы, оберегаю-
щей своего детеныша.

Внутри у Арианы все похолодело. Такого рода информацию капитан мог получить только от слуг — от
Бертольда и Хедвиг. Только теперь она поняла, как и
почему все произошло. Ее чуть не затошнило от отвращения, Ариана была до глубины души возмущена этим
гнусным предательством. Но высказывать свои чувства

перед офицером было нельзя, следовало любой ценой продолжать игру.

Капитан все усиливал натиск:

— Я одного не могу понять, фрейлейн, — как они могли бежать, бросив вас здесь. Вероятно, ваш отец хотел спасти вашего брата от армии. Не исключаю также, что причины их бегства носят еще более зловещий характер. Как бы там ни было, факт налицо — они вас бросили. И все же вы продолжаете их покрывать. Означает ли это, что ваш отец должен вернуться? Скорее всего так и есть. Иначе ваше нежелание вести откровенный разговор было бы невозможно объяснить.

Тут Ариана в первый раз не выдержала нервного напряжения и раздраженно воскликнула:

— Мы с вами разговариваем уже два часа, а вы все не можете понять, что я просто не знаю, как отвечать на ваши вопросы! Ваши обвинения нелепы, ваши инсинуации смехотворны. С какой стати отец и брат будут куда-то убегать, да еще не взяв меня с собой?!

— Мне это тоже кажется странным, дорогая барышня. Поэтому мы подождем и посмотрим, как будут развиваться события дальше. А когда ваш отец вернется, мы с ним потолкуем по душам.

— О чем это? — с подозрением взглянула на него Ариана.

— Устроим небольшой торг. Он получит свою очаровательную дочурку в обмен на... Но не будем сейчас обсуждать детали. Я с удовольствием помогу вашему отцу выпутаться из неприятной ситуации. А сейчас, фрейлейн, прошу меня извинить. Лейтенант Гильдебранд проводит вас в вашу комнату.

— Мою комнату? Значит, я не вернусь домой?

Ариана с трудом сдержала слезы. Фон Райнхардт непреклонно покачал головой и просиял своей фальшивой улыбкой:

— Увы, фрейлейн. Боюсь, нам придется предложить вам свое гостеприимство, по крайней мере до возвращения вашего отца. У вас будет весьма удобная комната.

— Понимаю.

— Да, пора бы уже понять. — Он мрачно воззрился на нее. — Когда я увижусь с вашим отцом (если эта встреча вообще произойдет), непременно скажу ему, что восхищен его дочерью. Замечательная девушка — очаровательная, умная, хладнокровная и превосходно воспитанная. Вы ни разу не заплакали, ни о чем меня не просили, не унижались. Наша маленькая беседа доставила мне истинное наслаждение.

«Маленькая беседа» продолжалась больше двух часов и была для Арианы жестокой психологической пыткой, поэтому при этих словах она едва сдержалась, чтобы не влепить офицеру пощечину.

Капитан нажал кнопку, намереваясь вызвать своего помощника. Однако пауза затягивалась, Гильдебранд все не появлялся. Тогда фон Райнхардт нажал на звонок еще раз.

— Очевидно, наш славный лейтенант чем-то занят. Придется подыскать вам другого провожатого.

Он произнес это таким тоном, словно Ариану должны были сопроводить в какой-нибудь номер «люкс», однако девушка прекрасно понимала, что ей уготована тюремная камера. Терпение капитана лопнуло — он раздраженно вскочил и, сверкая ярко начищенными сапогами, распахнул дверь. Было почти семь часов вечера. Гильдебранд, судя по всему, отправился ужинать. В приемной за письменным столом сидел еще один офицер — высокий мужчина с мрачным лицом и длинным шрамом через всю щеку.

— Фон Трипп, куда подевались все остальные?

— Ужинают. — Офицер взглянул на часы. — Уже поздно.

— Свиньи. Им бы только брюхо набить. Ну да ладно, ничего. Вы тоже сгодитесь. Кстати, вы-то почему не ужинаете?

Он недовольно уставился на обер-лейтенанта, который в ответ чуть скривил губы в холодной улыбке:

— Я сегодня на дежурстве, господин капитан.

Фон Райнхардт жестом показал на приоткрытую дверь своего кабинета:

— Я с ней закончил. Отведите ее вниз.

— Слушаюсь.

Фон Трипп вытянулся, щелкнул каблуками и вошел в кабинет.

— Встать! — негромко приказал он.

Ариана от неожиданности чуть не подпрыгнула.

— Что, простите?

Глаза капитана фон Райнхардта вспыхнули недобрым блеском.

— Обер-лейтенант приказал вам встать, фрейлейн. Извольте выполнять его распоряжения. Иначе у вас могут возникнуть неприятности...

Он красноречиво пощелкал хлыстиком по сапогу.

Ариана немедленно вскочила, охваченная паникой. Что они собираются с ней делать? Высокий блондин, столь бесцеремонно приказавший ей встать, имел довольно устрашающий вид, а больше всего ее напугал шрам. Офицер был похож на бесчувственный, жестокий автомат.

— Желаю приятно провести время, фрейлейн, — насмешливо сказал ей вслед капитан.

Ариана ничего ему не ответила. В приемной обер-лейтенант крепко взял ее за локоть.

— Идти рядом со мной, не прекословить. Я не вступаю в пререкания с арестованными, в особенности с женщинами. Не усложняйте задачу мне и себе.

После этого сурового предостережения Ариана старалась не отставать от офицера ни на шаг, хотя шел он очень быстро. Итак, все стало окончательно ясно: она арестована. Ни больше и ни меньше. Девушке стало страшно — сумеет ли отец выручить ее из беды?

Высокий офицер провел ее одним коридором, потом другим, затем они долго спускались по лестнице куда-то в подземелье. Навстречу дохнуло сыростью и холодом. Перед массивной стальной дверью оберлейтенант остановился, открылось окошечко, оттуда выглянул охранник и внимательно оглядел их обоих. Дверь распахнулась и тут же с ужасающим лязгом захлопнулась, впустив арестованную и конвоира. Заскрежетали замки и засовы. Ступеньки лестницы снова вели куда-то вниз. Все это напоминало какое-то жуткое средневековое подземелье, и, когда Ариана увидела уготованную ей камеру, она поняла, что так оно и есть.

Фон Трипп подождал, пока охранница с унтерофицерскими погонами обыщет арестованную, а затем вошел вслед за Арианой в отведенную ей камеру. Из коридора доносились женские крики, рыдания, девушке даже показалось, что где-то плачет ребенок. Но лиц она не видела, ибо каждая камера находилась за стальной дверью с крошечным зарешеченным окошечком. Ариана и не представляла, что на свете могут существовать столь кошмарные места. Оказавшись в темном каменном мешке, она сжалась в комок. Ей неудержимо хотелось кричать, биться, выть от ужаса. В зарешеченное оконце проникали тусклые лучи света, и когда глаза Арианы привыкли к темноте, она увидела в углу большой белый таз, очевидно исполнявший здесь функцию туалета. Эта малозначительная деталь окончательно дала ей понять, что она действительно находится в тюрьме.

Задыхаясь от зловония, Ариана жалобно вскрикнула, потом опустилась на корточки в углу камеры, закрыла лицо руками и зарыдала.

Глава 15

Вальмар фон Готхард сошел с поезда в Базеле, осторожно огляделся по сторонам и вышел из города, направляясь к границе. Ему предстояло добраться пешком до Лераха, а там сесть на берлинский поезд. Все тело ныло от усталости; одежда его за минувшие сутки пришла в такое состояние, что ему больше не нужно было специально пачкаться, дабы выглядеть естественнее. Никому бы в голову не пришло, что этот оборванный старик управляет банком «Тильден», встречается с рейхсминистром финансов и является оплотом германской олигархии. По дороге брел запыленный бродяга, явно отшагавший пешком не один десяток миль. Вряд ли кто-нибудь поверил бы, что у этого оборванца бумажник, туго набитый купюрами.

Вальмар добрался до немецкой границы к полудню без каких-либо осложнений. Теперь предстояло самое трудное: пересечь пограничную полосу и миновать девять миль, отделявших его от Лераха. Всего шесть часов назад они с Герхардом благополучно проделали этот путь в обратном направлении. Дорога до Берлина тоже сулила немало опасностей. Времени на отдых не будет — придется немедленно пускаться с Арианой назад к швейцарской границе. Главное — доставить обоих детей в безопасное место, а там можно хоть замертво свалиться, это не будет иметь никакого значения. Пролезая через проход в колючей проволоке, сделанный им накануне, Вальмар чувствовал, что может свалиться замертво гораздо раньше. Все эти приключения ему уже не по возрасту. Но ради Арианы и Герхарда он пошел бы и не на такое. Ради своих детей фон Готхард не остановился бы ни перед какими тяготами.

Он огляделся по сторонам, прислушался. Короткий бросок, и Вальмар скрылся в небольшой рощице. Но на сей раз ему повезло меньше, чем ночью, — в кустах зазвучали чьи-то шаги. Фон Готхард попытался скрыться, но двое пограничников моментально настигли его.

— Куда это ты собрался, дедушка? В армию записываться?

Он попытался изобразить туповатую ухмылку, однако солдаты держали винтовки наготове.

— Я спрашиваю, куда собрался? — повторил один из них.

Изображая местный акцент, Вальмар ответил:

— В Лерах.

— Зачем?

— Сестра у меня там.

Сердце колотилось как бешеное.

— Вот как? Славно, славно.

Солдат ткнул дулом Вальмару в грудь, а второй начал шарить по его карманам. Покончив с карманами, пограничник полез Вальмару за пазуху.

— У меня документы в порядке, — запротестовал тот.

— Да? Ну-ка, покажи.

Фон Готхард полез было за документами, но в этот миг солдат нащупал у него под мышкой потайной карман.

— А это что у тебя, дедок? Что это ты там прячешь?

Солдат хрипло засмеялся и подмигнул своему напарнику. Старианы — потешный народ. Им кажется, что они шибко умные. Солдат разодрал грязную рубашку, даже не обратив внимания на то, из какой тонкой она материи. Старик не вызывал у пограничников никаких особых подозрений — обычный крестьянин. Но в потайном кармане оказался бумажник, а в бумажнике целое состояние. Пересчитывая купюры, пограничники лишь изумленно таращили глаза.

— Ты все это тащишь в подарок фюреру? — загоготали они, довольные своей удачей.

Вальмар смотрел вниз, чтобы они не прочли в его глазах ярость. Пусть забирают деньги и проваливают. Но ему попались бывалые вояки. Переглянувшись, они поняли друг друга без слов: один сделал шаг в сторону, а второй выстрелил. Вальмар фон Готхард рухнул в высокую траву.

Схватив труп за ноги, пограничники оттащили его подальше в кусты, на всякий случай прихватили с собой его документы и вернулись на пост. Бумаги полетели в огонь, деньги были поделены поровну. Солдаты даже не заглянули в документы — им было абсолютно все равно, кого они прикончили. Дети Вальмара фон Готхарда — Герхард, спящий в цюрихской гостинице, и перепуганная Ариана, сидящая в подземной тюрьме, — больше не увидят своего отца.

Глава 16

Фон Трипп приказал охраннику, на поясе у которого висело железное кольцо с ключами, открыть дверь камеры. Заскрежетали петли, изнутри шибануло таким зловонием, что и офицер, и солдат скривились. Во всех камерах пахло одинаково — из-за сырости и еще, разумеется, из-за того, что камеры никогда не чистили.

Ослепнув от яркого света, Ариана поначалу не могла ничего разглядеть. Она потеряла счет времени и теперь уже не могла сказать, сколько здесь пробыла. Однако, услышав шум, она наскоро вытерла глаза, попыталась стереть размазавшуюся тушь. Она даже успела кое-как пригладить волосы, слушая, как в замке скрежещет ключ. Может быть, есть какие-то новости об отце и Герхарде? Ариана молилась Господу Богу, мечтая только об одном — лишь бы вновь услышать родные голоса, но все звуки заглушали лязг и скрип металла. Прищурившись, девушка увидела, что в проеме стоит высокий светловолосый офицер, который привел ее сюда накануне.

— Извольте выйти из камеры и следовать за мной.

Ариана с трудом поднялась, опираясь о стену. Фон Трипп едва удержался, чтобы не подхватить ее под локоть, — девушка казалась такой хрупкой, такой беззащитной. Но когда их глаза встретились, он не прочел в ее взгляде мольбы о помощи. На него смотрела весьма решительная молодая женщина, которая явно была намерена бороться до последнего и старалась изо всех сил сохранить чувство собственного достоинства. Ее волосы, еще недавно аккуратно уложенные в узел, растрепались и рассыпались по плечам, похожие на пшеничные колосья. Юбка измялась, запачкалась, и все же от этой барышни, несмотря на ужасающее зловоние камеры, по-прежнему едва уловимо пахло дорогими духами.

— Сюда пожалуйста, фрейлейн.

Фон Трипп сделал шаг в сторону и стал позади арестованной, следя за каждым ее шагом. И в то же время сердце его разрывалось от жалости. Девушка расправила худенькие плечики, вскинула голову и решительно зацокала каблучками по ступенькам. Один раз она покачнулась и едва удержалась на ногах — очевидно, закружилась голова. Фон Трипп терпеливо ждал, пока она соберется с силами. Ариана почти сразу же взяла себя в руки и стала подниматься дальше, благодарная конвоиру за то, что он не крикнул и не подтолкнул ее.

Но Манфред фон Трипп был не похож на остальных. Разумеется, Ариана знать этого не могла. Если она была прирожденной леди, то обер-лейтенант считал себя человеком чести. Он ни за что не позволил бы себе толкнуть женщину, накричать на нее или, упаси Боже, ударить. Некоторые сослуживцы не могли простить ему подобной щепетильности. Капитан фон Райнхардт относился к своему заместителю без особой симпатии, но, впрочем, в армии личные отношения ничего не значили. Командир есть командир, и подчиненный обязан выполнять его приказы беспрекословно.

На верхней площадке лестницы обер-лейтенант решительно взял арестованную за локоть и провел по уже знакомым коридорам. Фон Райнхардт сидел, как и вчера, за письменным столом, насмешливо улыбаясь и попыхивая сигаретой. Фон Трипп щелкнул каблуками, развернулся и исчез.

— Добрый день, фрейлейн. Приятно провели ночь? Надеюсь, вам было удобно в вашей... комнате?

Ариана молчала.

— Садитесь, садитесь. Прошу.

По-прежнему не произнося ни слова, она села и посмотрела ему в глаза.

— К сожалению, у нас до сих пор нет известий от вашего отца. Боюсь, мои наихудшие предположения недалеки от истины. Ваш брат тоже не появлялся. Это означает, что с сегодняшнего дня он считается дезертиром. В связи с этим ваше положение, дорогая фрейлейн, является крайне незавидным. Можно сказать, вы находитесь всецело в нашей власти. Может быть, вы все-таки соблаговолите сообщить мне то, что вам известно?

— Ничего нового, отличного от вчерашнего, сообщить вам не могу.

— Очень жаль. В этом случае, фрейлейн, не буду тратить мое и ваше время на пустые разговоры. Предоставлю вас вашей участи. Сидите в камере и ждите, пока у нас появятся какие-нибудь новости.

«О Господи, сколько это может продолжаться?» — хотела крикнуть Ариана, но на ее лице не дрогнул ни единый мускул.

Капитан встал и нажал на кнопку. Секунду спустя в дверях вновь появился фон Трипп.

— Гильдебранда опять нет? Какого черта? Всякий раз, когда я его вызываю, он болтается невесть где!

— Извините, господин капитан. Лейтенант, кажется, обедает.

Вообще-то Манфред понятия не имел, куда подевался Гильдебранд, да его это, по правде говоря, и не интересовало. Гильдебранд вечно удирал со своего рабочего места, а коллеги должны были выполнять за него обязанности рассыльного.

— Ладно, отведите задержанную обратно в камеру. И скажите Гильдебранду, что я хочу его видеть.

— Слушаюсь.

Фон Трипп повел Ариану обратно. Дорогу она уже знала — длинные коридоры, бесконечные лестницы. По крайней мере можно было дышать, двигаться, смотреть по сторонам. Ариана не возражала бы, чтобы эта вынужденная прогулка продолжалась несколько часов. Все лучше, чем сидеть в маленькой грязной камере.

На лестнице они столкнулись с Гильдебрандом, который, довольно улыбаясь и насвистывая, поднимался им навстречу. Лейтенант с некоторым удивлением возрился на фон Триппа и его спутницу. Его взгляд задержался на фигуре девушки. Накануне в Грюневальде лейтенант пялился на нее точно так же.

— Добрый день, фрейлейн. Не правда ли, у нас тут мило?

Ариана ничего ему не ответила, только взглянула уничтожающим взглядом. Гильдебранд недовольно скривился и спросил у фон Триппа:

— Ведешь ее назад?

Манфред равнодушно кивнул. Беседа с Гильдебрандом не доставляла ему ни малейшего удовольствия. Он терпеть не мог этого хлыща, да и других своих коллег. Но ничего не поделаешь, после ранения приходилось мириться с тыловой работой.

— Капитан хочет тебя видеть. Я сказал ему, что ты обедаешь.

— Я и в самом деле обедал, дорогой Манфред.

Лейтенант оскалился и двинулся дальше вверх по лестнице. Напоследок он еще раз оглянулся на Ариану, которая спускалась по лестнице все ниже и ниже, в самые недра подземной части здания, сопровождаемая Манфредом. Когда они уже были в тюремном коридоре, откуда-то донесся истошный женский крик. Ариана зажала уши, чтобы ничего не слышать, и испытала даже некоторое облегчение, когда дверь камеры захлопнулась у нее за спиной.

В следующий раз на допрос ее отвели три дня спустя. Капитан не мог сообщить ей ничего нового — лишь то, что ее отец и брат так и не объявились. Ариана ничего не могла понять. Одно из двух: или он, Райнхардт, лжет, скрывает от нее правду об отце и Герхарде, или же случилось нечто ужасное. Но не похоже было, что капитан играет с ней в какие-то игры. Коротко известив задержанную о том, что никаких новостей нет, капитан немедленно отослал ее обратно в камеру.

На сей раз ее сопровождал Гильдебранд. Его пальцы железной хваткой впились ей в руку, причем лейтенант постарался взяться повыше, чтобы коснуться пальцами ее груди. С арестованной он разговаривал отрывистыми фразами, словно имел дело с каким-то животным. Временами даже подталкивал ее, дергал и несколько раз многозначительно напоминал, что у него с собой хлыст.

Когда он доставил Ариану обратно вниз, то сказал охраннице, что проведет личный досмотр сам. Его руки медленно шарили по ее телу — спереди, сзади, снизу. Ариана вся сжалась, глядя на своего мучителя с ненавистью, а он лишь расхохотался. Перед тем как охранница захлопнула дверь камеры, Гильдебранд насмешливо бросил:

— Спокойной ночи, фрейлейн.

Ариана услышала, как он сказал, обращаясь к тюремщице:

— У вас тут есть одна, которую я еще не пробовал.

Ариана зажмурилась и вся обратилась в слух. Загрохотали ключи, раздался лязг открываемой двери. Потом стук каблуков. Через несколько мгновений она услышала женские крики, звуки ударов, потом наступила тишина, изредка прерываемая рычанием и какими-то животными стонами. Голоса женщины слышно не было, и Ариана никак не могла понять, что с ней сделал палач. Неужели забил хлыстом до смерти? Но какое-то время спустя до слуха Арианы донеслись тихие всхлипы, и она поняла, что женщина жива.

Прижавшись к стене, Ариана с ужасом ждала, что зловещий стук каблуков приблизится к ее двери, но этого не произошло — Гильдебранд направился к выходу. Ослабев от напряжения и страха, девушка сползла на пол.

Шли дни, недели. Ариану регулярно водили в кабинет к капитану, который каждый раз повторял одно и то же: о фон Готхарде и его сыне известий нет. К концу третьей недели Ариана уже была едва жива от усталости, голода, грязи. Она терялась в догадках, не могла понять, почему отец за ней не вернулся. Может быть, фон Райнхардт все-таки лжет? Что, если он скрывает от нее, что Герхард и отец тоже арестованы? Единственный вариант, о котором Ариана отказывалась даже думать, был слишком ужасен: а что, если отец и Герхард погибли?..

Однажды — это было ровно через три недели после ареста — назад в камеру Ариану сопровождал Гильдебранд. Чаще бывало, что в роли конвоира оказывался офицер со шрамом; пару раз за Арианой присылали других офицеров.

Но сегодня, к несчастью, Гильдебранд оказался на месте и сам тащил пленницу по лестницам. Ариана настолько ослабла, что несколько раз чуть не упала. Ее давно не мытые, спутанные волосы падали на лицо космами, то и дело приходилось отбрасывать их назад. Это непроизвольное движение по-прежнему сохраняло былую изящность, но ногти на тонких пальцах сломались, а от волос давно уже не пахло духами. Одежда Арианы выглядела просто кошмарно: кашемировый свитер, единственная защита от холода, висел мешком; юбка и блузка изорвались, а чулки Ариана выкинула еще в самом начале заточения. Гильдебранд поглядывал на нее с холодным любопытством, словно приценивался к овце или корове. В самом низу лестницы они столкнулись с обер-лейтенантом фон Триппом. Тот кивнул Гильдебранду, а на Ариану даже не взглянул. Он вообще избегал смотреть на свою пленницу, которая, казалось, была ему совершенно безразлична.

— Привет, Манфред, — с несколько непривычной фамильярностью поздоровался Гильдебранд.

Фон Трипп небрежно отсалютовал и бросил:

— Здравствуй.

Не удержавшись, он обернулся и посмотрел им вслед. Ариана, еле передвигавшая ноги от усталости, не заметила этого, но Гильдебранд ухмыльнулся и подмигнул сослуживцу.

Фон Трипп вернулся на рабочее место, сел за стол, но в душе у него все клокотало. Что-то Гильдебранд слишком долго задерживается. Прошло уже почти двадцать минут. Чем он там занимается? Неужели... Вот идиот! Нашел к кому приставать со своими домогательствами! Он что, не понимает, что эта девушка из другого теста, из другого мира? Она немка, барышня из хорошей семьи. Совершенно не важно, что там натворил ее отец. Гильдебранду сходило с рук, когда он позволял себе вольности с обычными арестованными, но Ариана фон Готхард — это уже чересчур. Впрочем, повадки лейтенанта Гильдебранда вызывали у фон Триппа отвращение и раньше. Теперь же чаша его терпения переполнилась. Манфред поспешно вышел из комнаты и бегом спустился по лестнице. На самом деле его возмутило даже не то, что отец девушки был солидным банкиром. Главное, что Ариана фон Готхард была почти ребенком. Фон Трипп боялся только одного — что опоздает.

Он выхватил у тюремщицы связку с ключами, а когда она хотела последовать за ним, рявкнул:

— Не нужно. Сидите здесь.

Бросив на нее суровый взгляд, он спросил:

— Гильдебранд там?

Охранница кивнула, и Манфред бросился вниз, к камерам, стуча каблуками по ступенькам.

По крикам он сразу понял, что Гильдебранд у нее в камере. Не теряя ни секунды, Манфред открыл дверь и увидел их обоих. Нагота Арианы была едва прикрыта обрывками одежды; по лицу сбегали струйки крови. Гильдебранд с раскрасневшимся лицом и свирепо выпученными глазами размахивал хлыстом, другой рукой держа Ариану за волосы. И все же по ярости, горевшей в ее глазах, по тому, что на ее бедрах каким-то чудом еще удерживались клочья юбки, фон Трипп понял — он не опоздал. Слава Богу!

— Марш отсюда! — рявкнул он.

— Тебе-то что? — возмутился Гильдебранд. — Эта девка — наша собственность.

— Она собственность рейха. Как и мы с тобой.

— Черта с два! Мы с тобой на свободе, а она в тюрьме.

— Значит, ее можно насиловать?

Мужчины с такой ненавистью смотрели друг на друга, что забившейся в угол Ариане показалось: еще миг, и лейтенант набросится с хлыстом на старшего по званию. Но у Гильдебранда все же хватило благоразумия сдержаться. Фон Трипп процедил:

— Марш отсюда, я сказал. Поговорим наверху.

Оскалившись, лейтенант бросился вон из камеры. Манфред и Ариана молча смотрели друг на друга.

Наскоро вытерев слезы и откинув с лица растрепавшиеся волосы, девушка попыталась хоть как-то прикрыть наготу. Манфред отвел взгляд. Дав ей время немного прийти в себя, он снова посмотрел на нее — прямо в пронзительно синие глаза.

— Фрейлейн фон Готхард... Приношу свои извинения... Мне следовало сообразить раньше... Я позабочусь о том, чтобы это никогда не повторилось. — Немного помолчав, Манфред добавил: — Поверьте, не все мы такие, как он. Я крайне сожалею о случившемся.

Фон Трипп говорил правду. Когда-то у него была младшая сестра, почти такого же возраста, как сейчас Ариана. Сам Манфред был гораздо старше — ему исполнилось тридцать девять.

— С вами все в порядке?

В приоткрытую дверь проникал свет, рассеивая царивший в камере полумрак.

Ариана кивнула и взяла у него платок, чтобы утереть стекавшую по лицу кровь.

— Да, кажется, я в порядке. Спасибо.

Фон Трипп даже не представлял, до какой степени она ему благодарна. Когда Гильдебранд на нее набросился, Ариана сначала решила, что он хочет ее убить, а поняв, в чем дело, испугалась еще больше — лучше убил бы.

Манфред долго смотрел на нее молча, потом глубоко вздохнул. Было время, когда он верил в эту войну, но теперь она вызывала в нем только ненависть. Из-за нее он лишился всего, что любил, чем дорожил. Он часто думал, что с таким же чувством наблюдал бы, как женщина, которую ты боготворишь, у тебя на глазах превращается в шлюху.

— Могу ли я для вас что-нибудь сделать?

Она улыбнулась ему, пытаясь привести в порядок изорванный свитер. Глаза у нее были огромные и печальные, как у несчастного, всеми покинутого ребенка.

— Вы и так сделали что могли. Если бы вы еще помогли мне связаться с отцом... — Собравшись с духом, Ариана задала вопрос, мучивший ее больше всего: — Может быть, он где-то здесь, в рейхе?

Манфред медленно покачал головой:

— Нет, нам ничего о нем неизвестно. Возможно, он еще объявится. Не отчаивайтесь, фрейлейн. Ни в коем случае не теряйте надежды.

— Хорошо, не буду. В особенности после случившегося.

Она снова улыбнулась, а он грустно посмотрел на нее, кивнул на прощание и вышел, заперев дверь. Ариана медленно опустилась на пол, все еще переживая случившееся. Само Провидение послало ей спасителя в лице этого обер-лейтенанта. Она сама не знала, какое чувство сейчас говорит в ней сильнее — ненависть к Гильдебранду или благодарность к фон Триппу.

Странные они какие-то, эти нацисты. Попробуй-ка разберись в них.

Прошло больше недели, прежде чем Ариана вновь увидела этого человека. Со дня ее ареста миновал ровно месяц. Девушка все чаще думала о том, что с отцом и Герхардом, должно быть, произошло самое страшное. И все же она теперь не могла смириться с этой мыслью. Поэтому заставляла себя думать о настоящем, о врагах, о мести.

В тот день за ней пришел офицер, которого она видела впервые. Он грубо схватил Ариану за плечо и поволок сначала по коридору, потом вверх по лестнице. Когда Ариана споткнулась, он подтолкнул ее вперед, а когда она упала, обрушил на нее поток брани. Девушка еле передвигалась, обессилев от голода. Ноги были как ватные. В кабинет Дитриха фон Райнхардта вошла не элегантная юная барышня, как месяц назад, а оборванная, грязная дурнушка. Капитан воззрился на нее с брезгливым отвращением. Однако он отлично понимал, что аристократка всегда остается аристократкой. Если эту красоту привести в порядок, получится отличный подарок для какого-нибудь нужного человека. Самому капитану девицы были ни к чему — у него имелись иные пристрастия. Однако какого-нибудь любителя прекрасного пола такой подарок порадовал бы. Кого бы осчастливить?

Фон Райнхардт не стал тратить время на игру в вежливость — Ариана фон Готхард больше не представляла для него никакой ценности.

— Итак, к сожалению, вы мне больше не нужны. Нет смысла держать вас здесь, выкупа явно не последует, а лишние нахлебники нам ни к чему. Вы занимаете место, попусту переводите пищу. Хватит злоупотреблять нашим гостеприимством.

Ариана решила, что ее ожидает расстрел. Ей было уже все равно. Лучше смерть, чем другие возможные варианты. Проституткой в офицерском борделе быть она не желала, а сил выполнять физическую работу у нее уже не оставалось. Семью она потеряла, жить стало незачем. Если ее пристрелят — тем лучше. Ариана почти испытывала облегчение.

Но фон Райнхардт еще не закончил:

— Вас отвезут домой, где вы сможете взять кое-какие вещи. В вашем распоряжении будет один час. Ничего ценного брать не разрешается — ни денег, ни драгоценностей. Лишь самое необходимое. После этого будете заботиться о себе сами.

Так они не собираются ее убивать? Почему? Ариана смотрела на капитана с недоумением.

— Жить будете в женских бараках. Работа там найдется. Я поручу кому-нибудь отвезти вас в Грюневальд. Пока же подождите в приемной.

Ждать в приемной? В таком виде? Ариана по-прежнему была едва прикрыта лохмотьями, в которые превратилась ее одежда после схватки с Гильдебрандом. Какие же они все-таки мерзавцы!

— А что будет с домом моего отца?

Голос Арианы прозвучал хрипло — за минувший месяц она почти разучилась говорить.

Фон Райнхардт уже рылся в бумагах, на вопрос он ответил не сразу:

— Там разместится генерал Риттер со своими сотрудниками.

«Сотрудниками» генерала были четыре страстные дамы — эту коллекцию он тщательно собирал целых пять лет.

— Уверен, что генералу там понравится.

— Не сомневаюсь.

Ариане, ее отцу, брату, а раньше и матери в Грюневальде тоже жилось совсем неплохо... Когда-то все они были под этим кровом счастливы. Но потом в их жизнь ворвались нацистские ублюдки, все испортили, изгадили, а теперь еще и забирают родительский дом. На глазах у Арианы выступили слезы. Она хотела сейчас только одного — чтобы во время очередной бомбежки особняк в Грюневальде обратился в прах и пепел, погребя под обломками своих новых хозяев.

— Все, фрейлейн, разговор окончен. В пять часов вы должны явиться в свой барак. Кстати говоря, жить там не обязательно. Если вы найдете себе иной... ангажемент, можете сменить место жительства. Но разумеется, вы останетесь под нашим присмотром.

Ариана отлично его поняла. Если она предложит генералу Риттеру себя в любовницы, то ей позволят остаться под родным кровом. Сидя в приемной на деревянной скамье, Ариана вся дрожала от негодования. Единственным утешением была мысль о том, что, когда она попадет в Грюневальд, Хедвиг и Бертольд смогут насладиться делом своих рук — увидят ее избитой, израненной, грязной, оборванной. Пусть полюбуются, что сделала с ней их любимая нацистская партия. Они орали «хайль Гитлер», а расплачиваться пришлось ей. Ариана была настолько охвачена яростью, что не заметила, как к ней подошел фон Трипп.

— Фрейлейн фон Готхардт?

Она удивленно подняла глаза. С тех пор как Манфред спас ее от Гильдебранда и его хлыста, Ариана ни разу его не видела.

— Мне поручено отвезти вас домой.

Обер-лейтенант не улыбнулся, но зато теперь он смотрел не сквозь нее, как раньше, а прямо в глаза.

— Вы хотите сказать, что вам поручено отвезти меня в бараки? — холодно спросила Ариана.

Но тут же пожалела о своей резкости и вздохнула. В конце концов, этот офицер ни в чем не виноват.

— Извините.

Манфред медленно кивнул:

— Капитан сказал, что я должен отвезти вас в Грюневальд, где вы возьмете личные вещи.

Ариана склонила голову. Ее глаза на исхудавшем личике казались громадными. Сердце фон Триппа дрогнуло, голос смягчился:

— Вы уже обедали?

Ариана давно уже отвыкла от слова «обед». В ее гнилой камере пищу давали один раз в день, так что деления на завтрак, обед и ужин не существовало. Да эти помои и не заслуживали названия «пища». Лишь под угрозой голодной смерти могла Ариана заставить себя есть эту гадость. Поэтому она ничего не ответила, но Манфред понял все без слов.

— Понятно, а теперь мы должны идти.

Его жест и голос были безапелляционны, и Ариана послушно последовала за офицером. На улице, ослепнув от яркого солнечного света, она покачнулась, но удержалась на ногах. Глубоко вдохнула свежий воздух и села в машину. Там Ариана отвернулась от обер-лейтенанта, делая вид, что разглядывает длинный ряд бараков. На самом деле ей не хотелось, чтобы он увидел слезы у нее в глазах.

Несколько минут они ехали молча, потом Манфред вдруг остановил машину и обернулся к своей спутнице, по-прежнему сидевшей к нему вполоборота. Ариана, казалось, совершенно забыла, что рядом с ней находится посторонний человек — высокий светловолосый мужчина с добрыми глазами и импозантным дуэльным шрамом на щеке.

— Подождите меня, фрейлейн, я сейчас вернусь.

Ариана, не отвечая, откинулась назад, плотнее укутавшись в одеяло, которым снабдил ее провожатый. Она думала об отце, о Герхарде, мучаясь догадками и предположениями. Ей было удобно и уютно на мягком сиденье, под теплым одеялом. Подобного комфорта она не знала уже целый месяц.

Фон Трипп действительно вскоре вернулся. Он без слов протянул ей маленький, аппетитно пахнущий сверток. Внутри оказались две толстые сардельки, намазанные горчицей, и большой ломоть черного хлеба. Ариана посмотрела на еду, потом на Манфреда. Какой странный человек, подумала она. Мало говорит, но все видит. Чем-то он был похож на нее — та же грусть в глазах, та же обостренная чувствительность к чужой боли.

— Я подумал, что вы, наверно, голодны.

Ариана хотела произнести слова благодарности, но вместо этого просто кивнула и взяла сверток. Пусть этот человек с нею добр, но она все равно не должна забывать, кто он и чем занимается. Он фашистский офицер, сопровождает ее в Грюневальд, откуда она должна забрать свои личные вещи. Что такое «личные вещи»? Что взять, что оставить? И что будет с домом, когда война закончится? Получит ли она его обратно? Впрочем, какое это теперь имеет значение?.. Отца нет, Герхарда тоже нет, все утратило смысл. Отрывочные мысли, бессвязные образы мелькали у нее в голове. Ариане очень хотелось съесть сардельки сразу, до последнего кусочка, но она знала, что делать этого нельзя, и откусила совсем чуть-чуть. После того как ее целый месяц держали впроголодь и кормили всякими отбросами, следовало соблюдать крайнюю осторожность с мясной пищей.

— Ваш дом возле Грюневальдского озера?

Ариана кивнула. По правде говоря, вообще удивительно, что ей разрешают заехать домой. Очевидно, ее уже не считают арестованной.

Ужаснее всего была мысль, что родной дом теперь принадлежит нацистам. Произведения искусства, столовое серебро, драгоценности, меха — все это теперь достанется любовницам генерала. Автомобили, разумеется, тоже реквизируют. Банковские счета Вальмара фон Готхарда наверняка уже конфискованы. Нацисты могут быть довольны — им достался неплохой барыш. А что касается самой Арианы — для них она просто лишняя пара рабочих рук. Если, конечно, кто-нибудь не польстится на ее прелести... Ариана прекрасно понимала, чего можно ожидать от нацистов. Но она скорее умрет, чем станет наложницей какого-нибудь фашиста. Лучше провести остаток дней в их мерзких бараках.

— Еще немного вперед, — сказала она. — Дом будет слева.

Она вновь была вынуждена отвернуться, чтобы скрыть выступившие слезы. Дом был совсем близко, тот самый дом, о котором Ариана мечтала, лежа в темной камере; дом, где они с Герхардом смеялись, играли, дожидались возвращения отца; дом, где фрейлейн Хедвиг читала им сказки возле камина, где когда-то очень давно можно было увидеть чудесное видение, именуемое «мама». Теперь тот дом перестал существовать. Его отобрали нацисты. Ариана бросила на своего спутника ненавидящий взгляд. Он тоже принадлежал к их числу, а значит, имел непосредственное отношение к ужасу, разрушению, смертям, насилию. Да, он спас ее от Гильдебранда и купил немного еды, но это ничего не значит.

Он член этой кошмарной шайки и при случае будет вести себя так же, как остальные.

— Это здесь, — показала Ариана, когда автомобиль повернул за угол; ее голос дрожал от волнения.

Фон Трипп замедлил ход и посмотрел на особняк с почтительным уважением. Ему захотелось сказать Ариане, что дом просто великолепен, что у него тоже когда-то был свой дом, почти такой же, как этот. Но жена и дети Манфреда погибли в Дрездене во время бомбежки, и теперь ему возвращаться было некуда. Родовой замок еще в самом начале войны «одолжил» один генерал, и родителям пришлось перебраться в Дрезден, где жила семья Манфреда. И вот все они погибли под бомбами. А генерал как ни в чем не бывало живет себе в замке. Там ему спокойно и уютно. Если бы семье Манфреда позволили остаться в родовом гнезде, трагедии бы не произошло.

«Мерседес» зашуршал шинами по гравию. Сколько раз Ариане доводилось слышать этот знакомый до боли звук. Если закрыть глаза, можно было представить, что сегодня воскресенье, отец привез ее и Герхарда домой после церковной службы и прогулки вокруг озера. Нет ни чужака в фашистской форме, ни лохмотьев, заменяющих одежду. У дверей, вытянувшись по стойке «смирно», застыл Бертольд, а внутри уже сервирован чай.

— Тьма — и больше ничего... — прошептала Ариана. Она вышла из машины и остановилась, глядя на родные стены.

— У вас всего полчаса, — вынужден был напомнить ей Манфред.

Ничего не поделаешь, таков был приказ капитана. Фон Райнхардт сказал, что они и так слишком долго провозились с этой девчонкой. «Туда и обратно, — сказал он. — И не спускать с нее глаз!»

Капитан боялся, что девушка потихоньку утащит из дома что-нибудь ценное. Кроме того, вполне возможно, что с ее помощью удастся обнаружить какие-нибудь тайники или секретные сейфы. В доме, разумеется, уже поработали специалисты, но вполне возможно, что им удалось обнаружить не все.

Ариана робко позвонила в дверь, ожидая увидеть знакомое лицо Бертольда. Но на пороге появился адъютант генерала. Он был очень похож на сопровождающего Арианы, только вид имел еще более суровый. Офицер с недоумением воззрился на оборванку и вопросительно перевел взгляд на фон Триппа. Тот отдал честь и объяснил, в чем дело:

— Это фрейлейн фон Готхард. Она должна взять кое-что из одежды.

Офицеры вполголоса поговорили о чем-то, потом адъютант сказал, обращаясь к Манфреду:

— Но там почти ничего не осталось.

Ариана изумленно приподняла брови. Как это ничего не осталось? В ее комнате было четыре шкафа, битком набитых одеждой. Быстро же они работают, подумала девушка.

— Мне много и не нужно, — проговорила она. Ее глаза вспыхнули гневом.

Ариана переступила порог. Все внутри осталось таким же, и в то же время все переменилось. Мебель и обстановка были нетронуты, но сама атмосфера в доме неуловимым образом преобразилась. Исчезли знакомые звуки, знакомые лица. Ни шаркающей походки Бертольда, ни прихрамывающей поступи экономки, ни криков Герхарда, ни уверенных шагов отца... Ариана надеялась, что хоть Хедвиг позволили остаться. Ведь она всегда была так предана своей любимой партии. Но на лестнице ей попадались сплошь чужаки. Главный са-

лон превратился в приемную, и там сидели какие-то
военные. В салоне было много мужчин в форме; денщи-
ки несли куда-то подносы с кофе и шнапсом. Горничные
тоже были незнакомые. Ариане показалось, что она уго-
дила не в свою эпоху — все, кого ты знала, давным-
давно умерли, и в родных стенах обитают представители
иного поколения. Ариана любовно провела пальцами по
перилам и, ускорив шаг, взбежала на второй этаж. Обер-
лейтенант не отставал от нее ни на шаг.

У дверей комнаты Вальмара девушка остановилась.
Господи, где же все-таки отец и брат?

— Нам туда, фрейлейн? — негромко спросил фон
Трипп.

— Что, простите?

Она резко обернулась, словно только сейчас поняла,
что, кроме нее, в доме есть кто-то еще.

— Из этой комнаты вы должны взять свои вещи?

— Нет... Моя комната наверху. Но сюда мне тоже
нужно будет зайти. Чуть позже.

Ариана вспомнила о томике Шекспира с потайным
отделением. Возможно, книги уже нет. Не так уж это
важно в конце концов. По сравнению с утратой отца,
брата, дома...

— Хорошо, фрейлейн, но у нас очень мало времени.

Ариана кивнула и поднялась на следующий этаж, к
себе. Вот комната, где ее арестовали по доносу Хедвиг.
Здесь Ариана молила Бога о скорейшем возвращении
отца, когда в дверях появился бравый Гильдебранд...

Ариана прошла через гостиную к себе в спальню.
На дверь комнаты Герхарда она старалась не смотреть.
Сейчас было не время предаваться ностальгическим вос-
поминаниям, которые не сулили ничего, кроме боли.

Пришлось подняться наверх, на четвертый этаж,
чтобы взять из кладовки чемодан. Там располагались

комнаты слуг, и в коридоре Ариана наконец встретила доносчицу — та, вжав голову в плечи, семенила к своей двери.

— Хедвиг! — уничтожающе процедила Ариана ей в спину.

Старуха вздрогнула и, не оборачиваясь, ускорила шаг. Она не могла заставить себя взглянуть в лицо своей воспитаннице, которую она предала. Но Ариана не собиралась так легко ее отпускать.

— Что, боитесь мне в глаза посмотреть?

Голос ее звучал негромко, почти вкрадчиво, но каждое слово было пропитано ядом. Тогда Хедвиг остановилась и медленно обернулась:

— Да, фрейлейн Ариана?

Она пыталась изобразить спокойствие, но в глазах таился страх, а пальцы, державшие стопку штопаного белья, мелко дрожали.

— Обслуживаете своих новых хозяев? Должно быть, они вами довольны. Мы тоже были вами довольны. Скажите-ка, Хедвиг, — Ариана больше не называла ее «фрейлейн», — теперь вы будете штопать их белье, присматривать за их детьми, а придет час, и вы их тоже предадите?

Руки девушки сжались в кулаки.

— Я не предавала вас, фрейлейн фон Готхард.

— Ах, какие у нас изысканные манеры! Значит, это не вы, а Бертольд позвонил куда следует?

— Вас предал собственный отец, фрейлейн. Он не должен был скрываться бегством. Герхард тоже поступил неправильно, он нарушил свой священный долг перед родиной.

— Да кто вы такая, чтобы судить о подобных вещах?!

— Я немка. Мы все сейчас обязаны быть судьями. Это наш долг, наше право. Мы должны сделать все, чтобы спасти Германию от гибели.

Так вот до чего дошло, подумала Ариана. Нет уже ни своих, ни чужих, самый близкий человек может оказаться врагом.

Вслух же она сказала:

— Германия и так уже погибла. Из-за таких, как вы. Это вы уничтожили моего отца, моего брата, мою страну. — По ее лицу текли слезы. Последние слова Ариана произнесла шепотом: — Я всех вас ненавижу.

Она отвернулась от своей старой няни, толкнула дверь кладовки и взяла оттуда чемоданчик. Фон Трипп безмолвной тенью следовал за ней. Внизу, в спальне, он зажег сигарету и молча наблюдал, как Ариана наспех сует в чемоданчик свитеры, юбки, рубашки, нижнее белье, несколько пар туфель покрепче. Время кружев и тонкого белья кончилось, теперь в жизни Арианы фон Готхард места для всей этой мишуры не будет.

Но даже самые скромные и практичные из вещей были такого качества и фасона, что вряд ли подошли бы для жизни в бараке. В этих юбках Ариана ходила в гимназию, в спортивных туфлях она смотрела, как Герхард играет в поло, и гуляла с отцом вокруг озера... Оглянувшись на конвоира, Ариана показала ему расческу, отделанную серебром и слоновой костью.

— Можно мне взять ее с собой? Другой у меня нет...

Манфред смутился и пожал плечами. Ему было странно смотреть, как девушка собирает вещи. С первой же минуты, едва она переступила порог дома, стало совершенно ясно, что она является здесь полноправной хозяйкой. Движения ее приобрели уверенность, поступь — властность. Она привыкла всем здесь распоряжаться, делать все по-своему. Что ж, в своем дрезденском доме Манфред чувствовал себя точно так же. Его особняк был ненамного меньше этого, а слуг, пожалуй, там имелось и побольше. Дом когда-то принадлежал тестю фон Триппа, а когда тот через два года после замужества дочери умер, молодая семья вступила во владение особняком. Прекрасное дополнение к родовому замку, который Манфред должен был унаследовать после смерти своих родителей. Вот почему стиль жизни Арианы фон Готхард был ему хорошо известен и понятен. Отлично понимал он и боль, которую доставляло ей расставание с родным кровом. Он до сих пор не мог забыть слезы матери, когда та узнала, что их замок на время войны будет реквизирован.

— А вдруг нам вообще не позволят сюда вернуться? — всхлипывая, спрашивала она у отца.

— Не говори глупостей, Ильзе, мы обязательно вернемся, — утешал ее тот.

И вот никого из них не осталось в живых. Когда война кончится и нацисты уйдут из замка, он будет принадлежать Манфреду. Если этот день когда-нибудь наступит. Впрочем, фон Триппа все это не так уж и волновало — все равно дома его никто не ждал. Без Марианны, без детей дом ему не нужен.

Такие мысли проносились в голове у обер-лейтенанта, пока он наблюдал за тем, как Ариана складывает вещи.

— Уж не собираетесь ли вы заняться альпинизмом, фрейлейн фон Готхард? — спросил он с улыбкой, видя, что она собирается взять с собой горные ботинки. Этим шутливым вопросом он хотел отогнать тягостные раздумья.

— А что? — накинулась на него Ариана. — Вы хотите, чтобы я мыла полы в бальном платье? Ваши женщины-нацистки поступают именно так? — Она саркастически прищурилась и сунула в чемодан еще один кашемировый свитер. — Вот уж не думала, что нацисты такие эстеты.

— Честно говоря, я сомневаюсь, что вам долго придется мыть полы. У вашего отца остались друзья, они о вас позаботятся. Кроме капитана фон Райнхардта, есть ведь и другие офицеры...

— Вроде лейтенанта Гильдебранда? — перебила его Ариана и после внезапно возникшей паузы пробормотала: — Извините...

— Я вас понимаю. Просто я подумал...

Она так юна, так хороша собой, что мыть полы ей совершенно не обязательно — наверняка будут и более интересные предложения. Но Манфред понимал, что Ариана права. Возможно, в бараке она будет в большей безопасности, чем в обществе субъектов, подобных Гильдебранду. Теперь, когда она вышла из тюрьмы, ей будет еще труднее уберечься от похотливых взглядов. Мужчины будут смотреть, как она натирает полы, сгребает листья, моет уборные. Эти огромные синие глаза, тонкое лицо, грациозные руки станут предметом жадного внимания. Ариана фон Готхард осталась беззащитной, теперь ей не уберечься. В бараке она будет почти так же бесправна и беспомощна, как в тюремной камере. Отныне эта девушка принадлежит третьему рейху. Она предмет, инвентарь вроде стула или кровати. При желании ею можно воспользоваться по назначению. Манфред не сомневался, что в охотниках недостатка не будет, и от этой мысли на душе у него стало совсем муторно.

— Наверно, вы правы, — сказал он вслух и не стал развивать эту тему.

Ариана уложила вещи и поставила чемоданчик на пол. На кровать она положила плотную юбку коричневого твида, коричневый кашемировый свитер, теплое пальто, комплект нижнего белья и замшевые туфли.

— Вы не возражаете, если я переоденусь?

Он молча кивнул, и она исчезла в соседней комнате. Вообще-то Манфред должен был находиться при ней неотлучно, но ни к чему было создавать ситуацию, мучительную для них обоих. В конце концов, не такая уж она преступница, чтобы наблюдать за каждым ее движением. Гильдебранд, разумеется, не упустил бы подобный шанс. Он непременно настоял бы на том, чтобы она переодевалась в его присутствии, да еще и полез бы к ней. Но Манфред фон Трипп в подобные игры не играет.

Вскоре она вернулась, одетая во все коричневое, лишь волосы, окружавшие лицо золотым ореолом, нарушали монотонную гамму. Когда она надевала пальто, Манфред непроизвольно потянулся, чтобы помочь ей, однако вовремя удержался. Роль конвоира давалась ему с трудом. Он даже не имел права взять у нее чемодан. Это противоречило его воспитанию, убеждениям, чувствам. Сердце обер-лейтенанта разрывалось от жалости к этой тоненькой, хрупкой девушке, которую насильно изгоняли из собственного дома. Но помочь ей он не мог. Избавил от насильника, накормил — большее было не в его власти.

На втором этаже Ариана остановилась у двери, ведущей в кабинет отца, и оглянулась на фон Триппа:

— Я хотела бы...

— Что там? — насупился он.

— Кабинет моего отца.

Что она еще задумала? Спрятанные деньги? Драгоценности? А может быть, дамский пистолет, с помощью которого она намерена защищаться от насильников, а то и продырявить голову ему, Манфреду?

— Может быть, обойдемся без сантиментов, фрейлейн? Там сейчас находится кабинет генерала... Вообще-то у меня нет полномочий...

— Прошу вас!

У нее был такой умоляющий, беспомощный вид, что фон Трипп не нашел в себе сил отказать. Он вздохнул, осторожно приоткрыл дверь. Внутри был только ординарец, раскладывавший на диване парадный мундир своего шефа.

— Вы тут один? — спросил Манфред.

— Так точно, господин обер-лейтенант.

— Отлично. Мы всего на минуту.

Ариана подошла к письменному столу, но ничего на нем трогать не стала. Потом остановилась у окна, посмотрела на озеро, вспомнила ту ночь, когда они с отцом разговаривали здесь о Максе Томасе, о Кассандре. Здесь же состоялась и их последняя беседа перед тем, как Вальмар и Герхард ушли. Ах, если б знать, что тот разговор окажется последним...

— Фрейлейн, — позвал Манфред.

Она сделала вид, что не слышит, всецело поглощенная видом на озеро.

— Фрейлейн, нам пора.

Она кивнул и только теперь вспомнила, зачем ей понадобилось зайти в кабинет. Книга!

Она с рассеянным видом подошла к полкам, еще издали приметив, где стоит томик Шекспира. Оберлейтенант наблюдал за ней, надеясь, что она не выкинет ничего безрассудного, иначе придется докладывать начальству и девушку наверняка снова посадят за решетку. Но Ариана лишь провела пальцами по кожаным переплетам старинных книг. Спросила:

— Можно, я возьму на память одну из них?

— Думаю, да.

Просьба показалась обер-лейтенанту вполне невинной, да и времени оставалось в обрез — пора было возвращаться на работу.

— Только поскорее, пожалуйста. Мы потратили почти целый час.

— Да, извините... Я возьму вот эту.

Немного поколебавшись, Ариана выбрала потрепанную книгу небольшого формата. Томик Шекспира в немецком переводе. Манфред взглянул на обложку, кивнул и открыл дверь на лестницу.

— Прошу вас, фрейлейн.

— Спасибо.

Она прошла мимо него с высоко поднятой головой, внутренне торжествуя и в то же время опасаясь, что он заметит победное выражение ее лица. В книге хранилось последнее сокровище, доставшееся ей от отца: бриллиантовый перстень и обручальное кольцо с изумрудом. Ариана спрятала томик поглубже в карман твидового пальто, откуда книга никак не могла выпасть. Кольца матери — вот все, что у нее осталось. Два кольца и старая книга отца — это все, что осталось от ушедшей жизни. Ариана печально брела по коридору, в ее голове теснились образы из прошлого.

С чемоданом, который больно бил ее по ногам, Ариана была похожа на беженку — и это в собственном доме! Внезапно дверь справа по коридору распахнулась, и оттуда выглянул военный, весь обвешанный медалями.

— Фрейлейн фон Готхард? Какая приятная неожиданность!

Ариана была так удивлена, что даже не успела возмутиться. Генерал Риттер собственной персоной, нынешний хозяин ее дома. Генерал галантно протянул Ариане руку, словно они встретились где-нибудь за чаем в гостиной.

— Здравствуйте, — автоматически сказала она, и генерал тут же взял ее за руку, заглянул в ярко-синие глаза и улыбнулся, очень собой довольный.

— Счастлив видеть вас здесь.

«Еще бы, — подумала Ариана, — ты не был счастлив — такой особняк заполучил».

— Давненько мы с вами не виделись.

— Правда?

Она не помнила, чтобы они встречались прежде.

— Да, я видел вас... кажется, на балу в оперном театре. Вам было лет шестнадцать. — В его глазах вспыхнули искорки. — Вы были просто очаровательны.

Ариана задумалась, припоминая свой первый бал. Она тогда еще познакомилась с тем симпатичным молодым офицером, который не понравился Вальмару. Как же его звали?

— Разумеется, вы меня не помните, — продолжал генерал. — Прошло целых три года.

Ариане показалось, что он сейчас ущипнет ее за щеку или сделает что-нибудь в этом роде. К счастью, хорошие манеры, привитые ей с детства, помогли Ариане сдержать гримасу отвращения. Кое-чему ее Хедвиг все-таки научила...

— Как же, помню, — холодно, но вежливо сказала она.

— Неужели? — просиял генерал. — Надеюсь, вы будете меня здесь навещать. У меня бывают премилые вечеринки.

Он так сладко подсюсюкивал, что Ариану чуть не стошнило. Прийти к нему сюда на «вечеринку»? Лучше смерть. Мысль о смерти в последнее время казалась ей все более и более привлекательной — особенно теперь, когда Ариана начинала догадываться о том, какая участь ей уготована. Генералу она не ответила, но он не отступился и даже взял ее за локоть.

— Да-да, мы непременно увидимся вновь. У нас тут намечаются замечательные празднества. Вы непременно должны принять в них участие. В конце концов, ведь этот дом раньше был вашим.

Не был, а есть, подумала Ариана, едва удержавшись, чтобы не выкрикнуть это вслух. Она опустила глаза, чтобы генерал не прочел бушевавшую в них ярость.

— Благодарю вас.

Риттер красноречиво взглянул на фон Триппа и пальцем поманил адъютанта:

— Не забудьте позвонить фон Райнхардту и передать ему... приглашение для фрейлейн фон Готхард. Если, разумеется, ей уже не поступило какое-нибудь другое... приглашение.

Риттер знал, что в подобных делах следует проявлять осторожность. В последний раз для своей «коллекции» он увел очередную наложницу прямо из-под носа у другого генерала. В результате у него была масса неприятностей, чего девчонка на самом деле и не стоила. Конечно, Ариана фон Готхард — лакомый кусочек, но у генерала и без нее проблем хватало. Только что разбомбили два состава, шедших из Парижа с грузом картин и других произведений искусства. Это был личный трофей генерала Риттера. Конечно, он с удовольствием обогатил бы свой гарем за счет этой цыпочки, но дела, дела... Генерал еще раз улыбнулся, приложил ладонь к фуражке и скрылся за дверью.

Ариана положила чемодан на заднее сиденье, а сама села вперед. Голова ее была высоко поднята, но по лицу текли слезы, и она уже не прятала их от

обер-лейтенанта. Пусть смотрит. Пусть видит, что
они с ней сделали. Ариана оглянулась, провожая взглядом знакомые очертания родительского дома. Если
бы в этот миг она посмотрела на своего спутника, то
увидела бы, что его глаза тоже влажны. Манфред
фон Трипп слишком хорошо понял смысл слов генерала Риттера. Судьба Арианы фон Готхард решена — ей предстоит пополнить число наложниц старого
развратника. Разве что кто-нибудь перебежит Риттеру дорогу?

Глава 17

— Разобрались с девчонкой? — недовольно спросил капитан фон Райнхардт, проходя мимо стола в приемной, за которым сидел Манфред. День уже близился к вечеру.

— Так точно, господин капитан.

— Вы возили ее в Грюневальд?

— Да.

— Неплохой домик, верно? Генералу повезло. Я бы сам от такого особняка не отказался.

Но капитан напрасно прибеднялся. Ему тоже достался прекрасный дом с видом на Шарлоттенбургское озеро и замок. Семья, у которой был реквизирован этот особняк, могла гордиться, что их дом достался столь достойному офицеру.

Потом разговор капитана и фон Триппа свернул на служебные темы. Гильдебранд, как обычно, отвечал на телефонные звонки. Манфред прислушивался к его ответам, боясь, что позвонит адъютант генерала Риттера и станет выспрашивать об Ариане. Фон Трипп убеждал себя, что это совершенно не должно его волновать. Какое ему дело до Арианы фон Готхард? Конечно, бедняжке не повезло — она потеряла семью, дом, но что с того? Сейчас тысячи людей оказываются в таком же положении. Девочка хороша собой и имела несчастье обратить на себя внимание генерала. Ничего не поделаешь, пусть устраивается в жизни сама. Одно дело — защитить ее от домогательств младшего офицера-насильника, и совсем другая история — встать на пути у генерала. Это может плохо кончиться для заступника.

Манфред фон Трипп взял себе за правило никогда не конфликтовать с сослуживцами и в особенности с начальством. Война, которую вела Германия, не вызывала у него ни малейшего энтузиазма, но долг есть долг. Прежде всего он был немцем, гражданином своей страны, а стало быть, должен был расплачиваться за былую приверженность идеям третьего рейха. Манфред никогда ни с кем не ссорился, предпочитал помалкивать и тянул свою лямку. Когда-нибудь все это безумие закончится, он вернется в родные края и унаследует родительский замок. Фон Трипп мечтал восстановить родовое гнездо во всем его средневековом великолепии. Можно будет сдавать в аренду призамковые усадьбы, и тогда живописные окрестности заживут новой жизнью. Манфред будет тихо обедать под родным кровом, вспоминая Марианну, детей, отца с матерью. Ради этого он и хотел остаться в живых. Ему не нужно было от нацистов никаких подачек — ни краденых произведений искусства, ни реквизированных автомобилей и драгоценностей, ни золота, ни денег, ни наград. Все, чем он когда-то дорожил, было безвозвратно утрачено.

И все же Манфред не мог избавиться от мыслей об Ариане. Слишком уж она была юна и невинна. В чемто их судьбы походили друг на друга, хотя Манфреду было тридцать девять, а ей только девятнадцать. Он тоже всего лишился, но в отличие от Арианы вовсе не был беспомощен. Измучен, сломлен, разочарован — да, но не испуган и не выкинут из общества... Манфред был наслышан о проказах старого генерала. Забавник любил устраивать всякие сексуальные игрища: немножко извращений, групповые мероприятия с девочками, садомазохистские эксперименты, упражнения с кнутом... От всего этого воротило с души. Что сделала война с людьми? Манфред чувствовал себя смертельно усталым.

Когда капитан вышел из комнаты, Манфред в сердцах отшвырнул ручку и со вздохом откинулся на спинку стула. Именно в этот момент и позвонил адъютант Риттера. На лице Гильдебранда появилась ухмылка. Он записал на листке бумаги, что капитан фон Райнхардт должен завтра утром перезвонить генералу, повесил трубку и сообщил:

— Опять насчет бабы. Господи, этот старый козел к концу войны обзаведется целым женским батальоном.

— Адъютант сказал, кто понадобился Риттеру на сей раз?

Гильдебранд покачал головой:

— Нет, он будет об этом говорить с капитаном лично. Если, конечно, генерал не опоздал. Адъютант говорит, что девчонка из той категории товара, который не залеживается. Вполне возможно, что ее уже кто-нибудь зацапал. В этом случае бабенке, можно сказать, повезло. Кто угодно, только не Риттер. Все-таки интересно, на кого же он положил глаз?

— Кто его знает, — небрежным тоном ответил Манфред.

Но после этого звонка на душе у него стало совсем скверно. Гильдебранд вскоре ушел, а фон Трипп просидел за столом еще два часа, все время думая о случившемся. Итак, генерал хочет заполучить Ариану... Она — товар, который не залеживается... Фон Трипп вскочил, застыл на месте, потом, решительно схватив шинель, выключил свет, выбежал на улицу и быстрым шагом направился к армейским баракам.

Глава 18

Найти Ариану фон Готхард оказалось нетрудно. Даже не пришлось наводить справки у дежурного — светловолосая девушка сгребала граблями палую листву, складывая ее в большую бочку. Когда бочка наполнится, листву подожгут. Сразу было видно, что Ариана занимается физическим трудом впервые в жизни.

— Фрейлейн фон Готхард! — позвал ее Манфред официальным тоном.

Выражение лица у него было строгое, поза напряженная, словно обер-лейтенант явился сюда с каким-то весьма ответственным поручением. Если бы Ариана знала Манфреда лучше, она поняла бы, что в его серо-голубых глазах застыл страх. Но девушка очень мало общалась с этим человеком и понятия не имела о том, что происходит у него в душе.

— Да, обер-лейтенант? — устало откликнулась она, отбросив со лба прядь волос.

На руках, сжимавших грабли, были изящные замшевые перчатки — ничего попроще у Арианы не нашлось. Она подумала, что офицера прислали к ней с каким-нибудь новым распоряжением. После обеда она успела вычистить две ванны, вымыть в столовой посуду, отнести с чердака в подвал какие-то коробки. Одним словом, ее ни на минуту не оставляли без дела.

— Соберите-ка вещи.

— Что-что? — растерялась Ариана.

— Где ваш чемодан?

— А что, его нельзя держать в бараке?

Неужели кому-нибудь приглянулся ее кожаный чемодан? Томик Шекспира Ариана носила в кармане пальто, а когда пальто приходилось оставлять в комнате, она прятала книгу в постельное белье. Времени найти более подходящий тайник у нее не было. В бараке всем распоряжалась мощная бабища, обладавшая зычным голосом армейского фельдфебеля. Она внушала Ариане панический ужас. И все же девушка не могла скрыть отвращения, когда сказала обер-лейтенанту:

— Стало быть, кому-то понравился мой чемодан? Что ж, пусть забирают. В ближайшее время я путешествовать не собираюсь.

— Вы не поняли, — мягко возразил он.

Ариана напомнила себе, что этот человек спас ее от Гильдебранда. Все же он не такой, как остальные, — не следует об этом забывать. Хотя все они одинаковы, все — порождение одного и того же кошмара. Как отличить этих людей друг от друга? Ариана больше никому не верила и ни на что не надеялась. Не верила она и этому высокому немногословному офицеру, который разговаривал с ней так мягко и в то же время так решительно.

— Вы ошибаетесь, фрейлейн Готхард. Вам предстоит совершить еще одно путешествие.

— Я уезжаю? — испугалась она.

Что они еще придумали? Какую новую муку ей уготовили? Отправят в концлагерь? Вдруг сердце Арианы сжалось от радости. Неужели?!

— Вы что, нашли моего отца?

По расстроенному лицу офицера она сразу поняла, что ошиблась.

— Сожалею, фрейлейн, но...

Он увидел, что ее лицо исказилось от страха, и захотел ее утешить.

— Вы будете в безопасности.

«Не знаю, надолго ли», — мысленно добавил он. Но даже временная безопасность по нынешним временам — не так уж плохо. Лучше, чем вообще ничего. Да и кто сейчас находится в безопасности? За последний год бомбежки почти не прекращались, бомбы сыпались с неба почти все время.

— Что значит «в безопасности»? — недоверчиво спросила Ариана, вцепившись руками в грабли.

Манфред покачал головой и сказал лишь:

— Доверьтесь мне.

Ему очень хотелось успокоить ее, но Ариана по-прежнему смотрела на него с испугом.

— Пожалуйста, уложите чемодан. Я буду ждать вас в зале.

Девушка смотрела на него с отчаянием, переходящим в отрешенность. Какая, в сущности, разница?..

— А что я скажу начальнице? Я не закончила свою работу.

— Ничего, я сам ей объясню.

Ариана кивнула и побрела к бараку. Манфред смотрел ей вслед, поражаясь собственному поведению. Неужели он тоже сошел с ума, как генерал Риттер? Нет, ничего подобного. Просто он хочет защитить эту девочку. И все же она не оставила его равнодушным. Ее красота, которую не могли скрыть ни скромная одежда, ни грустное выражение лица, подействовала и на него. Эта девушка была настоящим бриллиантом. Немного шлифовки, и она засияет ярче прежнего. Но Манфред намеревался отвезти ее в Ванзее не для этого. Он не допустит, чтобы к ней относились, как к «товару». Он спасет ее от генерала. В Ванзее Ариана фон Готхард будет в безопасности.

Начальнице барака Манфред ничего объяснять не стал, сказал лишь, что забирает девушку с собой, однако дал понять, что речь идет не о деле государственной важности, а скорее о поручении деликатного свойства. Та сразу все поняла. Девушки вроде Арианы надолго в бараке не задерживались, их разбирали высокопоставленные офицеры. На физической работе оставались лишь уродины, а по Ариане фон Готхард сразу было видно, что за судьба ей уготована. Такой поворот дела начальницу не слишком расстроил — все равно девчонка была слабой и неумелой. Поэтому, отсалютовав офицеру, почтенная матрона отправила сгребать листья другую девушку, а об Ариане и думать забыла.

Не прошло и десяти минут, как Ариана спустилась вниз, прижимая к себе чемодан. Манфред молча развернулся и вышел на улицу уверенный, что Ариана последует за ним. Так и произошло. Он открыл дверцу «мерседеса», положил чемодан на заднее сиденье, сел за руль и включил мотор. Впервые за очень долгое время фон Трипп был доволен собой.

Ариана так и не поняла, что происходит. Она с любопытством разглядывала берлинские улицы и лишь минут через двадцать сообразила, что машина едет по направлению к Ванзее. Когда до дома Манфреда оставалось совсем чуть-чуть, Ариану вдруг осенила страшная догадка. Так вот зачем он спас ее от насильника! Интересно, он тоже будет добиваться ее расположения с помощью хлыста? Может быть, и шрам на щеке ему оставила какая-нибудь очередная жертва?

Через несколько секунд автомобиль остановился возле небольшого коттеджа, аккуратного, но довольно скромного. Свет внутри не горел. Манфред жестом велел своей спутнице выходить из машины, а сам взял чемодан. Ариана старалась держаться очень прямо, в глаза своему конвоиру не смотрела. Как ловко он все устроил! Итак, она стала его добычей. Навсегда или только на одну ночь?

Не пускаясь ни в какие объяснения, Манфред отпер дверь, шагнул внутрь и поманил Ариану за собой. В прихожей он включил свет и огляделся. Утром, очевидно, приходила уборщица — в доме было чисто прибрано. Ариана увидела не слишком роскошную, но вполне уютную гостиную: ряды книг, цветы в горшках, горка дров возле камина. На столе стояли фотографии детей, лежал какой-то журнал. Широкие окна выходили в сад, где цвели осенние цветы. Кроме гостиной, на первом этаже находились кухня, кабинет и маленькая столовая. Наверх вела узкая деревянная лестница, устланная хорошим, но сильно потертым ковром. Ариана попыталась заглянуть наверх, но увидела лишь низкий потолок.

Манфред медленно, не говоря ни слова, переходил из комнаты в комнату, открывая двери. В конце концов он остановился у подножия лестницы и неуверенно заглянул в сердитые синие глаза девушки. Ариана следовала за ним, не снимая пальто и перчаток, в которых сгребала листья. Ее волосы были стянуты на затылке в тугой золотой узел. Забытый чемодан остался стоять в прихожей.

— Пойдемте, я покажу вам верхний этаж, — негромко предложил Манфред, жестом приглашая ее пройти вперед — он все еще опасался поворачиваться к ней спиной. Девушка была сердита, напугана, а Манфред знал, что от человека в таком состоянии, даже от хрупкой девушки, можно ожидать чего угодно.

Наверху ничего особенно интересного не оказалось — ванная да две довольно невзрачные двери. Ариана посмотрела на них с ужасом, перевела взгляд на руки Манфреда, на его лицо.

— Проходите, — мягко сказал он, но по ее лицу понял, что она не слышит его слов — слишком напугана. Как же ее успокоить, как объяснить, зачем он ее сюда привез? Но фон Трипп знал, что со временем она поймет все сама.

Он открыл дверь в свою спальню, простую и строгую комнату, выдержанную в коричнево-голубых тонах. В доме вообще все было очень просто, без роскоши. Именно таким Манфред и хотел видеть свое берлинское жилище. Сюда он мог удалиться от всего на свете, курить трубку, читать. Его любимая трубка и сейчас лежала на столике рядом с камином и удобным старым креслом. Но Ариана, казалось, была не в состоянии оценить прелесть этой уютной комнаты. Она застыла на месте, словно пригвожденная к полу.

— Это моя спальня, — объяснил фон Трипп.

Она взглянула на него в полном ужасе и прошептала:

— Понятно.

Тогда, осторожно коснувшись ее руки, Манфред открыл соседнюю дверь, где, как предположила Ариана, должна была находиться кладовка.

— Сюда, пожалуйста, — позвал ее фон Трипп.

Вся дрожа, она последовала за ним и увидела, что за дверью находится еще одна маленькая комната: кровать, стул, стол, крошечная, словно предназначенная для ребенка, тумбочка. На окнах — цветастые занавески, на постели — покрывало в розочках в тон обоям. В обстановке этой комнаты было что-то успокаивающее.

— А это ваша комната, фрейлейн.

Он ласково взглянул на нее и увидел, что она по-прежнему ничего не понимает. В ее глазах застыли боль, страх и горечь. Манфред тяжело вздохнул:

— Фрейлейн фон Готхард, почему бы вам не присесть? У вас усталый вид.

Он жестом показал на кровать. Ариана осторожно присела на краешек.

— Я должен вам кое-что объяснить. По-моему, вы ничего не поняли.

В обер-лейтенанте что-то неуловимым образом изменилось. Он уже не был похож на сурового конвоира, сопровождавшего ее из камеры на допрос и обратно. Теперь он сделался самым обыкновенным человеком, который по вечерам возвращается с работы домой, ужинает, сидит у камина и засыпает с газетой в руках, утомленный после трудного дня. Фон Трипп выглядел как нормальный, живой человек, и все же Ариана смотрела на него со страхом и недоверием.

— Я привез вас сюда, потому что вам угрожает опасность.

Манфред медленно опустился на стул. Ему очень хотелось, чтобы девушка хоть немного расслабилась. Невозможно разговаривать, когда на тебя смотрят таким затравленным взглядом.

— Фрейлейн фон Готхард, вы очень красивая женщина. Или, вернее, очень красивая девушка. Сколько вам лет? Восемнадцать? Семнадцать? Двадцать?

— Девятнадцать, — едва слышно выдохнула она.

— Ну вот, видите, я почти угадал. Однако есть люди, которым все равно, девушка вы или женщина. — Лицо Манфреда помрачнело. — Например, нашему общему другу Гильдебранду. Его не остановило бы, даже если бы вам было двенадцать. Есть и другие вроде него...

Манфред нахмурился и подумал: «Если бы ты была немного старше, если бы у тебя было больше жизненного опыта, ты сама могла бы о себе позаботиться, но несчастье обрушилось на тебя слишком рано...»

Ариана же по его тону наконец сообразила, что этот человек, кажется, не собирается ее насиловать. Скорее в его голосе звучали отеческие нотки. В эту минуту она выглядела так, словно ей было лет четырнадцать. Манфред вспомнил, как печально сгребала она мертвые листья возле барака.

— Вы меня понимаете, фрейлейн?

— Нет.

Бледный ребенок с огромными глазами, вот она кто, подумал он. Молодая женщина столь мужественно противостоявшая фон Райнхардту, исчезла бесследно.

— Видите ли, сегодня мне стало известно, что вас... могут заставить присоединиться к кругу близких друзей генерала Риттера... — Он увидел, что ее глаза вновь расширились от ужаса, и успокаивающе поднял руку. — Мне показалось, что это было бы не слишком достойным началом для вашей новой, взрослой жизни. Поэтому, фрейлейн, я вас сюда и привез.

Он жестом показал на комнату, где ей отныне предстояло жить.

— Но завтра меня все равно к нему отвезут? — с отчаянием спросила Ариана, а Манфред постарался не слишком задерживаться взглядом на золоте ее волос.

— Это маловероятно. Генерал Риттер не любит себя утруждать. Если бы вы по-прежнему находились в бараках, он наверняка увез бы вас к себе в Грюневальд. Но специально разыскивать вас он не станет. — Тут ему пришла в голову новая мысль. — А может быть, вас общество генерала не так уж и пугает? Зато у вас будет возможность жить под родной крышей.

Но Ариана грустно покачала головой.

— Мне было бы невыносимо смотреть, как там распоряжаются чужие люди, а что до генерала... — Она чуть не задохнулась. — Я предпочла бы умереть.

Манфред понимающе кивнул и вдруг заметил на себе ее оценивающий взгляд, словно Ариана пыталась на глаз определить, кто достался ей вместо генерала Риттера. Не удержавшись, он хмыкнул. Что ж, по крайней мере она наконец поняла, что он не собирается срывать с нее одежду.

— Вас устраивает такая ситуация, фрейлейн?

Она тихо вздохнула:

— Не знаю, наверно...

Неужели этот офицер думает, что она будет рассыпаться в благодарностях? Да, он спас ее от генерала Риттера, но взамен этого решил сделать собственной любовницей.

— Мне жаль, что происходят подобные вещи, — с горечью сказал он, и на лице его появилось странное, отсутствующее выражение. — Война — это мерзость, и каждому из нас довелось перенести горе... Пойдемте, я покажу вам кухню.

Когда фон Трипп спросил ее, умеет ли она готовить, Ариана улыбнулась:

— В жизни этим не занималась. Как-то не было необходимости.

Естественно, ведь приготовлением пищи занимались слуги.

— Ничего страшного, я научу вас. Сгребать листья и мыть уборные вам не придется — это обязанности приходящей прислуги, однако я буду весьма признателен, если вы научитесь готовить. Как вы думаете, у вас получится?

У Манфреда был такой серьезный вид, что Ариана совсем упала духом. Теперь она — его наложница, рабыня, и у нее нет выхода.

Она вздохнула:

— Наверно, получится. А как быть со стиркой?

— Вы будете стирать только собственную одежду. Единственное, чего мне от вас хотелось бы, — чтобы вы готовили.

Что ж, это не такая уж высокая плата за безопасность: обязанности кухарки и любовницы. Ситуация понемногу начинала проясняться.

Ариана внимательно наблюдала за первым уроком кулинарного искусства. Манфред учил ее делать яичницу, резать хлеб, варить картофель и морковь, мыть посуду. Потом он разжег в камине огонь, сел к письменному столу и начал что-то писать, время от времени поглядывая на фотографии детей.

— Может быть, хотите чаю? — спросила она, чувствуя, что вдруг превратилась в какую-то служанку или горничную.

Но в следующую секунду Ариана вспомнила кошмарную тюремную камеру, где находилась еще утром, и испытала к этому офицеру нечто вроде благодарности.

— Хотите чаю? — повторила она.

— Что вы сказали, Ариана? — рассеянно переспросил он и вспыхнул.

Он впервые осмелился назвать ее просто по имени, но не от фамильярности, а по ошибке. На самом деле Манфред произнес даже не «Ариана», а «Марианна» — так звали его погибшую жену.

— Извините.

— Ничего. Я спросила, не хотите ли вы чаю?

— Благодарю вас.

Манфред предпочел бы кофе, но достать его в последнее время стало совершенно невозможно.

Отпив чаю, фон Трипп спросил:

— Может быть, присоединитесь ко мне?

Сама Ариана не осмелилась налить себе драгоценный напиток, но после этого предложения охотно сходила на кухню за чашкой. Какое-то время она сидела молча, наслаждаясь забытым ароматом. Целый месяц она обходилась без этого волшебного напитка.

— Спасибо, — поблагодарила девушка.

Манфред подумал: интересно, как звучит ее смех? Услышит ли он когда-нибудь, как она смеется? Но дважды в течение вечера она взглянула на него с улыбкой. Он наблюдал за ней, и сердце его разрывалось от жалости: девушка выглядела такой несчастной, такой грустной, такой серьезной. Чувствовалось, что она совсем недавно пережила большое горе.

Взгляд Арианы упал на фотографии детей.

— Это ваши? — с любопытством спросила она.

Лицо обер-лейтенанта стало каменным. Странное у них получалось чаепитие — двое едва знакомых людей, у каждого за плечами груз несчастья. Вместо ответа Манфред лишь кивнул и жестом предложил ей еще чаю, а сам зажег трубку и сел к камину, вытянув длинные ноги.

Они сидели так почти до одиннадцати часов. В основном молчали: Ариана понемногу привыкала к новой обстановке, а обер-лейтенант, уставший от одиночества, наслаждался близостью другого человеческого существа. Время от времени он поглядывал на девушку, мечтательно смотревшую в огонь и явно витавшую мыслями где-то в прошлом. В одиннадцать Манфред поднялся и стал гасить огонь в камине.

— Мне завтра рано вставать.

Ариана тут же вскочила на ноги. В глазах ее вновь зажегся огонек страха. Что последует дальше? Весь вечер она с ужасом ждала этого момента.

Нарочито спокойным шагом она вышла из гостиной, и обер-лейтенант последовал за ней. У двери своей спальни он смущенно улыбнулся и протянул ей руку. Ариана была настолько потрясена, что не сразу догадалась ответить на рукопожатие. Она ожидала совсем не этого.

— Надеюсь, фрейлейн, что мы с вами когда-нибудь станем друзьями. И учтите, вы здесь не пленница. Просто мне казалось, что лучше будет поселить вас у меня — для вашей же пользы. Надеюсь, вы меня понимаете.

Ее лицо ожило, медленно озарилось улыбкой.

— Вы хотите сказать...

— Да, я хочу сказать именно это.

Вдруг Ариана заметила, что у этого офицера мягкие, добрые глаза.

— Неужели вы подумали, что я собираюсь занять место генерала? Это было бы нечестно. Уверяю вас, вы здесь не в заточении. Можете считать себя моей гостьей. — Он чопорно поклонился и щелкнул каблуками.

Ариана ошеломленно смотрела на него.

— Спокойной ночи, фрейлейн.

Он шагнул в спальню и тихо закрыл за собой дверь, а Ариана растерянно двинулась дальше по коридору.

Глава 19

— Так куда же она подевалась? — раздраженно спросил капитан фон Райнхардт у Гильдебранда. — Фон Трипп сказал, что вчера отвез ее в бараки. Вы спрашивали у начальницы?

— Нет, ее на месте не было.

— Так возвращайтесь и спросите. У меня есть дела поважнее, чем заниматься всякой ерундой!

Час спустя Гильдебранд вернулся к капитану с докладом. Фон Трипп корпел над бумагами, которые не успел закончить накануне.

— Ну, так что она сказала? — сердито спросил капитан.

У фон Райнхардта выдался крайне неудачный день, а тут еще этот чертов генерал со своей девкой, которая больше не представляла для капитана никакого интереса. Если у Риттера разыгрался аппетит, пусть сам занимается своими любовными делишками. Вполне мог бы отправить за девчонкой собственного адъютанта.

— Она исчезла.

— Исчезла? Какого черта! — Фон Райнхардт рассвирепел. — Сбежала, что ли?

— Никак нет, господин капитан. Ее увезли. На-чальница барака сказала, что ее увез какой-то офицер.

— А в журнал убытия вы заглядывали? — рявк-нул фон Райнхардт.

— Никак нет. Сходить еще раз?

— Не нужно. Исчезла так исчезла. Генерал найдет себе другую. К тому же не думаю, что он многого ли-шился. Как знать, вдруг ее папаша все-таки объявится. Тогда Риттеру пришлось бы расплачиваться за то, что он включил девчонку в свой гарем.

Фон Райнхардт комически закатил глаза, и Гиль-дебранд расхохотался.

— Вы думаете, ее старик жив? — с любопытством спросил лейтенант.

— Вряд ли, — пожал плечами капитан и велел Гильдебранду заняться делом.

В конце дня фон Райнхардт сам наведался в барак, чтобы расспросить начальницу. Она достала журнал, и фон Райнхардт получил интересовавшую его информа-цию. Прочтя имя офицера, забравшего девушку, он не-мало удивился и к себе в кабинет возвращался в большой задумчивости. Может быть, фон Трипп наконец воз-вращается к жизни? А ведь казалось, что он так никог-да и не оправится после гибели жены и детей. Да еще то прошлогоднее ранение. Можно было подумать, что Ман-фред поставил крест на своей жизни. От него осталась одна тень, он начисто отказался от развлечений и свет-ской жизни. Любопытно, очень любопытно... Вообще-то фон Райнхардт подозревал нечто в этом роде, потому-то и отправился лично в барак. Надо сказать, что от внимания Дитриха фон Райнхардта вообще мало что ускользало.

— Фон Трипп!

— Да, господин капитан? — рывком поднял голову Манфред.

Он не слышал, как капитан вошел в комнату. Более того, он не заметил, когда фон Райнхардт выходил. Очевидно, это произошло как раз в те минуты, когда Манфред отлучился в картотеку.

— Зайдите ко мне в кабинет, пожалуйста.

Фон Трипп последовал за своим начальником с некоторой тревогой.

Капитан сразу приступил к делу:

— Послушайте, Манфред, я по чистой случайности оказался в бараках и прочел запись в журнале убытия.

Оба они прекрасно знали, что капитан ничего «по чистой случайности» не делает.

— И что же?

— Так вы забрали ее себе?

Сохраняя непроницаемое выражение лица, фон Трипп кивнул:

— Так точно.

— Это почему же?

— Считайте, что это моя прихоть.

Именно такой прямой, непозволительно резкий ответ был капитану понятен.

— Ясно. Но вы ведь знали, что у генерала Риттера тоже есть свои прихоти?

— Никак нет, господин капитан. — Манфред внутренне сжался. — Я этого не знал. Вчера мы разговаривали с генералом в Грюневальде, но он ничего такого не сказал...

— Ладно, не имеет значения.

Оба офицера смотрели друг другу в глаза.

— Как вам известно, я мог бы заставить вас уступить ее Риттеру, — наконец нарушил паузу капитан.

— Надеюсь, господин капитан, что вы этого не сделаете, — с деланной небрежностью ответил фон Трипп, которому показалось, что в этот миг решается самый важный вопрос в его жизни.

— Ладно, не сделаю. — И, немного помолчав, фон Райнхардт с улыбкой добавил: — Я рад, что вы возвращаетесь к жизни. А то вам все на свете было безразлично. Между прочим, дружище, я уже три года твержу, что именно этого вам и не хватает.

— Вы были правы, господин капитан, — усмехнулся Манфред, хотя больше всего ему хотелось двинуть своего начальника по физиономии. — Спасибо вам.

— Не за что. — Капитан хмыкнул. — Так Риттеру и надо. Старому болвану вечно достаются самые молоденькие девчонки. Не беспокойтесь, фон Трипп, у меня есть еще одна цыпочка, и я отправлю ее генералу. Старику хватит ее на несколько недель.

Фон Райнхардт зычно расхохотался и жестом отпустил Манфреда.

Итак, все обошлось. Спасибо капитану. Манфред глубоко вздохнул и, взглянув на часы, увидел, что пора идти домой.

— Обер-лейтенант?

Ариана заглянула в прихожую. Золотистые волосы были аккуратно уложены на макушке, большие синие глаза смотрели на Манфреда боязливо.

— Добрый вечер, Ариана, — сказал он суше, чем намеревался.

Ему трудно было оторваться от огромных глаз, смотревших на него с такой тревогой.

— Удалось ли... — Она не договорила и запнулась, но фон Трипп понял, о чем она хотела спросить.

— Все в порядке. Вопрос улажен.

— Они очень разозлились?

Ее глаза испуганно расширились, и Манфред успо-каивающе покачал головой. Казалось, весь ужас собы-тий последнего месяца только теперь обрушился на нее с полной силой. Девушка, представлявшаяся Манфреду такой храброй, сейчас была похожа на маленького без-защитного ребенка.

— Говорю вам, все в порядке. Теперь вы в без-опасности.

Ариана хотела спросить, надолго ли, но не осмели-лась. Робко кивнув, она сказала:

— Спасибо. Хотите чаю?

— Да. Но только если вы выпьете со мной.

Она удалилась в кухню и через несколько минут вернулась с подносом, на котором дымились две чашки драгоценного напитка. Чай казался Ариане главной рос-кошью ее новой жизни. После месяца, проведенного в тюрьме, чистота и чай воспринимались как высшее на-слаждение. Днем она набралась смелости и заварила себе одну чашку, устав слоняться по гостиной, разгля-дывать корешки книг и думать об отце и Герхарде. Мыслями она постоянно возвращалась к отцу и брату. Манфред заметил в ее глазах печаль и горечь и отста-вил чашку. Что он мог ей сказать? Фон Трипп слишком хорошо знал, что такое утрата близких. Он тихо вздох-нул, взял одну из трубок.

— Чем вы занимались сегодня, фрейлейн?

Она медленно покачала головой:

— Так... Ничем... Рассматривала ваши книги.

Эти слова заставили Манфреда вспомнить о велико-лепной библиотеке, которую он видел в доме ее отца. Когда-то у фон Триппа тоже была прекрасная коллек-ция книг. Он решил поговорить с девушкой откровенно и, закуривая трубку, посмотрел ей в глаза.

— Красивый у вас дом, фрейлейн.

Ариана сразу поняла, о каком доме он говорит.

— Спасибо.

— Настанет день, и он вновь будет вашим. Война не может продолжаться вечно.

Он отложил трубку и сказал, проникновенно глядя на нее:

— Дом моих родителей тоже реквизирован.

— Неужели? — удивилась она. — А где он находится?

Его взгляд помрачнел.

— Под Дрезденом. Бомбы его не тронули, — сказал он, угадав ее следующий вопрос.

Да, замок уцелел, но все остальное... То есть все остальные — Теодор и Татьяна... Марианна, его жена, родители, сестра... Их больше нет. Они ушли из жизни навсегда. Точно так же, как ее отец и брат.

— Вам повезло, — сказала Ариана.

Манфред вздрогнул, но тут же вспомнил, что речь только шла о доме.

— Да.

— А ваша семья?

Он судорожно вздохнул:

— Тут мне повезло меньше.

Ариана ждала ответа, возникла глухая пауза.

— Мои дети... Моя жена... Мои родители... Все они были в городе.

Он резко поднялся и отошел к камину, повернувшись к Ариане спиной.

— Они погибли.

— Мне вас очень жаль, — тихо прошептала она.

Он обернулся:

— Мне вас тоже, фрейлейн.

Некоторое время оба молчали, глядя в глаза друг другу.

— Скажите... А не удалось ли что-нибудь узнать о моих родных? — с трудом выговорила Ариана.

Она боялась задавать этот вопрос, но ей необходимо было знать правду.

Манфред медленно покачал головой. Пора ей научиться смотреть правде в глаза. Фон Трипп догадывался, что Ариана внутренне отказывается верить в очевидное.

— Я не думаю, фрейлейн, что ваш отец бросил... забыл вас. Судя по тому, что я о нем слышал, он не из таких людей.

Ариана резко качнула головой.

— Я это хорошо знаю. С ним наверняка что-то случилось. — Она с вызовом взглянула на Манфреда. — Ничего, я обязательно найду их. После войны.

Он ответил ей взглядом, полным жалости.

— Вряд ли, фрейлейн. Вам следует понять, что надежда, ложная надежда — вещь очень жестокая.

— Так, значит, вы все же что-то знаете? — с замиранием сердца спросила она.

— Нет, я ничего не знаю. Но подумайте сами. Ваш отец хотел спасти сына от армии, так ведь?

Она молчала. Вдруг все это — жестокий трюк, чтобы вынудить ее предать отца? Она ни за что этого не сделает. Даже этому человеку, которому она научилась доверять, нельзя говорить правду.

— Ладно, можете не признаваться. Но я думаю, что моя догадка верна. — Тут он сказал нечто такое, что заставило ее вздрогнуть: — Я бы на его месте поступил именно так. Любой здравомыслящий человек в этой ситуации должен был попытаться спасти своего сына. Но ваш отец наверняка собирался вернуться за вами. И если он этого не сделал, вывод можно сделать только один: он погиб. Погибли оба — и он, и ваш брат. Они не смогли пробраться в Швейцарию, или же он не смог вернуться. Очевидно, их застиг на месте преступления пограничный патруль. Ничего другого произойти не могло.

— Но разве об этом не стало бы известно?

По ее щекам стекали слезы, голос ее был чуть громче шепота.

— Вовсе не обязательно. На границе мы держим не самые лучшие части. Если они кого-то убивают, то по большей части просто прячут трупы, не докладывая начальству. Я... — Он смущенно запнулся. — Я уже пытался кое-что выяснить, но никто ничего не знает. Однако вам лучше не строить иллюзий. Ваши родственники исчезли, а это означает, что они мертвы.

Она медленно отвернулась от него, склонила голову, и ее плечи задрожали. Тогда, стараясь не шуметь, Манфред вышел из комнаты. Ариана услышала, как закрылась дверь его спальни. Какое-то время девушка стояла, судорожно всхлипывая, потом легла на диван и дала волю слезам. Впервые за все время она позволила себе расслабиться. Когда приступ рыданий кончился, на нее нашло какое-то странное оцепенение.

С Манфредом они встретились только утром. Ариана отводила глаза, чтобы не видеть его сострадательного, жалеющего взгляда. Ей и без того было невесело.

Шли недели. Ариана не раз замечала, что Манфред смотрит на фотографии своих детей, и всякий раз у нее сжималось сердце — она сразу же начинала думать о Герхарде и отце, о том, что никогда их больше не увидит. Она подолгу сидела в гостиной совсем одна, и с фотографий ей улыбались детские лица. Ей мерещилось в их взглядах осуждение, ведь с Манфредом жила она, а не они.

Иногда Ариану начинало раздражать, что они так на нее смотрят — девочка с косичками и мальчик с прямыми светлыми волосами и большими голубыми глазами, весь в россыпи веснушек... Его звали Теодор... Больше всего Ариане не нравилось то, что из-за детей обер-лейтенант фон Трипп приобретал живые человеческие очертания, а это было совершенно лишнее. Ариана не хотела думать о нем, испытывать к нему какие-то чувства. Несмотря ни на что, он оставался в определенном смысле ее тюремщиком. Относиться к нему как-то иначе Ариана не желала. Ее не интересовали его мечты, надежды и печали, да и своими горестями делиться с ним она не собиралась. Фон Трипп не имел права совать свой нос в ее горе. Он и так уже чересчур много знал о ее жизни, ее боли, ее незащищенности. Он видел, как она чуть не стала жертвой домогательств Гильдебранда, видел, как больно ранило ее прощание с родительским домом. Никто на свете не имел права вмешиваться в мир ее чувств! Ариана твердо решила, что отныне будет держать все в себе. Манфред догадался о ее мыслях, и поэтому их вечера проходили в молчании. Он просто сидел у камина, курил трубку и старался не смотреть на Ариану, а та думала о своем, отгороженная от него стеной страдания.

Однажды — прошло уже три недели — Манфред внезапно обернулся к ней, встал и, отложив в сторону трубку, предложил:

— Не хотите ли пойти прогуляться, фрейлейн?

— Как, сейчас?

Ариана была удивлена и немного напугана. Может быть, это какая-то ловушка? Куда он собирается ее отвезти? Зачем? Выражение ее лица расстроило Манфреда. Он почувствовал, как велик ее страх, ее недоверие, несмотря на то что за все это время он ни разу ничем ее не обидел. Должно быть, понадобятся годы и годы, чтобы девушка забыла о подвалах рейхстага. Что ж, ему тоже понадобится целая жизнь, чтобы забыть о развалинах дома под Дрезденом — о раздавленных куклах, осыпавшейся штукатурке, разбросанных по полу серебряных безделушках, которыми так гордилась Марианна... Ее любимые украшения расплавились от огня и превратились в бесформенные комки... То же самое произошло с их мечтами... Усилием воли Манфред заставил себя думать о настоящем и взглянул в испуганные синие глаза девушки.

— Разве вам не хотелось бы побыть на свежем воздухе?

Он знал, что за все время Ариана не осмеливалась выходить за пределы сада — по-прежнему всего боялась.

— А если начнется налет?

— Спрячемся в ближайшем бомбоубежище. Вам не о чем беспокоиться. Со мной вы будете в полной безопасности.

Ариана поняла, что упрямиться глупо. Взгляд его был мягок, голос звучал спокойно и уверенно. Она кивнула. Впервые за два месяца просто пройтись по улице! Целый месяц она провела в тюрьме, да и в Ванзее прожила почти столько же. Выходить из дома боялась, рисуя себе всевозможные страшные картины. Только теперь Манфред понял, до какой степени Ариана травмирована. Когда она надела пальто, он ободряюще кивнул ей. Когда-то точно таким же жестом он успокаивал Татьяну, свою маленькую дочь, если та была чем-то испугана.

— Все в порядке, — сказал он. — Прогулка на свежем воздухе пойдет нам обоим на пользу.

Весь вечер Манфреда одолевали тяжелые мысли. В последнее время это происходило все чаще и чаще. Причем он думал не только о детях, родителях и жене, но и об Ариане, близость которой ощущалась им все острее и острее.

— Готовы?

Она молча кивнула, и они вышли наружу. Вечер был прохладный, и Манфред положил ее маленькую руку на изгиб своего локтя. Ариана, сама того не замечая, крепко вцепилась ему в рукав, и фон Трипп сделал вид, что не придает этому никакого значения.

— Красиво, правда? — улыбнулась она, глядя на осеннее небо.

Улыбка ее была прекрасна, и баловала его ею Ариана не часто, поэтому лицо Манфреда тоже просветлело.

— Да, очень красиво. И видите, никакой бомбежки.

Но полчаса спустя, когда они уже повернули обратно к дому, завыли сирены. Люди из окрестных домов устремились в бомбоубежище. Манфред обхватил Ариану за плечи и потянул следом за остальными. Ариана послушно побежала, но ей было глубоко безразлично, что с ней произойдет. Все равно жить теперь было не для чего.

В бомбоубежище плакали женщины, пищали дети, возились подростки. Они выросли в военную пору и бомбежек не боялись. Страх стал уделом взрослых. Один мальчишка зевал, двое других напевали какую-то глупую песенку, а со всех сторон доносились охи и вскрики, вдали грохотали разрывы бомб. Манфред внимательно смотрел на спокойное, печальное лицо Арианы. Не выдержав, он крепко взял ее за руку. Девушка ничего не сказала, лишь огляделась по сторонам, пытаясь понять, зачем живут на свете все эти люди, почему так цепляются за жизнь.

— Думаю, фрейлейн, опасность миновала.

Манфред по-прежнему обращался к Ариане подчеркнуто вежливо.

Он встал, и они быстро зашагали по направлению к дому. От настроения, с которым они отправлялись на прогулку, не осталось и следа. Теперь Манфреду хотелось только одного — поскорее привести Ариану домой, где она будет чувствовать себя в безопасности. Когда они вошли в прихожую и молча взглянули друг на друга, в их взглядах явственно возникло нечто новое, небывалое прежде. Но Манфред, коротко кивнув, повернулся и поднялся по лестнице к себе в комнату.

Глава 20

Когда Манфред на следующий день вернулся со службы домой, он увидел, что в кухне Ариана стоит на краешке стула, пытаясь достать со шкафа какую-то банку. Фон Трипп бросился к девушке, успев в последний перед падением момент подхватить ее и поставить на пол. Ариана, явно смущенная, взяла из рук фон Триппа банку и занялась завариванием чая. Его прикосновение подействовало на девушку странным образом. Она ощутила нечто вроде электрического разряда. Раньше ничего подобного между ними не возникало. Или, возможно, оба были слишком несчастны, чтобы замечать подобные вещи. Ариана настолько смутилась, что забыла положить ему в чай сахар. Встретившись с Манфредом глазами, она отвернулась и покраснела вновь.

За ужином воцарилось неловкое, напряженное молчание. Потом Манфред предложил вновь отправиться на прогулку. Налета в тот вечер не было, прятаться в бомбоубежище не пришлось. Вражеские самолеты прилетели поздно ночью, когда Манфред и Ариана уже спали. Пришлось прятаться в подвале дома. Оба одевались наскоро и поэтому вид имели весьма странный — халаты в сочетании с ботинками. На всякий случай Манфред держал в подвале чемодан, где лежали самые необходимые вещи. Они могли понадобиться, если придется покидать дом в спешке. Фон Трипп предложил Ариане сделать то же самое. Она лишь пожала плечами. В подвале было темно, и только светился огонек его трубки. Окошко фон Трипп занавесил черной шторой, чтобы снаружи огонька не было видно. Ее безразличие привело его в недоумение, и Манфред спросил:

— Неужели вам все равно, что с вами будет?

Ариана медленно покачала головой:

— А почему это должно меня волновать?

— Вы еще так молоды. У вас впереди вся жизнь. Даже когда этот кошмар закончится, у вас по-прежнему все еще будет впереди.

Его слова явно ее не убедили.

— А вы? Неужели вам так уж важно остаться в живых? — спросила она, вспомнив, с каким выражением лица он смотрел на фотографии жены и детей.

— Для меня сейчас это важнее, чем когда бы то ни было, — тихо ответил он. — Уверяю вас, что настанет день, когда и для вас это станет очень важно.

— Но почему? Какая теперь разница? Да и потом, все это никогда не кончится.

Они замолчали, прислушиваясь к разрыву бомб. Ариане совсем не было страшно, просто очень грустно. Хорошо бы, все нацисты погибли под бомбами. И тогда уже все равно, станет она свободной или мертвой.

— И тем не менее этому наступит конец. Я обещаю вам, Ариана.

Как и прошлой ночью, Манфред молча накрыл своей ладонью ее руку. Но сегодня Ариана почувствовала, как в ответ на его прикосновение в ней что-то шевельнулось.

Довольно долго оба сидели без движения, а затем Манфред медленно притянул ее к себе. Ариана не могла противиться этому нежному призыву, да и не хотела. Ей казалось, что она давно уже ждет этого. Его сильные руки обняли ее, его губы прильнули к ее губам. Ариана перестала слышать грохот бомб, его заглушило биение сердца, заполнившее все ее существо. Манфред прижимал ее к себе, целовал, гладил, но задыхающаяся Ариана высвободилась из его объятий. Наступила неловкая пауза, потом Манфред со вздохом сказал:

— Извините... Извините, Ариана... Мне не следовало...

Но, к его изумлению, Ариана не дала ему договорить — теперь она сама закрыла ему рот поцелуем. Потом тихо встала и поднялась по лестнице к себе в комнату.

На следующее утро оба ни словом не обмолвились о том, что произошло ночью. Дни потянулись своим чередом, но притяжение между ними становилось все ощутимее. Противиться ему было все труднее и труднее, а однажды утром, проснувшись, Ариана увидела, что Манфред стоит в дверях ее комнаты.

— Манфред? — сонно спросила она, впервые назвав его по имени. — Что-нибудь случилось?

Он покачал головой и медленно приблизился к кровати. На нем была голубая шелковая пижама и халат того же цвета. Ариана не сразу поняла, чего он хочет, а когда сообразила, не нашлась, что сказать. Она чувствовала лишь, что ей очень нужен этот мужчина. Ничего не поделаешь — она влюбилась в своего тюремщика, обер-лейтенанта Манфреда фон Триппа. Он же, глядя на нее сверху вниз взглядом, в котором страсть соединялась с грустью, боялся, что совершил ужасную ошибку. Прежде чем она успела вновь открыть рот, он развернулся и поспешно двинулся к двери.

— Манфред, — позвала Ариана, — куда вы? Что вообще...

Он обернулся:

— Извините... Мне не следовало... Я не знал, что...

И тут она протянула к нему руки. Это был жест не девочки, а женщины. Лицо Манфреда осветилось нежной улыбкой, но он отрицательно покачал головой:

— Нет, Ариана, нет... Вы еще ребенок... Я сам не знаю, что на меня нашло. Я лежал в постели, думал о вас... Это продолжалось несколько часов, а потом у меня как бы помутился рассудок.

Ариана выскользнула из кровати и выпрямилась в полный рост, желая только одного — чтобы он приблизился к ней, чтобы он ее понял. Манфред смотрел изумленно, как она стоит перед ним в белой фланелевой рубашке, с улыбкой на устах.

— Ариана? — Он не верил своим глазам. — Дорогая!

Последнее слово он произнес почти шепотом. В следующую секунду он подхватил ее на руки, впился поцелуем в ее губы, и она приникла к его груди.

— Я люблю тебя, Манфред.

Она только теперь поняла, что действительно его любит. Слушая, как отчаянно колотится его сердце, Ариана поняла, что не ошиблась. Они опустились на кровать, и Манфред был очень терпелив с ней, ибо любил ее по-настоящему. Нежный и искусный любовник, он заставлял ее предаваться страсти вновь и вновь.

До самого Рождества Манфред и Ариана существовали как в раю, забыв обо всем на свете. Весь день она хозяйничала в доме и в саду, читала книги, а вечером, когда Манфред возвращался со службы, они ужинали, сидели у камина, после чего поднимались наверх, в спальню, где с помощью Манфреда Ариана постигала таинства любви. Их блаженство было исполнено романтики; несмотря на недавнюю утрату, Ариана ощущала себя счастливой, как никогда прежде. Что же до Манфреда, то он словно вернулся из царства теней в мир живых людей, наполненный радостью и весельем. Сослуживцы, видевшие, каким фон Трипп стал после смерти жены и детей, не верили своим глазам — так он переменился. Два месяца влюбленные были совершенно счастливы, и лишь теперь, с приближением Рождества, им стало немного страшно. Этот семейный праздник был чреват горькими воспоминаниями, над ним витали призраки тех, кто уже не в состоянии разделить с Манфредом и Арианой радость и счастье.

— Что же мы будем делать на Рождество? Я не хочу, чтобы мы сидели тут и вспоминали о том, чего больше не существует, — сказал Манфред за утренним чаем. Теперь они пили чай вместе, в постели. Сегодня была как раз очередь Манфреда возиться с чайником и чашками. — Давай лучше устроим себе на Рождество праздник. Не будем плакать о прошлом. Кстати, что тебе подарить?

До Рождества было еще целых две недели, но уже установилась ясная морозная погода.

Ариана блаженно улыбнулась:

— Знаешь, какой подарок я хочу на Рождество?

— Какой, милая?

Когда она смотрела на него такими глазами, разбросав золотистые волосы по подушке и обнажив грудь, Манфред с трудом держал себя в руках. Слишком уж любовно и зазывно светились ее глаза.

— Я хочу ребенка. Твоего ребенка.

Манфред потрясенно молчал. Дело в том, что ему в голову тоже не раз приходили подобные мысли.

— Ты серьезно?

Она еще так юна. Слишком многое может в их жизни измениться. Вот после войны... Но мысли о том, что будет после войны, уже не доставляли Манфреду такого удовольствия, как прежде. Когда Ариана перестанет нуждаться в его защите, она может встретить кого-нибудь моложе, и тогда... Думать об этом было мучительно.

Но Ариана говорила совершенно серьезно:

— Да, милый. Единственный подарок, который мне от тебя нужен, — это сын.

Он крепко обнял ее, утратив дар речи. Да, когда-нибудь он тоже станет мечтать о сыне, но не сейчас, не в эти страшные времена.

— Ариана, дорогая, я обещаю тебе: когда война закончится, у нас непременно будет ребенок. Ты получишь этот подарок.

— Даешь слово? — безмятежно улыбнулась она.

— Торжественно клянусь.

Она прижалась к нему и засмеялась своим серебристым смехом, который он так любил.

— Тогда можешь мне ничего на Рождество не дарить. Мне достаточно твоего обещания.

— Но это ведь будет еще не скоро. — Ее радость была заразительной, и Манфред тоже засмеялся. — Неужели ты не хочешь чего-нибудь еще?

— Нет. Разве что... — Она вновь просияла счастливой улыбкой.

— Что?

Однако Ариана не решилась ему признаться. Одно дело — говорить о ребенке, совсем другое — просить мужчину, чтобы он на тебе женился. Поэтому она уклонилась от ответа, отделавшись шутливым поддразниванием. Манфред пообещал, что вечером непременно добьется от нее правды. Однако подобные мысли были и у него. Манфред очень хотел бы жениться на Ариане, но он решил, что лучше подождать конца войны. Не может же этот ужас продолжаться вечно. К тому же как это было бы прекрасно — устроить свадьбу в родовом замке!

А на Рождество у Манфреда были свои планы. В утро сочельника под елкой лежало с полдюжины коробок. Ариана связала Манфреду свитер, написала на свитке стихотворения собственного сочинения, испекла его любимое печенье (на этот героический поступок у нее ушло несколько дней). Печенье назвалось «лебкухен», оно удалось на славу: шоколадное, глазированное, разноцветное, самых различных форм. Этот подарок особенно растрогал Манфреда — сразу было видно, каких усилий стоили Ариане эти кулинарные изделия.

Его подарки, судя по коробкам, явно были из магазина, и Ариана нетерпеливо зашуршала оберточной бумагой.

— Какую открыть первой?

— Самую большую.

Вообще-то у Манфреда были припасены две коробки еще больше, но он спрятал их не под елкой, а в кладовке, желая растянуть удовольствие. В первой из коробок оказалось прекрасное светло-голубое платье, мягкое и облегающее, с вырезом, обнажавшим плечи. На спине вырез опускался почти до поясницы. После нескольких месяцев, в течение которых Ариана проходила в грубых юбках, туристических ботинках и тяжелых свитерах, этот легкий наряд привел ее в настоящий восторг.

— Ой, Манфред, я надену его сегодня к ужину!

Именно на это Манфред и рассчитывал. Во второй коробке оказалось аквамариновое ожерелье в тон платью. В третьей — вечерние серебряные туфельки. Нарядившись в это великолепие, Ариана глотнула из чашки чаю, делая вид, что это шампанское, и радостно запела. Манфред был счастлив. Он отправил ее за остальными коробками. Там Ариана обнаружила белое кашемировое платье, похожее на то, в котором она ходила дома, и еще одно — из черной шерсти, элегантное и дорогое. Но и это было еще не все. Ариана получила в подарок черные лодочки, сумку из крокодиловой кожи и черное шерстяное пальто, которое тут же с восторгом примерила.

— Спасибо, Манфред, я буду теперь такая элегантная! — радовалась она, меняя наряды.

Она возбужденно поцеловала его, и оба расхохотались.

— Ты и так уже необычайно элегантная!

Ариана надела новое черное пальто прямо поверх белого кружевного белья, нацепила на шею аквамариновое ожерелье, обулась в серебряные туфельки.

— Не просто элегантная, а сногсшибательная! Не хватает только одного...

Он сунул руку в карман халата и достал последний подарок — маленькую коробочку. Вручив коробочку Ариане, Манфред прислонился к спинке кровати и довольно заулыбался.

— Что там?

— Открой и посмотри.

Она осторожно открыла крышечку и, увидев, что находится внутри, просияла от счастья. В коробочке лежало обручальное кольцо из магазина «Луи Вернер» на Курфюрстендам.

— Ах, Манфред, ты сошел с ума!

— Неужели? А мне казалось, что, если уж ты хочешь иметь ребенка, неплохо сначала хотя бы обручиться.

— Манфред, оно такое красивое!

— Ты еще красивее.

Он надел ей на палец колечко с бриллиантом, и Ариана, прямо в своем экстравагантном костюме, улеглась на кровать среди груды подарков и стала разглядывать колечко.

Потом приподнялась на локте и задумчиво произнесла:

— Как я хотела бы, чтобы все увидели мои замечательные подарки!

Но сказано это было без всякой горечи. Влюбленным вполне хватало прогулок по Ванзее, вокруг озер и прудов. За три месяца они всего несколько раз обедали в ресторане. Жизнь отшельников устраивала их обоих, лучше всего они чувствовали себя в домашней обстановке. Но такое изобилие красивых вещей внезапно заставило Ариану вспомнить о радостях светской жизни.

— Ты действительно этого хотела бы? — осторожно осведомился он.

— Еще бы! — оживилась она.

— Ну так знай, Ариана, что сегодня как раз будет бал.

— Где?

Балов и званых вечеров по случаю Рождества было несколько. Например, у Дитриха фон Райнхардта, у генерала Риттера в Грюневальде, в штабе плюс еще у двух генералов. Можно было посетить любое из этих празднеств, лишь у генерала Риттера появляться, пожалуй, не следовало. Поэтому Манфред даже не упомянул о званом вечере, который должен был состояться в бывшем доме Арианы. Немного посовещавшись, они остановили свой выбор на трех местах.

— Я надену новое голубое платье, ожерелье... и обручальное кольцо, — объявила Ариана.

Тут она вспомнила, что у нее есть от Манфреда один секрет.

— Знаешь, что... — неуверенно начала она.

— Что, любимая? — Ее лицо вдруг сделалось таким серьезным, что Манфред насторожился. — Что-нибудь не так?

— Ты очень рассердишься, если я тебе кое-что покажу?

Манфред усмехнулся:

— Не знаю. Ты сначала покажи.

— А вдруг ты рассердишься?

— Я постараюсь держать себя в руках.

Ариана отправилась в свою бывшую спальню и вернулась с книгой в руке.

— Ты что, собираешься в рождественское утро читать мне Шекспира? — страдальчески простонал Манфред.

— Нет, Манфред. Послушай меня. Это очень серьезно... Я хочу тебе кое-что показать. Помнишь, как ты возил меня в Грюневальд и я из папиного кабинета взяла эту книгу? Видишь ли, в ту ночь, когда отец с Герхардом ушли...

Ее взгляд погрустнел, мысли устремились в прошлое. Ариана давно уже рассказала Манфреду всю правду об отце и брате.

— Отец оставил мне вот это, — сказала она, показывая ему книгу. — На случай, если я окажусь в стесненных обстоятельствах. Это наследство моей матери.

Она открыла потайное отделение и показала ему два кольца — бриллиантовое и изумрудное. Маленький пистолет, который оставил ей Вальмар, Ариана предварительно вынула и спрятала за книги на полке еще там, в кабинете. Если бы ее поймали с оружием, это означало бы немедленный расстрел. Но кольца — дело другое, это единственное ее достояние. Манфред, не ожидавший увидеть ничего подобного, ахнул:

— О Господи, Ариана! Кто-нибудь знает об этом? Она покачала головой.

— Но эти кольца стоят целое состояние!

— Не знаю. Папа сказал, что, если я их продам, это может мне очень помочь.

— Вот что, спрячь-ка ты книгу на место. Если что-нибудь случится... Допустим, мы проиграем войну; возможно, эти кольца когда-нибудь спасут тебе жизнь. Или помогут обрести свободу — кто знает.

— Ты так говоришь, будто собираешься меня бросить. Ее огромные глаза смотрели на него с печалью.

— Нет, не собираюсь, но всякое может произойти. Вдруг нам придется на время разлучиться?

«Или же меня убьют», — подумал он, но в рождественское утро говорить о подобных вещах не хотелось.

— Храни кольца у себя. И раз уж вы так обожаете таинственность, фрейлейн фон Готхард, — он с насмешливым упреком покачал головой, — я тоже вам кое-что покажу.

Он выдвинул ящик стола и показал небольшой тайник, где лежали деньги и маленький револьвер.

— Знай, где это находится. Если хочешь, можешь положить книгу сюда же.

Она кивнула и, спрятав кольца в надежное место, вновь просияла счастливой улыбкой. Таким образом в утро сочельника 1944 года Ариана Александра фон Готхард обручилась с обер-лейтенантом Манфредом Робертом фон Триппом.

Глава 21

Праздничный вечер начался в Оперном театре на Унтер-ден-Линден. Эта красивая улица, прямая как стрела и вся обсаженная деревьями, протянулась через центр города, разделенная на две части Брандернбургскими воротами.

Манфред любовался тем, как грациозно Ариана выпорхнула из автомобиля: облегающее голубое платье казалось легкой воздушной оболочкой; на шее переливались аквамарины. Впервые за последние месяцы Ариана нарядилась так, как в прежние времена. И произошло это в тот самый единственный вечер, когда можно было на время забыть о несчастьях, которые принес ей завершающийся год.

Ариана взяла жениха под руку, и они, выполняя необходимый ритуал, отправились приветствовать старших по званию сослуживцев Манфреда. Он церемонно представил свою невесту двум генералам, нескольким полковникам и капитанам. Ариана держалась подобающим образом: подбородок горделиво приподнят, рука протянута для поцелуя. Такая невеста сделала бы честь любому офицеру, и Манфред был просто счастлив. Впервые невеста Манфреда фон Триппа появилась в свете.

Все знали ее историю и поглядывали на эту плененную красавицу с любопытством. Один лишь Манфред догадывался по легкому дрожанию ее пальцев, что Ариана испугана. Когда они кружились в вальсе, он шепнул:

— Все в порядке, милая. Со мной ты в безопасности.

Манфред ласково улыбнулся, и ее подбородок поднялся еще выше.

— У меня такое ощущение, что с меня не спускают глаз.

— Только потому, что ты такая красивая.

Но она знала, что даже рядом с ним не может чувствовать себя в полной безопасности. Эти люди способны на все: они могут снова отобрать у нее дом, могут убить Манфреда, могут посадить ее в тюрьму. Но эти мысли в Рождество, в самый разгар танцев, казались нелепыми. Кружась в вальсе, Ариана вдруг вспомнила нечто такое, что заставило ее рассмеяться:

— Знаешь, а ведь именно здесь я была на первом в своей жизни балу! Тогда меня привез сюда отец.

Она вспомнила тот давний вечер, вспомнила свой страх, свое волнение.

— Значит ли это, фрейлейн, что я должен терзаться от ревности?

— Вовсе нет. Мне было лишь шестнадцать лет, — пренебрежительно пожала она плечами, и Манфред засмеялся.

— Разумеется, Ариана. Ведь теперь ты у нас зрелая дама.

Однако она и в самом деле за эти три года повзрослела на целую жизнь. В нынешней Ариане мало что напоминало ту девочку в белом органди, с цветами в волосах, танцевавшую здесь когда-то. Казалось, с тех пор миновало целое тысячелетие. От воспоминаний ее отвлекла вспышка фотоблица. Ариана испуганно взглянула на Манфреда.

— Что это?

— Ничего особенного. Просто нас сфотографировали.

На подобных балах всегда полно фотографов, делавших снимки дам и кавалеров. Потом эти фотографии появлялись в газетах, украшали собой стены офицерских клубов, многие посылали их родственникам.

— Тебе это не нравится, Ариана?

Манфред расстроился. Еще полгода назад он пришел бы в ужас от мысли, что его сфотографируют на балу с женщиной, но сейчас все изменилось — он хотел, чтобы их фотографию видели все, чтобы ее напечатали в газете. Тогда его счастье станет еще более осязаемым и реальным. Ариана поняла, о чем он думает, и с улыбкой кивнула:

— Конечно, я не против. Просто он застал меня врасплох. Нам потом пришлют фотографии?

Получив подтверждение, она заулыбалась.

Они провели в Опере больше часа, а затем, взглянув на часы, Манфред шепнул, что пора уходить, и отправился в гардероб за ее пальто. Опера была лишь первым пунктом их праздничного вечера, главные события ожидались впереди. Манфред хотел, чтобы Ариана перестала бояться мундиров, любопытных взглядов и фотовспышек. На втором балу Ариане будет уделено еще больше внимания. Кроме того, не исключено, что там будет сам фюрер.

У входа в королевский дворец Манфред сразу заметил черный «Мерседес 500-К» — личный автомобиль Гитлера. Все вокруг было оцеплено охранниками, а бывший тронный зал империи сиял позолотой и блеском зеркал. Манфред почувствовал, как Ариана судорожно сжала его руку. Он посмотрел на нее с нежной улыбкой. Последовали официальные представления. Манфред и его невеста должны были представиться всем многочисленным генералам с их женами и любовницами. Ариана церемонно наклоняла голову, грациозно протягивала руку, и сердце Манфреда преисполнялось гордостью и любовью. Встретила Ариана и старого знакомого — генерала Риттера. Плотоядно вцепившись в ее тонкие пальцы, он воскликнул:

— Фрейлейн фон Готхард? Какой приятный сюрприз! — Риттер недовольно покосился на Манфреда: — Здравствуйте, обер-лейтенант.

Фон Трипп щелкнул каблуками и поклонился.

— Не желаете ли, фрейлейн, почтить своим присутствием ужин, который я устраиваю у себя дома?

«У себя дома» — какая наглость! Манфред увидел, что глаза Арианы вспыхнули гневом, и слегка сжал ее левую руку. Как бы ненароком он дал генералу увидеть у нее на пальце кольцо с бриллиантом.

— Мне очень жаль, господин генерал, — вкрадчиво произнес фон Трипп, — но я и моя невеста уже приглашены. Может быть, как-нибудь в другой раз? — добавил он с готовностью.

— Разумеется, разумеется, — промямлил Риттер. — Так вы говорите, что фрейлейн ваша невеста?

Хотя вопрос был задан Манфреду, генерал продолжал пожирать глазами Ариану. Она сделала вид, что не замечает этого, но внутренне поежилась — Риттер буквально раздевал ее глазами.

Вежливым, но холодным тоном она ответила, глядя Риттеру прямо в глаза:

— Да, генерал. Мы обручены.

— Поздравляю, — кисло буркнул генерал. — Ваш отец, фрейлейн, был бы счастлив.

«Еще большее удовольствие ему доставило бы известие о том, что вы поселились у него в доме, дорогой генерал, — мысленно ответила ему Ариана. — Мерзкий старик!» С каким удовольствием она влепила бы пощечину этому гнусному типу! Но на лице ее по-прежнему играла спокойная улыбка.

— Поздравляю, поздравляю, — повторил генерал.

Манфред поклонился, Ариана тоже с достоинством наклонила голову, после чего они двинулись дальше.

— По-моему, получилось недурно, — шепнула Ариана с улыбкой.

— Да, беседа проведена неплохо.

Манфреду стало весело, и еще он чувствовал, что безумно влюблен в свою невесту. Оказывается, выводить ее в свет — истинное наслаждение.

— Тебе весело, Ариана? — с беспокойством спросил Манфред, и по его глазам она поняла, как он ею гордится.

— Да, мне хорошо, — радостно ответила она.

— Отлично. Значит, в понедельник отправляемся по магазинам.

— По магазинам? Зачем? Ты мне и так подарил сегодня три платья, пальто, ожерелье, туфли, обручальное кольцо! — начала она перечислять, загибая пальцы.

— Это не имеет значения, фрейлейн. Пора нам с вами переходить к активному образу жизни.

Едва он договорил, в зале воцарилась странная тишина, и почти сразу же издали донеслись разрывы бомб. Даже в рождественскую ночь война не желала оставлять город в покое. Опять будут уничтожены дома, памятники архитектуры, погибнут чьи-то дети. Но налет продолжался недолго — гости даже не успели спуститься в подвальное бомбоубежище, оркестр не перестал играть. Все сделали вид, что ничего особенного не произошло — Рождество как Рождество. Но совсем недавно под бомбами погиб Большой драматический театр; каждый день великолепные здания и церкви превращались в груды обломков. Вот уже почти год большинство берлинцев ложились в постель не раздеваясь. Ночью у их кроватей стояли наготове чемоданы с самым необходимым. Чуть ли не каждую ночь берлинцы были вынуждены отправляться в бомбоубежище. Союзники все увеличивали мощь бомбардировок, и Манфреда это начинало не на шутку тревожить. Уж не собираются ли они подвергнуть Берлин участи Дрездена? Вдруг с Арианой что-нибудь случится?

Она тут же почувствовала его тревогу, стиснула пальцами руку Манфреда, а ее бездонные синие глаза успокаивающе посмотрели на него снизу вверх. Глядя на ее изогнутые в улыбке полные губы, он тоже не смог удержаться и улыбнулся.

— Ни о чем не беспокойся, Манфред. Все будет хорошо.

Фон Трипп не сводил с нее глаз, продолжая улыбаться.

— Итак, в понедельник мы отправляемся за покупками.

— Хорошо, если ты этого хочешь. — Она встала на цыпочки и прошептала ему на ухо: — А теперь давай уедем домой.

— Как, уже? — удивился Манфред, но тут же улыбнулся и прошептал на ухо своей маленькой принцессе: — Фрейлейн, вы потеряли всякий стыд.

— Отнюдь. Просто я предпочитаю не дожидаться фюрера, а быть с тобой дома.

Он предостерегающе поднес палец к губам.

Но встречи с фюрером избежать все равно не удалось. Гитлер вошел в зал, окруженный свитой, когда Манфред и Ариана направились к выходу. Она увидела совсем рядом невысокого человека с темными волосами и усиками, казалось бы, ничего особенного собой не представлявшего. Однако по всему залу словно прошел электрический разряд. Все замерли, поднялся гул голосов, слившихся в единый вопль: «Хайль Гитлер!» Ариана с изумлением смотрела, как мужчины в парадных мундирах и женщины в вечерних платьях неистово вопили нацистское приветствие. Пришлось подождать, пока всеобщая истерия пройдет и гости вернутся к обычным бальным развлечениям. Манфред и Ариана вновь стали пробираться к двери, но тут фон Трипп быстро подтолкнул Ариану под локоть и вытянулся по стойке «смирно», вскинув правую руку. Девушка увидела, что рядом с ней стоит фюрер. Он благодушно улыбнулся, дотронулся до ее плеча, словно осенил благословением, и двинулся дальше. Сразу после этого Ариана и Манфред вышли из зала. Они долго не говорили, а потом Ариана не выдержала:

— Ты видел? Они все словно с ума посходили.

Он кивнул:

— Да, я знаю. Они всегда так ведут себя в его присутствии. Неужели ты раньше никогда его не видела?

Ариана покачала головой:

— Нет, папа хотел, чтобы я держалась от всего этого подальше.

Она тут же пожалела о сказанном — вдруг Манфред воспримет ее слова как упрек? Но он понял ее и
кивнул:

— Твой отец был прав. А твой брат?

— Отец старался и его уберечь. Но за меня он
боялся совсем по-другому.

— И правильно делал. — С минуту Манфред молчал, следя за дорогой, потом обернулся к Ариане: —
Ты знаешь, что за ужин будет сегодня у генерала Риттера? Там будут выступать стриптизерши и трансвеститы. Гильдебранд рассказывал, что у Риттера подобные
развлечения в порядке вещей.

Фон Трипп брезгливо поморщился.

— Стриптизерши и трансвеститы? — с любопытством переспросила Ариана.

Манфред усмехнулся:

— О, святая невинность! Как я тебя обожаю!

Тут он вспомнил, что ей всего на пять лет больше,
чем было бы сейчас его погибшей дочери.

— Стриптизерша — это женщина, исполняющая
под музыку соблазнительный танец с раздеванием, а
трансвестит — это мужчина, переодетый в женское
платье. Трансвеститы тоже танцуют и поют, причем не
особенно стесняются в выражениях.

Тут Ариана не выдержала и расхохоталась:

— Наверно, это очень смешно.

— Иногда, но не часто. Риттер ценит не юмор, а
совсем другие качества. Когда же представление закан-
чивается, вся публика... — Он не договорил, вспомнив,
с кем имеет дело. — Не важно, Ариана. Одним словом, все это мерзость. Я ни в коем случае не хотел бы,
чтобы ты там оказалась.

В последнее время отвратительные оргии все больше и больше входили в моду. Дом генерала Риттера в

Грюневальде не был исключением, подобных забавников расплодилось видимо-невидимо. Казалось, бонзы третьего рейха торопятся погрузиться в пучину разврата, осуществить самые извращенные свои фантазии, пока их час не пробил. Манфред считал, что должен уберечь Ариану от всех этих гнусностей. Но появиться с ней в обществе оказалось истинным наслаждением. Фон Трипп и забыл, как это приятно — прогуливаться среди праздничной толпы с очаровательной спутницей, ловить на себе завистливые взгляды, любоваться сиянием, которое источает любимая женщина. Их уединенная жизнь в Ванзее не утратила своей привлекательности, но и светские развлечения сулили немало радостей.

— Ты не расстроен тем, что мы больше никуда сегодня не едем?

Он блаженно покачал головой.

— Есть еще один бал в Летнем дворце в Шарлоттенбурге. Там, наверно, будет весело. Но, думаю, у нас в Ванзее будет еще веселее.

Он бросил на нее взгляд, полный любви, и оба улыбнулись.

Вернувшись домой, они быстро поднялись в спальню и упали друг другу в объятия.

На следующий день во время завтрака Ариана была непривычно задумчива, и Манфред помалкивал, поглядывая на нее с озадаченным видом. На службу в этот день идти было не нужно — в это воскресенье дежурил Гильдебранд.

Манфред и Ариана отправились на прогулку в Тиргартен. На покрытом льдом Новом озере они взяли напрокат коньки и долго катались среди празднично одетой публики — мужчин в военной форме и хорошеньких женщин. С трудом верилось, что вокруг бушует война.

После катка Манфред отвез ее в кафе на Курфюрстендам, в квартал, который всегда напоминал Ариане Елисейские поля в Париже — перед самой войной отец возил их с Герхардом во Францию. В кафе на Курфюрстендам собирались те немногочисленные писатели и художники, кто еще оставался в Берлине. Как и повсюду, преобладали мужчины в военной форме, но атмосфера была уютная, раскованная, и приятно расслабившаяся Ариана впала в полусонное состояние и даже зевнула.

— Устала, милая?

В этот момент вдали раздались завывания сирены и грохот бомб. Манфред и Ариана быстро вышли из кафе и направились к автомобилю.

Они ехали по Курфюрстендам, двигаясь в сторону Ванзее. Ариана прижалась к плечу Манфреда, взяла его под руку.

— Видишь вон ту церковь?

Он на миг оторвал взгляд от дороги и увидел знакомый силуэт церкви поминовения императора Вильгельма.

— Да, вижу, а что? Ты вдруг решила удариться в религию? — пошутил он, и они оба улыбнулись.

— Нет, просто я хочу, чтобы ты знал: мы с тобой обвенчаемся в этой церкви.

— В церкви императора Вильгельма?

— Да.

Она взглянула на обручальное кольцо с бриллиантом.

Тогда Манфред обнял ее за плечи.

— Я запомню это, любовь моя. Ты довольна?

Бомбежка прекратилась — во всяком случае до поры до времени.

— Да, я никогда еще не чувствовала себя такой счастливой.

Когда пришли фотографии, сделанные на балу, по запечатленному камерой лицу Арианы было видно, что она не преувеличивала — ее черты буквально лучились счастьем. Снимки удались на славу: тонкая девушка со светящимися любовью глазами и высокий офицер в парадном мундире, горделиво глядящий прямо в объектив.

Глава 22

В самом конце рождественской недели Манфред добился своего, и они отправились за покупками в универмаг «Грюнфельд», расположенный в самом центре Берлина. Фон Трипп хотел пополнить гардероб своей невесты. Дело в том, что капитан фон Райнхардт все настойчивее требовал, чтобы Манфред перестал изображать из себя затворника и не сторонился своих сослуживцев.

— Он на тебя сердится, да? — встревоженно спросила Ариана; они как раз ехали в машине по направлению к центру.

Манфред погладил ее по руке и улыбнулся:

— Нет. Но я уже больше не смогу изображать из себя отшельника. Конечно, мы не обязаны каждый вечер появляться в обществе, но время от времени придется принимать приглашения на званые вечера. Ты это переживешь?

— Конечно. Давай поедем в гости к генералу Риттеру и полюбуемся на его переодетых мужчин, — лукаво предложила Ариана, и Манфред, не выдержав, рассмеялся:

— Перестань!

Они провели в универмаге целых три часа и вышли оттуда так нагруженные коробками, что разместить все покупки в машине оказалось не так-то просто. Ариане купили еще одно пальто, пиджак, полдюжины шерстяных платьев, три платья для коктейля, бальное платье, очаровательный костюм, похожий на мужской смокинг, только вместо брюк длинная узкая юбка с разрезом на боку. И еще Ариана получила в подарок длинное облегающее платье из золотой парчи, которое напомнило ей наряды покойной матери.

— Господи, Манфред, зачем мне столько одежды?

Фон Трипп и в самом деле перестарался. Но ему было так приятно ее баловать. Наконец-то рядом с ним снова любимая женщина, которую можно защищать, лелеять, развлекать, покупать ей наряды. Манфред и Ариана очень сблизились: никогда еще она не чувствовала себя так естественно и свободно в обществе другого человека...

Впрочем, все новые наряды Ариане пригодились. Несколько раз они с Манфредом ездили на концерты в филармонию, посетили официальный прием в рейхстаге для членов законодательного собрания и военной верхушки; побывали на банкете в замке Бельвю, не говоря уж о многочисленных званых вечерах, проведенных в компании сослуживцев Манфреда. Понемногу берлинское общество привыкло видеть фон Триппа и Ариану вместе. Считалось само собой разумеющимся, что после окончания войны эта пара поженится.

— Чего ты ждешь, Манфред? — спросил как-то фон Триппа один из приятелей на вечеринке. — Почему бы вам не пожениться прямо сейчас?

Фон Трипп вздохнул и взглянул на золотой перстень с печаткой, который носил на левой руке.

— Она слишком юна, Иоганн. В сущности, Ариана
еще ребенок. — Он снова вздохнул. — Да и времена
сейчас тяжелые. Я хочу, чтобы у Арианы была возможность принять столь важное решение не под гнетом внешних обстоятельств, а по велению сердца. — Он печально
покачал головой: — Если, конечно, нормальные времена когда-нибудь наступят.

— Ты прав, Манфред. Времена сейчас действительно неважные. И именно поэтому вам лучше не тя-
нуть со свадьбой. — Лейтенант понизил голос: — Сам
понимаешь, долго мы не продержимся.

— Думаешь, не выдержим натиска американцев?
Иоганн покачал головой:

— Честно говоря, меня больше беспокоят русские.
Если они доберутся до Берлина первыми, нам всем конец. Одному Богу известно, что они здесь устроят. Если
даже мы останемся в живых, нас наверняка загонят в
концлагеря. У человека семейного все-таки больше шансов избежать этой участи. Да и американцы будут к
Ариане любезнее, если она получит статус законной жены
кадрового офицера.

— Неужели ты думаешь, что конец так близок?
Иоганн отвел глаза и замолчал.

— Видимо, да, — сказал он не сразу. — И так же
считает ближайшее окружение фюрера.

— Сколько же мы сможем продержаться?
Приятель пожал плечами:

— Два месяца, три... Если произойдет чудо, то четыре. Но война почти закончена. Германия никогда уже
не будет такой, какой мы ее привыкли видеть.

Манфред медленно кивнул, думая, что Германия и
так уже давно перестала быть страной, которую он когда-то так любил. Может быть, после войны у нее по-

явится шанс возродиться вновь — конечно, если союзники не разорят ее дотла.

В последующие дни Манфред с крайней осторожностью попытался выяснить, насколько достоверна информация, полученная им от Иоганна. Осведомленные знакомые дали понять, что именно так дела и обстоят. Вопрос заключался не в том, падет ли Берлин, спорили лишь, сколько он продержится. И тогда фон Трипп понял, что необходимо сделать кое-какие приготовления.

Он переговорил с нужными людьми и через два дня сделал Ариане подарок, приведший ее в полный восторг.

— Какая прелесть! — восхитилась она. — Но ведь у нас уже есть «мерседес»!

Перед домом стоял серый невзрачный «фольксваген» модели 1942 года. Человек, продавший Манфреду автомобиль, утверждал, что машина прочная и надежная. Если бы не бомбежка, после которой хозяин «фольксвагена» потерял обе ноги, он ни за что не расстался бы со своим сокровищем. Манфред не стал объяснять Ариане, по какой причине автомобиль поменял хозяина. Без лишних слов он усадил ее за руль и сам сел рядом.

— Мой «мерседес» остается. А эта машина будет твоей.

Они сделали круг по кварталу, и Манфред убедился, что Ариана водит машину не так уж плохо. Весь последний месяц он давал ей уроки вождения на своем «мерседесе», а «фольксваген» в управлении гораздо проще. Когда они вернулись к дому, у Манфреда был такой озабоченный вид, что Ариана тоже посерьезнела. Коснувшись его руки, она спросила:

— Манфред, зачем ты купил эту машину?

Она и так догадалась об истинной причине, но хотела, чтобы он сам об этом сказал. Неужели нужно будет уезжать? Неужели придется скрываться бегством?

Манфред взглянул на нее, в его глазах застыли тревога и страдание.

— Ариана, я думаю, что война скоро кончится. Это будет облегчением для всех нас.

Он обнял ее и крепко прижал к себе.

— Но перед самым концом нам предстоят тяжелые испытания. Берлин, очевидно, подвергнется штурму. Наша армия без боя не сдастся. Это будет не похоже ни на аншлюс*, ни на падение Парижа. Мы, немцы, будем биться до последнего, американцы и русские тоже не отступят... Скорее всего последняя битва войны будет самой кровопролитной.

— Но ведь мы с тобой в безопасности у нас дома.

Ариана очень не любила, когда Манфред чего-то боялся, а сейчас было видно, что он не на шутку испуган.

— Может быть, и так. Но я не хочу рисковать. Если город падет, если его оккупируют, если со мной что-нибудь случится... Я хочу, чтобы ты села в эту машину и уехала отсюда. Как можно дальше.

Он произнес эти слова с такой железной решимостью, что в глазах Арианы отразился ужас:

— Когда кончится бензин, ты бросишь машину и дальше пойдешь пешком.

— Я должна бросить тебя здесь? Ты с ума сошел! Да и куда я пойду?

— Куда угодно. К ближайшей границе. Доберешься до Эльзаса, оттуда — во Францию. Американцам скажешь, что ты эльзасская уроженка, все равно они ничего в этом не смыслят.

---

* Аншлюс — насильственное присоединение Австрии к Германии в 1938 году.

— К черту американцев! Что будет с тобой?

— Я разыщу тебя. Но сначала нужно покончить с делами здесь. Бежать я не могу. У меня есть долг, я — офицер.

Но Ариана отчаянно замотала головой, приникла к нему и вцепилась в его рукав изо всех сил.

— Манфред, я тебя не брошу. Никогда. Если меня убьют — пусть. Даже если Берлин обрушится мне на голову, все равно я тебя не оставлю. Мы будем вместе до самого конца. Если что, пусть забирают нас обоих.

— Не нужно драматизировать.

Он погладил ее, обнял. Манфред понимал, что его слова пугают Ариану, но он должен был все ей объяснить. Кончался март, и ситуация стала гораздо более критической, чем в декабре. Британцы и канадцы дошли до Рейна, американцы оккупировали Саарбрюккен.

— Ну, раз уж ты решила быть со мной...

Он ласково улыбнулся. Дело в том, что Манфред собирался воспользоваться советом Иоганна. Действительно, положение любовницы офицера вермахта делало Ариану слишком уязвимой. Уже одно это было достаточной причиной.

— Если вы, моя юная госпожа, так упрямы, может быть, все же соизволите выйти за меня замуж? — улыбнулся он.

— Как, сейчас? — поразилась Ариана.

Она знала, что Манфред хочет во что бы то ни стало дождаться конца войны. Но он подтвердил свои слова кивком, и Ариана тоже заулыбалась. Ей не нужно было выискивать какие-то особые причины — достаточно было взгляда, которым он на нее смотрел.

— Да, прямо сейчас. Я не хочу больше ждать. Ты должна стать моей женой.

— Ура!

Она радостно замолотила кулаками по его спине, потом отодвинулась, запрокинула голову, и лицо ее просияло детской счастливой улыбкой.

— И у нас прямо сразу будет ребенок, да?

Манфред расхохотался:

— Ариана, милая... Может быть, все-таки подождем несколько месяцев? Или ты думаешь, что к тому времени я буду уже слишком стар и не смогу сделать ребенка? Ты из-за этого так торопишься?

Он смотрел на нее с нежной улыбкой, а она отрицательно покачала головой.

— Ты никогда не будешь старым, Манфред. Никогда. — Ариана вновь приникла к нему и закрыла глаза. — Я всегда буду любить тебя, милый. До конца своих дней.

— Я тоже всегда буду любить тебя, — сказал он, моля Бога только об одном — чтобы они оба пережили надвигающиеся события и остались живы.

Глава 23

Десять дней спустя, в первую субботу апреля, Ариана торжественно шествовала по проходу церкви Марии Регины (она же церковь поминовения императора Вильгельма) на Курфюрстендам. Рядом с невестой шел жених, Манфред Роберт фон Трипп. В качестве свидетеля присутствовал Иоганн. Больше не было никого — ни подружек невесты, ни шаферов, ни гостей.

У алтаря этой прекрасной церкви венчающихся ждал пожилой священник. Манфред чувствовал, как Ариана едва заметно сжимает пальцами его руку. Она была одета в простой белый костюм с широкими плечами, еще более подчеркивающими хрупкость тонкой фигурки. Золотые волосы были уложены мягкими волнами, обрамлявшими лицо, которое невеста прикрыла легчайшей вуалью. Никогда еще Ариана не казалась Манфреду такой прекрасной. Каким-то чудом ему удалось раздобыть букет белых гардений — две Ариана вдела в петлицу, третью прикрепила к прическе. В этот торжественный день она надела на правую руку бриллиантовый перстень Кассандры, а на левую — обручальное кольцо, которое ей подарил Манфред.

Для венчания фон Трипп купил в ювелирном магазине «Луи Вернер» тоненькое золотое кольцо. Когда церемония подходила к концу, он надел своей суженой кольцо на палец и со счастливым вздохом облегчения поцеловал ее в губы. Итак, это событие свершилось. Ариана стала госпожой фон Трипп. Что бы теперь ни произошло, она — его законная супруга. Манфред вспомнил о своей первой жене, Марианне, более зрелой и сильной, чем эта хрупкая девушка. Ему показалось, что Марианна существовала в какой-то другой жизни. Манфред знал, что его и Ариану связывают нерасторжимые узы, и в ее глазах он читал ответное чувство.

— Я люблю тебя, милая, — шепнул он ей, когда они садились в машину.

Ее лицо буквально излучало сияние. Ариане казалось, что счастливее их нет никого на свете. На прощание они помахали рукой Иоганну и выехали на Курфюрстендам, чтобы отметить радостное событие вдвоем в ресторане. Манфред сказал, что это будет их «медовый месяц», после чего они вернутся домой. На повороте Ариана оглянулась, чтобы еще раз взглянуть на церковь. В этот миг раздался оглушительный грохот и треск, Ариана в ужасе вцепилась в рукав мужа. Церковь буквально рассыпалась у нее на глазах, распавшись на миллион обломков. Манфред изо всей силы нажал на газ и велел Ариане лечь на пол — обломки могли пробить ветровое стекло и попасть внутрь автомобиля.

— Не поднимай голову! — крикнул он, гоня на полной скорости. Навстречу уже неслись пожарные машины, из-под колес едва успевали выскочить пешеходы. Ариана была настолько потрясена случившимся, что впала в оцепенение, но, когда стало ясно, что опасность миновала, девушку начали душить рыдания. Манфред остановил машину, когда они уже доехали до

Шарлоттенбурга. Он усадил Ариану на сиденье, прижал ее к груди.

— Дорогая, мне так жаль, что это произошло...

— Еще бы чуть-чуть, и мы бы с тобой тоже... — истерически всхлипывала она.

— Все в порядке, любимая. Все кончилось... Все в порядке, Ариана...

— А как же Иоганн? Вдруг он...

— Я уверен, что он успел отъехать.

На самом деле Манфред вовсе не был в этом уверен. На него накатила волна смертельной усталости. Сколько же будет длиться эта гнусная война! Люди, здания, памятники, города, которые были ему дороги, превращались в прах и тлен...

До дома они ехали в полном молчании. Притихшая Ариана вся дрожала в своем белом костюме, под невесомой вуалью. Лишь гардении наполняли салон автомобиля своим экзотическим ароматом. Манфред подумал, что запах гардений всегда будет напоминать ему об этом вечере — о том, как они стали мужем и женой, как чудом спаслись от смерти. Он почувствовал, что сейчас разрыдается от облегчения, усталости, ужаса, безграничной жалости к этой тонкой, прекрасной женщине, которая стала его женой. Но Манфред сдержался и лишь прижал к себе Ариану, на руках внес ее в дом, поднялся по лестнице в спальню. Там, забыв обо всем на свете, они слились в единое целое.

Глава 24

— Иоганн нашелся? — с беспокойством спросила Ариана, когда Манфред на следующий день вернулся со службы.

— Да, с ним все в порядке, — буркнул тот, боясь, что Ариана почувствует в его словах фальшь.

На самом деле Иоганн погиб под обломками церкви. Когда Манфреду сообщили об этом, он целый час не мог прийти в себя — сидел, не в силах унять дрожь. Еще один близкий человек ушел из жизни... Фон Трипп со вздохом опустился в свое любимое кресло и сказал:

— Ариана, мне нужно очень серьезно с тобой поговорить.

Она хотела перевести разговор в шутку, хоть как-то смягчить напряжение, читавшееся в его взгляде, однако ничего не вышло. Жизнь в Берлине в последние дни не располагала к веселью.

Ариана притихла и, глядя ему в глаза, спросила:

— Что такое, Манфред?

— Я хочу, чтобы мы с тобой разработали план действий на случай чрезвычайной ситуации. Ты должна быть готова ко всему. Это очень важно... Слушай меня внимательно.

— Я слушаю, — кивнула она.

— Где лежат деньги и пистолет, ты знаешь. Если произойдет нечто непредвиденное, возьми все это, возьми кольца твоей матери и уезжай.

— Куда? — растерялась она.

— По направлению к западной границе. В «фольксвагене» есть дорожный атлас. Отныне бак машины все время будет наполнен горючим. Я поставил в гараж запасную канистру. Прежде чем отправляться в путь, убедись, что бак действительно полный.

Ариана снова кивнула, встревоженная всеми этими наставлениями. Она твердо знала, что никуда без него не уедет.

— Но как ты себе это представляешь? — не выдержала она. — Я просто так возьму и уеду, бросив тебя здесь?

— Ариана, возможно, у тебя не будет выбора. Если твоя жизнь окажется в опасности, ты должна действовать быстро. Невозможно представить, что начнется в городе, когда его займут союзники. Будут грабежи, убийства, изнасилования.

— Ты так говоришь, словно мы живем в средневековье.

— Ариана, наша страна не знала более мрачного периода в своей истории. Если меня не будет рядом, тебя никто не защитит. Я могу застрять в рейхстаге надолго — на несколько дней, а то и на несколько недель.

— Неужели ты думаешь, что мне позволят уехать из города на этом автомобильчике, с кольцами моей матери, с твоим пистолетом? Это просто смешно!

— Здесь нет ничего смешного! Слушай же меня! Я хочу, чтобы ты отъехала от города на машине как можно дальше. Потом брось «фольксваген». Иди пешком, ползи, укради велосипед, прячься в лесу, но поскорее уноси ноги из Германии. Союзники давно перешли границу, поэтому оказаться во Франции будет не так уж сложно. Там безопаснее всего. Думаю, ты без труда пересечешь оккупированную зону. В Швейцарию попасть было бы значительно труднее. Я хочу, чтобы ты направилась в Париж.

— В Париж? — удивилась она. — Но ведь он в шестистах милях отсюда.

— Я знаю. Не важно, сколько времени займет у тебя дорога, но ты должна туда попасть. У меня в Париже есть друг, мы с ним вместе учились.

Манфред достал блокнот и аккуратным почерком написал имя и адрес.

— Почему ты думаешь, что он остался жив?

— Все эти шесть лет я старался не упускать его из виду. В детстве он болел полиомиелитом, поэтому в армию его не призывали. Во время оккупации он был заместителем министра культуры и доставлял нашему командованию массу неприятностей.

— Ты думаешь, он участвовал в Сопротивлении? — заинтересовалась Ариана.

— Зная Жан-Пьера, я в этом почти не сомневаюсь. Однако он человек умный и осторожный, поэтому не попался. Если кто-то и сможет тебе помочь, так только он. Я знаю, что Жан-Пьер позаботится о тебе до моего приезда. Если он скажет, оставайся в Париже. Если отправит тебя в другое место — поезжай. Я целиком полагаюсь на этого человека. — Манфред угрюмо посмотрел на жену. — Ведь я доверяю ему тебя...

Он протянул ей вырванный из блокнота листок, и она прочла имя: Жан-Пьер де Сен-Марн.

— И что теперь? — грустно спросила Ариана, глядя на листок. Но в глубине души она понимала, что Манфред прав.

— Ждать. Осталось уже недолго. — Он нежно улыбнулся. — Я тебе обещаю. — Тут его лицо вновь посуровело. — Отныне ты должна быть все время наготове. Пистолет, кольца, деньги, адрес Сен-Марна, теплая одежда, запас еды, залитый бак.

— Слушаюсь, господин обер-лейтенант, — улыбнулась она и отдала честь, но лицо Манфреда осталось серьезным.

— Надеюсь, Ариана, что тебе все это не понадобится.

Ее лицо померкло, и она кивнула:

— Я тоже на это надеюсь. — Немного помолчав, она добавила: — А после войны я хочу попытаться найти брата.

Ариана все еще не утратила надежды на то, что Герхард остался жив. Теперь, когда прошло столько времени, она понимала, что у Вальмара шансов уцелеть практически не было, но Герхард — дело другое.

Манфред понимающе кивнул:

— Да, мы сделаем все возможное.

Остаток вечера прошел тихо, а на следующий день они отправились гулять на пустынный пляж. Летом песчаные пляжи Большого озера пользовались у берлинцев огромной популярностью, но в это время года Манфред и Ариана гуляли там в одиночестве.

— Может быть, к следующему лету все закончится и мы будем здесь загорать, — с надеждой улыбнулась она.

Манфред нагнулся и поднял ракушку, протянул ей. Ракушка была красивая, гладкая, того же голубого оттенка, что ее глаза.

— Надеюсь, все так и будет, — сказал он, глядя на воды озера.

— И мы поедем в твой замок.

Она произнесла это таким уверенным тоном, что Манфред не удержался от улыбки.

— Да, если мне его вернут. Ты хотела бы там жить?

— Да, очень.

— Отлично. Обязательно туда поедем.

В последнее время у них появилось нечто вроде игры — они представляли себе, что будут делать, когда «все это закончится», словно таким образом могли ускорить окончание войны и начало новой жизни.

Назавтра Манфред ушел на службу, а Ариана послушно занялась приготовлениями к бегству: достала из тайника пистолет, кольца, деньги, собрала провизию, приготовила листок с парижским адресом, проверила, полон ли бак бензина. Когда она вышла во двор, издали явственно донесся рокот канонады. Днем на город опять падали бомбы.

Манфред вернулся домой раньше обычного. Ариана сидела в подвале (бомбежка еще не закончилась), слушала радио и читала книгу.

— Что случилось? — удивилась она. — По радио объявили...

— Не важно, что они объявили. Ты собралась?

— Да, — дрогнувшим голосом ответила Ариана.

— Мне вечером нужно быть в рейхстаге. Они мобилизуют всех на оборону здания. Не знаю, когда смогу вернуться. Ты уже взрослая, действуй самостоятельно. Дождись, пока закончится штурм города, а потом делай все, как мы договорились.

— А как я выберусь из города, если он будет взят?

— Ничего, выберешься. Беженцев, в особенности женщин и детей, они останавливать не будут.

— А ты?

— Я разыщу тебя, когда все кончится.

Взглянув на часы, он поднялся к себе, чтобы захватить кое-какие вещи. Обратно по лестнице Манфред спускался медленно.

— Ну, мне пора.

Они припали друг к другу и стояли так, казалось, целую вечность. Ариана хотела умолять Манфреда, чтобы он не уходил, чтобы послал к черту и Гитлера, и армию, и рейхстаг. Пусть останется здесь, дома, где они оба будут в безопасности.

— Манфред, — начала она, и по ее панически дрогнувшему голосу он сразу понял, что последует дальше.

Манфред закрыл ей рот поцелуем и покачал головой:

— Не нужно, дорогая. Я должен идти, но скоро я вернусь.

Из ее глаз хлынули слезы. Он вышла вслед за ним во двор, остановилась возле «мерседеса». Манфред ладонью вытер ей мокрое лицо.

— Не плачь, милая. Обещаю — со мной все будет в порядке.

Ариана обхватила его руками за шею.

— Если с тобой что-нибудь случится, я умру.

— Ничего не случится, я же тебе обещал.

Изобразив на лице улыбку, Манфред снял с пальца перстень с печаткой, положил Ариане на ладонь, заставил ее сжать пальцы.

— Побереги его до нашей встречи.

Ариана улыбнулась, они поцеловались еще раз, а затем Манфред сел в машину и, махнув на прощание рукой, поехал по направлению к центру города.

Потянулись дни, которые Ариана проводила возле приемника. Передавали сводки об уличных боях в Берлине. К вечеру двадцать шестого апреля боевые действия охватили весь город — от Грюневальда до Ванзее. Ариана безвылазно сидела в погребе. Со всех сторон доносились взрывы и выстрелы; Ариана даже не решалась подняться в дом. Она слышала, что русские наступают по Шёнхаузераллее в сторону Штаргардерштрассе, но, конечно, не могла знать, что все берлинцы, как и она, попрятались по погребам и подвалам, испытывая нехватку еды, воды и воздуха. Никакой эвакуации гражданского населения не проводилось. Даже маленькие дети были обречены разделить судьбу взрослых. Берлинцы сидели, забившись по норам, как крысы, и ждали конца. Им даже не было известно, что ставка уже перенесена из Берлина.

В ночь на первое мая по радио объявили, что Гитлера больше нет. Прятавшиеся по подвалам и погребам берлинцы выслушали это сообщение в полном оцепенении. Охваченный сражением, город горел — союзники продолжали наращивать огневую мощь. После сообщения о смерти фюрера стали транслировать Седьмую симфонию Вагнера. Ариана сидела в погребе и слушала музыку, временами заглушаемую грохотом боя. Она вспоминала день, когда слышала эту симфонию в последний раз. Это было в Оперном театре, куда они отправились втроем — отец, брат и она. А теперь Ариана сидела и ждала, пока закончится кровопролитие. Все ее мысли были устремлены к Манфреду, находившемуся где-то в самом центре этой бойни. Ночью по радио передали, что Геббельс и его семья, включая шестерых детей, добровольно ушли из жизни.

Второго мая на трех языках передали приказ о прекращении огня. Русскую речь Ариана не поняла, немецкому извещению попросту не поверила, но, когда те же самые слова повторили на английском, она поняла, что война и в самом деле закончилась. При этом выстрелы не прекращались; в окрестных кварталах по-прежнему шел бой. Но в небе больше не раздавалось гудения самолетов, последний акт драмы разыгрывался на земле. Мародеры громили соседние дома, не обращая внимания на то, что многие берлинцы оставались дома. В Ванзее грабежи продолжались три дня, затем воцарилась зловещая, неестественная тишина. Впервые за несколько недель не было шума, грохота, криков. Лишь изредка молчание нарушали чьи-то голоса, потом вновь наступала тишина. Ариана сидела одна, прислушиваясь. Какофония сменилась безмолвием пятого мая.

Как только рассвело, Ариана решила отправиться на поиски Манфреда. Если город захвачен союзниками, необходимо выяснить, где муж, что с ним. Теперь он больше не должен оборонять рейхстаг, ведь рейх больше не существует.

Впервые за долгое время Ариана поднялась наверх, в свою спальню, и оделась как можно скромнее: натянула шерстяные чулки, старые башмаки, теплую бесформенную юбку. Сверху надела свитер и куртку, а пистолет Манфреда спрятала в карман, под перчатку. Больше она ничего с собой брать не стала — она ведь не собиралась уезжать из Берлина, хотела только найти своего мужа. Если отыскать его не удастся, она вернется домой и будет ждать. Выйдя на улицу, Ариана чуть не задохнулась от свежего воздуха, и еще она ощутила едкий запах дыма. Ариана села в свой маленький «фольксваген», включила двигатель, нажала на акселератор.

Понадобилось всего двадцать минут, чтобы добраться до центра города. Ариана смотрела в окно и не верила своим глазам: улицы были завалены обломками, дальше ехать было невозможно. На первый взгляд казалось, что от центра Берлина совсем ничего не осталось. Однако, приглядевшись, Ариана увидела, что некоторые здания были изуродованы пулями и осколками — здесь много дней подряд шел ожесточенный бой. Ариана все осматривалась по сторонам, не в силах до конца уяснить масштабы произошедшей трагедии. Однако она поняла, что в машине до рейхстага не добраться. Дав задний ход, Ариана вырулила в неприметный переулок и постаралась поставить машину так, чтобы она не слишком бросалась в глаза. Ключи она положила в карман, проверила, на месте ли пистолет, потуже замоталась в шарф и отправилась дальше пешком. Она знала лишь одно — нужно найти Манфреда.

Но на улице ей встречались лишь британские и американские солдаты, двигавшиеся по направлению к рейхстагу. Кое-где, правда, встречались и зеваки из числа местных жителей. Они пугливо поглядывали на победителей, многие явно намеревались покинуть город. Уже в непосредственной близости от рейхстага Ариана встретила и немецких солдат: грязные, оборванные, валившиеся с ног от усталости, они жались друг к другу, окруженные американскими конвоирами. У американских солдат вид был такой же усталый и грязный, но в руках они держали автоматы. Глядя на военных, Ариана поняла, до какой степени отчаянной была эта последняя схватка. Вот к чему привели ее страну фашисты... Пять тысяч немецких солдат обороняли рейхстаг, и каждый второй погиб. В это время мимо повели еще одну колонну военнопленных. Ариана ахнула, увидев среди них Гильдебранда. Лицо у лейтенанта было в синяках и кровоподтеках, лоб обмотан окровавленным бинтом, он смотрел прямо перед собой невидящим взглядом. Ариана замахала рукой, бросилась к Гильдебранду. Он должен знать, где Манфред. Однако ее сразу же остановили двое американских конвоиров. Ариана стала умолять по-немецки, чтобы они ее пропустили, но американцы не слушали. Тогда она во весь голос позвала Гильдебранда:

— Гильдебранд! Гильдебранд! Где Манфред?

Лейтенант обернулся и посмотрел куда-то влево. Ариана проследила за его взглядом и застыла на месте от ужаса. На мостовой ровными штабелями были сложены трупы, собранные для транспортировки на кладбище. Изорванные в лохмотьях мундиры, искаженные предсмертной гримасой лица. Ариана медленно двинулась вдоль страшной шеренги и почти сразу же, словно по воле судьбы, нашла того, кого искала.

Она узнала родное лицо не столько рассудком, сколько сердцем. Ариана застыла на месте, отказываясь верить. Рот ее раскрылся, но рвавшийся из горла крик так и остался беззвучным. Даже американцы не могли оттащить ее от убитого. Ариана опустилась рядом с ним на колени и вытерла грязь с его лица.

Она просидела так почти час. Потом до нее внезапно дошел смысл случившегося. Ариана поцеловала Манфреда в закрытые глаза, провела рукой по его лицу, вскочила и побежала прочь. Она мчалась со всех ног по направлению к тому переулку, где оставила свой маленький автомобиль. Там уже возились двое мужчин, пытавшихся завести мотор. Решительно сузив глаза, Ариана вытащила пистолет, направила его на своих соотечественников и заставила их поднять руки. Потом села в машину, захлопнула дверь и, по-прежнему держа пистолет на изготовку, включила зажигание. Из переулка она выехала на задней передаче, развернулась и погнала машину вперед.

Теперь ей было нечего терять, не для чего жить. Меж разрушенных домов бродили мародеры — немцы, иностранные солдаты, в числе которых попадались и русские. Берлин еще не испил чашу страданий до дна. Возможно, ее убьют. Ну и пусть, какая теперь разница.

Однако она обещала Манфреду, что попытается спас-
тись. Слово нужно держать.

Ариана быстро добралась до Ванзее, бросила в машину заранее приготовленные вещи. Из съестного взяла вареный картофель, хлеб, немного мяса. Не забыла
деньги, парижский адрес, томик Шекспира. Обручальное кольцо Манфреда она оставила на пальце — пусть
только попробуют отобрать у нее эту реликвию. Оставила она и венчальное кольцо, и его перстень. Если кто-
то попытается отобрать у нее эти кольца, она будет
стрелять. Губы Арианы были решительно сжаты, глаза
прищурены. Она села в машину, положив пистолет рядом с собой. Бросила последний взгляд на дом, где жила
с Манфредом; к горлу подступили душераздирающие
рыдания. Человек, который спас ее, ушел из жизни.
Ушел навсегда. Подавленная этой мыслью, Ариана почувствовала, что может умереть — прямо здесь, сию
минуту. От Манфреда у нее осталось всего одно письмо, полное нежных слов и обещаний. Он написал это
письмо на следующий день после того, как они занимались любовью в первый раз. И еще Ариана захватила с
собой фотографии — те, что были сняты на Рождество, снимки, сделанные на балу в королевском дворце,
несколько карточек из Тиргартена, а также портреты
его первой жены и детей. Незачем чужим глазам пялиться на эти снимки. Они принадлежат ей, Ариане. И
Манфред тоже принадлежит ей — до конца ее дней.

Глава 25

Слившись с многотысячным потоком беженцев — главным образом пеших и велосипедистов, хотя изредка в этом потоке попадались и автомобили, — Ариана поехала в западном направлении. Союзники не пытались останавливать женщин, стариков и детей, в панике бежавших из обреченного города. Смотреть на все это было невыносимо. Несколько раз Ариана останавливалась, чтобы помочь очередному несчастному. В конце концов она поняла, что подобные остановки небезопасны — всякий раз кто-то непременно пытался отобрать у нее машину. Посадить к себе она рискнула лишь двух пожилых женщин, которые были ей бесконечно благодарны. Они жили в Далеме, но сейчас мечтали только об одном — поскорее унести ноги из города. Их магазин на Курфюрстендам утром был разгромлен, их мужья погибли, и обе боялись, что им тоже не суждено остаться в живых.

— Американцы всех нас убьют, фрейлейн, — всхлипывая, причитала та, что постарше.

Ариана была иного мнения на этот счет, но слишком устала, чтобы вступать в споры. В ее душевном состоянии беседа с другим человеком представлялась невы-

носимой мукой. Однако она знала: если бы американцы
и в самом деле намеревались перебить всех немцев, они
могли бы сделать это и раньше. «Фольксваген» еле та-
щился по запруженной людьми дороге. В конце концов
Ариане удалось свернуть на знакомый проселок, по которому можно было двигаться несколько быстрее. Бензин кончился в Касселе, находившемся в двухстах милях
от Берлина.

Своих попутчиц Ариана высадила еще в Кальбе, где
тех с распростертыми объятиями и слезами встретили
двоюродные сестры. Наблюдая эту сцену, Ариана чувствовала нечто вроде зависти. Ведь ее на всем белом
свете никто теперь не ждал. Оставшись одна, она гнала
машину вперед, находясь в странном оцепенении. В конце
концов автомобиль замедлил ход и остановился. Запас-
ная канистра оказалась пуста — Ариана забыла ее на-
полнить. До Саарбрюккена, где, по плану Манфреда,
она должна была перейти французскую границу, оставалось еще полдороги — двести миль. Молодая женщина
сидела неподвижно, думая о людских толпах, хлынув-
ших на запад из германской столицы. Теперь она превратилась в песчинку, затерянную в этом потоке. У нее
нет друзей, нет имущества, и идти ей тоже некуда. Вытерев слезы, Ариана бросила последний взгляд на маленький серый автомобиль, подхватила узел с вещами и
пешком отправилась дальше на запад.

Понадобилось два дня, чтобы преодолеть сорок миль
до Марбурга. Оттуда старый деревенский доктор под-
вез ее до Майнца. Они ехали вместе три часа, но почти
не разговаривали. Благодаря доктору Ариана выиграла
целых восемьдесят миль. В Майнце врач сочувственно
посмотрел на свою спутницу и предложил подвезти ее
до Нойкирхена, сказав, что это, в принципе, ему по

дороге. Ариана с благодарностью согласилась, хотя происходящее доходило до нее с трудом.

В Нойкирхене Ариана поблагодарила своего благодетеля, уставилась на него невидящим взглядом, словно хотела сказать что-то еще, но не договорила. За последние часы с ней произошло нечто непонятное — чувство утраты, раздавленной надежды, бездонного отчаяния словно смерзлось внутри нее в некий неподвижный ком. Ариана уже плохо понимала, куда она направляется. Но она твердо помнила две вещи: во-первых, бежать из Берлина ей велел Манфред, а во-вторых, Манфред — ее муж. Раз он сказал, что нужно ехать в Париж, стало быть, так тому и быть. Может быть, парижский друг Манфреда все ей объяснит, скажет, что страшная картина, виденная ею возле рейхстага, — всего лишь сон. Возможно, Манфред уже в Париже, дожидается ее приезда.

— Фрейлейн?

Врач видел у нее на пальце кольцо, но ему не верилось, что эта девочка действительно замужем. Скорее всего надела кольцо, рассчитывая, что оно ее защитит. Однако вряд ли для солдат это будет иметь хоть какое-то значение. А старого доктора ей бояться нечего. Он ласково улыбнулся и помог ей снять с сиденья узел с вещами.

— Большое вам спасибо, — повторила она, и вновь он ощутил на себе ее остановившийся взгляд.

— С вами все в порядке?

Она не ответила.

— Если хотите, через несколько дней я могу отвезти вас обратно в Марбург.

Нет, она не намерена туда возвращаться. Ариана твердо знала, что ее путь лежит только в одну сторону. Последнее «прости» уже сказано.

— Спасибо, но я останусь у матери, — тихо ответила она, не желая признаваться, что решила эмигрировать из Германии.

Верить никому нельзя, даже этому симпатичному доктору.

— Спасибо.

Она вежливо пожала ему руку и остановилась, чтобы дать машине отъехать. Теперь оставалось пройти пешком двадцать миль до Саарбрюккена, там еще десять миль до французской границы, и тогда все будет в порядке.

Но добрых попутчиков больше не попадалось, и Ариана тащилась пешком по дороге целых три дня. Она устала, замерзла, оголодала, у нее болели ноги. Продовольствие кончилось в первый же день. Дважды она обращалась за помощью к фермерам, казалось, боявшимся всего на свете. Один дал ей два яблока, второй лишь отрицательно покачал головой. Через шесть дней после выезда из Берлина Ариана наконец достигла границы. Все-таки дошла, подумала она. Оставалось только пролезть под колючей проволокой. С трудом девушка преодолела эту последнюю преграду. Сердце у нее колотилось, в любой миг можно было ожидать выстрела какого-нибудь часового. Но война, судя по всему, действительно кончилась. Никто не охранял границу, никто не обратил внимания на грязную, изможденную молодую женщину в разорванной юбке и свитере, которая, цепляясь за колючую проволоку, выползла на французскую территорию. Оглядевшись по сторонам, Ариана устало прошептала: «Добро пожаловать во Францию».

Потом растянулась на земле и уснула.

Она проспала шесть часов, после чего ее разбудил звон церковных колоколов. Все тело онемело и ныло от усталости. Предшествующая жизнь — сначала в от-

цовском доме, потом под нежной опекой Манфреда —
никак не могла подготовить Ариану к подобным испы-
таниям. Она медленно двинулась вперед по дороге, но
полчаса спустя лишилась чувств и упала. Еще через два
часа на нее наткнулась пожилая крестьянка. Сначала
женщина подумала, что перед ней труп, но сердце под
свитером еле слышно билось, и старуха сходила домой
за невесткой. Вдвоем они кое-как притащили девушку в
дом. Они укутали ее, растерли, и Ариана в конце концов очнулась. Сначала ее вырвало, потом началась ли-
хорадка, продолжавшаяся два дня. Француженки были
уверены, что девушка не выживет. Они почти ничего о
ней не знали — лишь то, что она немка. Они поняли
это, когда обнаружили среди ее вещей рейхсмарки и
пистолет немецкого производства. Но крестьянок это
обстоятельство не остановило. Сын старухи четыре года
проработал в Виши на службе у нацистов. Что поделаешь — война есть война. Если эта девочка от кого-то
бежит, почему бы ей не помочь? Да и война уже кончилась. Крестьянки провозились с Арианой еще два дня.
Она не могла подняться, ее все время рвало, но в конце
концов, когда Ариане стало чуть лучше, она сказала,
что пойдет дальше. С этими женщинами Ариана разговаривала по-французски. Языком она владела в совер-
шенстве, акцента почти не было. Она вполне могла
выдавать себя за уроженку Страсбурга.

— И далеко ты собралась? — спросила старуха,
скептически глядя на нее.

— В Париж.

— Но это больше двухсот миль. Пешком тебе не
дойти, ты еле на ногах держишься.

Ариана и сама понимала, что крайне истощена. К
тому же в момент падения она, очевидно, ударилась
головой и получила сотрясение мозга. Иначе чем объяс-

нить постоянные приступы рвоты и боль в глазах? Сейчас она выглядела лет на десять старше, чем перед началом своего путешествия.

— Ничего, попытаюсь. Может быть, меня кто-нибудь подвезет.

— На чем? Немцы отобрали все автомобили. А то, что осталось, забрали американцы. У них лагерь в Нанси, и они рыщут по всей округе в поисках сохранившихся автомобилей.

Но тут невестка вспомнила, что старый кюре вечером собирается ехать в Мец. У священника есть лошадь и повозка. Если Ариане повезет, старик возьмет ее с собой.

И Ариане повезло — кюре согласился подвезти ее. В Мец они прибыли утром, и после нескольких часов езды по ухабам Ариане стало совсем плохо. Она не могла есть, не могла двигаться, но оставаться тоже было нельзя. Ей предстояло идти дальше, в Бар-ле-Дюк, до которого было сорок миль. Поэтому она не стала задерживаться в Меце и сразу двинулась в путь. Оставалось только надеяться, что ее подберет какая-нибудь попутная машина. Через четыре мили молитвы Арианы, казалось, были услышаны. На дороге показалась конная повозка. Возница был не стар и не молод, он не проявлял ни особой любезности, ни явной враждебности. Ариана, у которой при себе имелись кое-какие французские деньги, предложила ему заплатить, и возница позволил ей сесть с ним рядом. Несколько часов они молча катили по дороге; весеннее солнце нещадно припекало. Перед закатом возница остановил коня.

— Мы что, уже в Бар-ле-Дюке? — удивилась Ариана, однако мужчина покачал головой.

— Нет, но я устал и моя лошадь тоже.

Ариана и сама совсем выбилась из сил, но ей не терпелось побыстрее добраться до пункта назначения.

— Немножко отдохнем и поедем дальше, — сказал возница. — Это вас устраивает?

Ариану это не устраивало, но выбора у нее не было. Возница уже расстелил на земле куртку и принялся с аппетитом уплетать хлеб и сыр. Он жадно чавкал, не обращая внимания на Ариану. Но у нее все равно не было ни сил, ни желания есть. А смотреть, как он поглощает пищу, и вовсе было невыносимо. Ариана отошла подальше, легла на траву, использовав в качестве подушки свой узел, и закрыла глаза. Заходящее майское солнце нагрело землю, трава была мягкой и теплой. Ариана поняла, что засыпает.

Но тут она почувствовала, что кто-то грубо пытается стянуть с нее юбку. Возница навалился на Ариану, его руки пытались содрать с нее трусы. Застигнутая врасплох, девушка пыталась биться, царапаться, но он не обращал внимания на ее сопротивление. Подмяв Ариану под себя, он распластал ее на земле, и она почувствовала, как к ее бедрам прижимается что-то твердое и горячее. Но в самый последний миг что-то произошло — раздался крик, затем выстрел. Возница испуганно шарахнулся в сторону, не успев даже подтянуть штаны. Ариана проворно вскочила на ноги и пошатнулась, охваченная внезапным приступом дурноты. Но сильные руки схватили ее за плечи и осторожно опустили на землю.

— С вами все в порядке?

Ариана слабо кивнула, стараясь не поднимать глаз. Ей не хотелось, чтобы ее видели в таком состоянии.

Вопрос был задан по-английски: ее спаситель оказался американцем. Думая, что девушка его не поняла, американец повторил свой вопрос на ломаном французском. Это обрадовало девушку — значит, ее все-таки можно принять за француженку.

— Спасибо, — сказала она, поднимая голову.

Ариана увидела молодую симпатичную физиономию и густые каштановые волосы, выбивавшиеся из-под каски. На дороге стоял армейский джип, в котором сидели еще трое солдат.

— Он сделал вам больно? — спросил американец, но Ариана отрицательно покачала головой.

Тогда солдат размахнулся и врезал французу в челюсть.

— Получай, сволочь!

Местные жители вечно обвиняли их, американцев, в грабежах и насилиях, а на самом деле пакостят сами! Солдат взглянул на тоненькую светловолосую девушку, стряхивавшую пыль и грязь с одежды.

— Вас подвезти? — спросил он.

— Да, я еду в Париж, — слабо улыбнулась она.

«Это какое-то безумие, — думала Ариана. — Я стою и разговариваю с американским солдатом!»

— Мы можем довезти вас до Шалон-сюр-Марн. Оттуда до Парижа миль сто, но, может быть, я найду для вас попутку.

Неужели он и в самом деле поможет ей добраться до Парижа? Ариана смотрела на него, и по ее щекам текли слезы.

— Ну как? Вам это подходит?

Когда Ариана кивнула, улыбка американца стала еще шире.

— Ну тогда пойдем.

Она последовала за ним к джипу, а француз возница поднялся, стряхивая с себя пыль.

Американские солдаты оказались веселыми и жизнерадостными. Они с любопытством поглядывали на молчаливую Ариану, на ее золотистые волосы, тонкое лицо, грустные глаза, но не приставали к ней. Они болтали о чем-то между собой, время от времени нестройно затягивали песню. Спасителя Арианы, судя по надписи на нагрудном кармане, звали Хендерсоном. Когда джип прибыл в Шалон, Хендерсон целый час разыскивал попутную машину до Парижа и в конце концов нашел двоих солдат, отправлявшихся в столицу.

— С ними, мисс, вы будете в безопасности, — уверил он Ариану на своем неуклюжем французском и пожал ей руку.

— Спасибо, сэр, — поблагодарила она.

— Не за что.

Хендерсон посадил Ариану в машину к двум курьерам, которые должны были доставить в Париж очередное послание, исходившее от одного полковника к другому. Эти двое полковников отправляли друг другу курьеров по меньшей мере три раза в день. Но, провожая Ариану, Хендерсон думал не о полковниках, а о девушке с бледным лицом, на котором застыло выражение боли и отчаяния. Такие лица ему доводилось видеть на войне и прежде. Хендерсон сразу понял по остановившемуся взгляду синих глаз, по нездоровому цвету кожи и мертвенной бледности, что девушка здорово не в себе.

Глава 26

Двое курьеров объяснили Ариане, что едут на улицу де ла Помп, и спросили, куда нужно ей. Она показала им бумажку с адресом. Дом находился на улице де Варенн.

— Кажется, это на левом берегу, — сказал один из американцев, — но точно я не знаю.

Оказалось, что искомая улица и в самом деле находится на левом берегу Сены. Париж немало пострадал от войны, но, конечно, не до такой степени, как Берлин. Главный ущерб городу нанесли не бомбежки, а оккупанты, постаравшиеся вывезти из Парижа все мало-мальски ценные памятники и произведения культуры. Им надлежало украшать собой берлинскую пинакотеку.

Какой-то старик на велосипеде объяснил солдатам, где находится улица де Варенн, и даже предложил показать дорогу. Ариана была в Париже еще девочкой, с отцом и братом, но сейчас она слишком плохо себя чувствовала, чтобы наслаждаться прекрасными видами. Мимо проносились Триумфальная арка, площадь Согласия, мост Александра Третьего, а Ариана сидела, закрыв глаза, и ничего не видела. Старик показывал, где поворачивать, и в конце концов джип оказался на рю де Варенн. Американец поблагодарил француза, и Ариана открыла глаза. Она предпочла бы и дальше дремать в джипе, но нужно было выходить. Ее путешествие из Берлина до Парижа заняло целых девять дней, но вот наконец она прибыла туда, куда ее отправил Манфред. Ариана плохо представляла себе, что она здесь будет делать, как ее здесь встретят. Вполне возможно, что друга Манфреда уже нет в живых. Ведь почти все, кого знала в своей жизни Ариана, умерли.

Она остановилась возле массивной резной двери и с тоской подумала об уютном коттедже в Ванзее, где они жили с Манфредом. Однако пришлось тут же напомнить себе, что того дома больше нет. Без Манфреда он не существует.

— Да, мадемуазель?

Дверь открыла толстая седовласая горничная. За дверью виднелся ухоженный дворик, в глубине которого располагался очаровательный особняк восемнадцатого века с мраморной лестницей.

— Vous desirez?*

Окна особняка гостеприимно светились в вечерних сумерках.

— Мне нужен господин Жан-Пьер де Сен-Марн, — сказала Ариана.

Горничная уставилась на нее с непонимающим видом.

— Его что, нет дома?

— Он дома, — медленно ответила горничная. — Но война окончена, мадемуазель. Не нужно больше тревожить господина де Сен-Марна.

Ей до смерти надоели все эти попрошайки, которым вечно что-то нужно от месье. Пусть теперь обращаются

---

* Что вам угодно? (*фр.*)

к американцам. Они просто терроризируют хозяина своими ужасающими рассказами и страданиями. Сколько это может продолжаться? Совсем замучили беднягу.

Ариана не могла понять, чем вызвана неприязнь этой пожилой женщины.

— Видите ли... Мой муж и господин де Сен-Марн старые друзья. Муж сказал, что я должна разыскать в Париже господина де Сен-Марна...

Ариана запнулась, а старуха неодобрительно покачала головой:

— Все вы говорите одно и то же.

Эта девчонка выглядела не лучше, чем другие беженцы: тощая, бледная, в руке какой-то узелок. Похоже, она не мылась по крайней мере целую неделю. Если у месье есть деньги, это еще не означает, что все кому не лень могут у него попрошайничать.

— Я выясню, дома ли господин де Сен-Марн, — буркнула горничная.

Но судя по тому, что роскошный «роллс-ройс» стоял во дворе, можно было предположить, что хозяин дома.

— Подождите здесь.

Ариана с облегчением опустилась на скамейку во дворике. Ее знобило от вечерней прохлады. Но ничего страшного — Ариана уже привыкла к голоду и холоду. Ей казалось, что ничего другого в своей жизни она и не знала. А если что-то другое и было, то воспоминаний не осталось. Прошло очень много времени, возможно, часы, прежде чем кто-то потряс Ариану за плечо. Она открыла глаза и увидела перед собой неприятное лицо горничной.

— Он вас примет, — неохотно сообщила она.

Ариана испытала неимоверное облегчение — не столько от мысли о том, что она все-таки увидит господина де Сен-Марна, сколько от того, что появилась надежда получить ночлег. Пусть ее устроят где угодно, хоть на чердаке, лишь бы никуда больше не идти. Ариана мечтала только об одном — чтобы ей позволили здесь остаться.

Следом за горничной она поднялась по мраморным ступенькам лестницы и оказалась у парадного входа. Важный дворецкий распахнул перед ней двери. Он чем-то напоминал Бертольда, но глаза, пожалуй, были добрее. Дворецкий окинул взглядом посетительницу и, ни слова не говоря, куда-то удалился. Горничная вновь неодобрительно покачала головой и объяснила:

— Он отправился к месье. Вас скоро пустят, подождите. А я пойду.

— Спасибо, — поблагодарила Ариана, но ее благодарность была ни к чему.

Дворецкий вскоре вернулся и повел Ариану по коридору, стены которого были обиты бархатом и увешаны портретами предков Сен-Марна. Ариана не видела ничего вокруг; она кое-как переставляла ноги и в конце концов оказалась перед дверью, створки которой сплошь состояли из зеркал. За дверью располагался салон, очень похожий на одну из комнат берлинского королевского дворца: повсюду золотая лепнина, херувимчики, гобелены, инкрустация и бесчисленные зеркала. Среди всего этого великолепия в кресле на колесиках сидел хмурый господин примерно того же возраста, что и Манфред, но тощий и с изборожденным глубокими морщинами лицом. Он внимательно смотрел на посетительницу.

— Господин де Сен-Марн? — устало спросила Ариана, у которой уже не оставалось сил для соблюдения светских условностей.

— Да.

Господин почти не шевельнулся, но все же легким кивком дал ей понять, что она должна приблизиться. Лицо его по-прежнему сохраняло серьезность, но глаза были добрыми.

— Я Сен-Марн. А вы кто?

— Ариана... — Она запнулась и продолжила: — Я Ариана фон Трипп. — Глаза хозяина смотрели на нее все так же мягко. — Манфред сказал, что, если Берлин падет, я должна приехать сюда. Извините, но я надеялась, что...

Сен-Марн подъехал к ней поближе и протянул руку.

— Добро пожаловать, мадам. Садитесь, пожалуйста.

Однако улыбки на его лице не было. Сен-Марн знал, что эта девушка сказала ему еще не все. И, судя по всему, хороших новостей от нее ждать не приходилось.

Ариана села и посмотрела в лицо французу. Пожалуй, он был даже красив, но красота его была совершенно другого рода, чем у Манфреда. Как могли они подружиться? Рассматривая школьного приятеля своего мужа, Ариана ощутила острый приступ одиночества. Ведь ей не суждено когда-либо вновь увидеть Манфреда.

— Сколько времени вам понадобилось, чтобы сюда добраться?

Он внимательно вглядывался в ее лицо. Сколько раз ему уже доводилось видеть таких людей — больных, изможденных, надломленных, испуганных!

— Девять дней, — со вздохом ответила девушка.

— И как же вы добирались?

— На машине, в повозке, пешком, на джипе...

«Через колючую проволоку, с помощью молитвы, под угрозой изнасилования...» — мысленно добавила она.

Ее глаза смотрели на Сен-Марна, но не видели его. И тогда он задал вопрос, который беспокоил его больше всего:

— А Манфред?

Ариана опустила голову.

Ее ответ был произнесен едва слышным шепотом:

— Он умер. Погиб во время штурма Берлина. — Ариана посмотрела на хозяина дома. — Но он сказал, чтобы я отправилась к вам. Сама не знаю, почему я покинула Германию. Просто у меня там больше ничего не осталось. Я должна была уехать.

— А ваша семья? — спросил Сен-Марн, как и в случае с Манфредом, заранее ожидая печального ответа.

Ариана судорожно вздохнула:

— Очевидно, мой отец убит. Мать умерла еще до войны. Но вот мой брат... Я надеюсь, что он жив и находится в Швейцарии. В прошлом году, в августе, отец не вернулся, а о Герхарде я больше ничего не слышала. Мне неизвестно, жив он или нет.

— Значит, ваш брат должен был остаться в Швейцарии, а отец вернуться в Берлин?

Она кивнула:

— Да, он должен был забрать меня. Но моя бывшая няня... В общем, слуги донесли фашистам. Меня арестовали, надеялись получить выкуп. Они тоже думали, что отец вернется. — Ариана немного помолчала, глядя на Сен-Марна, и закончила: — Через месяц меня выпустили. После этого мы с Манфредом...

На глазах у нее выступили слезы.

Жан-Пьер вздохнул и придвинул к себе листок бумаги.

— Что ж, очевидно, именно поэтому он вас ко мне и прислал.

Тут Ариана смутилась:

— Наверно, он послал меня к вам, потому что вы с ним друзья. И еще он думал, что здесь я буду в безопасности.

Жан-Пьер де Сен-Марн устало улыбнулся.

— Манфред и в самом деле был моим хорошим другом. К тому же он всегда отличался сообразительностью. Он знал, чем я занимался во время войны. Я поддерживал с ним контакт, разумеется, не напрямую. — Он небрежно показал на свое инвалидное кресло. — Как вы видите, я... несколько стеснен в передвижениях, но это не помешало мне неплохо устроиться в жизни. Я занимаюсь, скажем так, филантропией. Помогаю семьям воссоединиться, перебраться в страны с более благоприятным климатом.

Ариана кивнула, отлично поняв смысл его слов.

— Иными словами, вы помогаете беженцам эмигрировать.

— Да, по большей части именно этим я и занимаюсь. А теперь в течение нескольких последующих лет мне, вероятно, придется немало потрудиться над воссоединением разбросанных войной семей. Полагаю, работы будет предостаточно.

— И вы поможете найти брата?

— Попробую. Дайте мне всю имеющуюся у вас информацию, и я выясню, возможно ли что-нибудь сделать. Но этого мало, Ариана. В первую очередь вам нужно подумать о себе. Куда вы теперь отправитесь? Назад в Германию?

Она медленно покачала головой и уставилась на него пустым взглядом.

— У меня там никого нет.

— Какое-то время вы можете пожить здесь.

Ариана поняла, что навсегда остаться у Сен-Марна она не сможет. Как же ей быть? До сих пор она ни разу не задумывалась о том, что будет с ней дальше.

Сен-Марн сочувственно кивнул и что-то записал на бумаге.

— Ладно, утром мы вами займемся. Вы расскажете мне все, что вам известно о Герхарде. Если, конечно, вы хотите, чтобы я занялся его поисками.

Ариана медленно кивнула, подавленная всем этим — и внешним видом хозяина, и роскошным салоном, и предложением помощи.

— А тем временем для вас найдется дело поважнее, — мягко улыбнулся он.

— Какое? — Она тоже попыталась улыбнуться, но попытка не очень удалась, ибо Ариана уже совсем засыпала в непривычно удобном кресле.

— Вам нужно отдохнуть. У вас очень усталый вид.

— Да, я устала.

Все эти несчастные выглядели одинаково, когда попадали к нему в дом, — измученные, больные, напуганные. Пройдет день-другой, и девочке станет лучше. Какая она хорошенькая! Странно, что Манфред выбрал себе в жены столь юное и хрупкое создание. Марианна была намного крепче. Жан-Пьер немало удивился, когда понял, что имеет дело со второй женой Манфреда. Он был уверен, что фон Трипп никогда больше не женится — слишком большим потрясением стала для него смерть жены и детей. Но, глядя на эту девочку, Жан-Пьер отлично понимал, чем она покорила Манфреда. Даже в этой грязной, изодранной одежде она была похожа на сказочного эльфа. Жаль, что не довелось встретиться с ней и Манфредом в более счастливые времена. Оставшись один, Жан-Пьер стал размышлять о своем старом друге. Зачем все-таки Манфред прислал к нему свою жену? Чтобы она дожидалась, пока закончатся бои в Берлине? Или имелось в виду нечто большее? Должно быть, Манфред рассчитывал, что Жан-Пьер о ней позаботится, поможет найти пропавшего брата. Сен-Марн интуитивно чувствовал, что Манфред отправил ему какое-то закодированное послание, но в чем его смысл? Возможно, со временем это прояснится, подумал он, глядя в окно.

А Ариану отвели в комнату, откуда открывался вид на выложенный булыжником дворик. Уснула она, едва коснувшись головой подушки. Пожилая добродушная женщина в пышной юбке и фартуке приготовила для нее чудесную постель — с чистыми простынями, толстым одеялом, мягкой подушкой. Ариане казалось, что она уже сто лет не видела подобного чуда. Забыв о Жан-Пьере, Герхарде и даже Манфреде, она опустилась на перину и тут же провалилась в глубокий сон.

Глава 27

На следующее утро Ариана встретилась с Жан-Пьером после завтрака. При свете дня сразу было видно, что девушка тяжело больна — ее бледное лицо, казалось, совсем утратило всякие краски.

— Вы были больны, когда покинули Берлин?

— Нет.

— Должно быть, сказываются тяжелое путешествие и ваша утрата.

Жан-Пьеру много раз приходилось видеть, как горе ломает людей. Они страдают от рвоты, головокружения, обливаются холодным потом. Взрослые сильные мужчины, пройдя тяжелый путь и испытания, падали в обморок, когда оказывались под этой крышей. Но Жан-Пьера беспокоило не столько физическое, сколько эмоциональное состояние Арианы.

— Позже я вызову к вам врача. А сейчас расскажите мне все, что вам известно о брате. Словесный портрет, рост, вес. Куда именно он отправился, во что был одет, как собирался действовать? Были ли у него в Швейцарии знакомые?

Ариана подробно ответила на все эти вопросы. Она изложила Жан-Пьеру план, который разработал Вальмар. Рассказала, что отец и брат должны были пеш-

ком пересечь швейцарскую границу возле станции Лерах, потом добраться до Базеля, оттуда на поезде доехать до Цюриха, после чего отец обещал вернуться за
ней в Берлин.

— А что Герхард должен был делать в Цюрихе?

— Ничего. Просто ждать.

— Ну хорошо, а куда вы должны были отправиться
после того, как отец перевел бы вас через границу?

— В Лозанну, к друзьям отца.

— А они знали, что вы должны прибыть?

— Не уверена. Вряд ли папа стал бы звонить им из
дома или из банка. Должно быть, он намеревался связаться с ними из Цюриха.

— Мог ли он оставить брату их номер телефона?

— Наверняка оставил.

— Но с вами никто не связывался — ни ваши родственники, ни друзья отца?

— Никто. Манфред сказал, что отец наверняка погиб.

По ее тону Жан-Пьер понял, что девушка мысленно
уже смирилась с этим. Теперь ей предстояло свыкнуться с мыслью о том, что Манфреда тоже больше нет.

— Но Герхард... — Она умоляюще посмотрела на
него, и Жан-Пьер покачал головой:

— Посмотрим. Мне нужно будет сделать кое-какие
звонки. А вы отправляйтесь обратно в постель. Если
мне удастся что-то узнать, я сообщу вам.

— И вы меня разбудите?

— Обещаю.

Но Жан-Пьер не стал ее будить. Ему понадобилось
не более часа, чтобы навести справки. Ничего такого,
ради чего стоило бы будить Ариану, выяснить не удалось. Девушка проспала до вечера, и Сен-Марн отправился в своем кресле к ней в комнату, лишь когда Лизетт
сообщила, что Ариана проснулась.

— Добрый вечер, Ариана. Как вы себя чувствуете?

— Мне лучше.

Но выглядела она не лучше, а, пожалуй, даже хуже. Было видно, что она отчаянно борется с тошнотой.

— Новостей нет?

Жан-Пьер ответил не сразу, но Ариана и так все поняла. Он поспешно вскинул руку:

— Погодите, Ариана, погодите. У меня нет никаких новостей. Я скажу вам все, что мне удалось выяснить, но это совсем немного. Мальчик исчез.

— Умер? — Ее голос дрогнул.

Она до последней минуты надеялась, что Герхард все-таки жив, хотя Манфред и убеждал ее в обратном.

— Может быть. Я не знаю. Я позвонил людям, которых вы мне назвали. К сожалению, этот человек и его жена погибли в автомобильной катастрофе за два дня до того, как ваш отец и брат покинули Берлин. Детей у них не было, дом продан, и новые владельцы ничего о вашем брате не слышали. Я говорил с сотрудником банка, который вел дела с вашим отцом. Он тоже ничего не знает. Не исключено, что вашего отца убили на обратном пути, когда он возвращался в Берлин. В этом случае Герхард должен был рано или поздно позвонить по телефону, оставленному ему отцом. Ему там должны были сказать, что знакомые его отца погибли. В этом случае, я полагаю, мальчик должен был связаться с банком, где работал знакомый его отца. Или же, возможно, он решил, что теперь предоставлен самому себе, закатал рукава и нашел работу, чтобы не умереть от голода. Так или иначе, ни в Цюрихе, ни в швейцарской полиции, ни в банковских кругах Лозанны о нем ничего не знают. На след Макса Томаса выйти мне тоже не удалось.

Ариана рассказала Жан-Пьеру и о Максимилиане, надеясь, что его удастся разыскать.

Вид у Сен-Марна был расстроенный — невзирая на все усилия, поиски оказались безрезультатными. Герхард исчез бесследно.

— Я действовал и по своим обычным каналам, и через знакомых. Никто вашего брата не видел, никто о нем не слышал. Может быть, это хорошо, а может быть, и очень плохо.

— А как думаете вы, Жан-Пьер?

— Я думаю, что ваш отец и брат погибли при переходе где-то между Лерахом и Базелем.

По ее молчанию он понял, что она парализована горем, и решил говорить дальше, чтобы помочь ей взять себя в руки.

— Ариана, нам нужно идти дальше.

— Идти? Куда? Зачем? — сердито всхлипнула она. — Я не хочу никуда больше идти. У меня никого не осталось. Я одна.

— Это не так уж мало. Я тоже один.

— Как, вы тоже? — уставилась на него Ариана и высморкалась в платок.

— Моя жена была еврейкой. Когда немцы оккупировали Париж, они забрали ее и нашу маленькую девочку. — Его голос странно дрогнул, и Жан-Пьер отодвинулся на кресле в сторону.

Ариана зажмурилась. Ей стало невыносимо больно. Сколько потерь, сколько смертей и несчастий! Этот мужчина, Манфред, Макс, она — каждый лишился близких, детей, братьев, родителей. Ей показалось, что комната кружится, и Ариана откинулась назад, чтобы не потерять равновесия. Жан-Пьер подкатил к ее кровати и нежно погладил Ариану по волосам.

— Я все знаю, дорогая, я все знаю.

Он не стал говорить ей, что надежда все-таки есть. К чему понапрасну обольщать девочку пустыми грезами? Дело в том, что один портье из цюрихского отеля сказал, что, кажется, видел паренька, по описанию похожего на Герхарда. Тот говорил, что дожидается кого-то из родственников. Он прожил в гостинице две недели. Но потом, как утверждал портье, мальчика забрали родственники и он уехал. Таким образом, это не мог быть Герхард, ведь у него никого не осталось. Если бы какие-то родственники были, отец Арианы непременно сообщил бы ей о такой возможности. Судя по всему, он был человеком предусмотрительным и обстоятельным. Портье очень хорошо запомнил, что мальчика забрала семья, состоявшая из отца, матери и дочери. Очевидно, это все-таки был не Герхард. Больше ничего обнаружить не удалось. Мальчик исчез, и Ариана осталась совсем одна, как тысячи людей по всей Европе.

После продолжительной паузы Жан-Пьер заговорил вновь:

— У меня есть предложение. Решение будет зависеть от вас — не знаю, хватит ли у вас храбрости. Я сам поступил бы таким образом, если бы был молод. Надо уехать подальше от этого измученного, разрушенного, искореженного континента. Уехать и начать жизнь сначала. По-моему, именно так вам и следует поступить.

Ариана подняла голову, вытерла слезы.

— Уехать? Но куда?

Эта идея привела ее в ужас. Она никуда не хочет ехать! Лучше остаться на месте, приковать себя цепями к прошлому.

— В Соединенные Штаты, — негромко ответил Жан-Пьер. — Завтра отходит корабль с беженцами. Рейс согласован с благотворительной организацией, расположенной в Нью-Йорке. Их представители встретят пароход в порту и помогут иммигрантам начать новую жизнь.

— Но как же дом моего отца в Грюневальде? Неужели я не получу его обратно?

— А он вам нужен? Вы смогли бы там жить? Да и сомневаюсь, что вам его вернут.

Ариана поняла, что он прав. А Сен-Марн в этот момент вдруг догадался, в чем состоял тайный замысел Манфреда. Так вот зачем он прислал Ариану к старому другу! Манфред знал, что Жан-Пьер сумеет найти правильное решение. И решение было найдено.

Вопрос заключался лишь в том, по силам ли Ариане плавание. Но Жан-Пьер знал из своего обширного опыта, накопленного за шесть лет, что пройдут месяцы, прежде чем Ариана восстановит физические и духовные силы. Слишком многого она лишилась, да еще эти девять дней безумной гонки через всю Германию и Францию. Тяготы путешествия стали последней каплей, а первой был шок при виде мертвого мужа. Никакой болезни у Арианы нет — лишь усталость, голод, скорбь, боль утраты. Если упустить завтрашний корабль, неизвестно, будет ли следующий.

— Вы согласны? — спросил Жан-Пьер, глядя ей прямо в глаза. — Там вас ждет новая жизнь.

— А как же Герхард? Вдруг он все-таки в Лозанне? Или, может быть, мне отправиться в Цюрих? Я попытаюсь его разыскать.

Но по ее глазам он видел, что она уже не надеется.

— Я почти полностью уверен, Ариана, что найти его не удастся. Если бы ваш брат остался жив, непременно отыскался бы след. Полагаю, что его и вашего отца убили на границе.

Она медленно покачала головой, пытаясь смириться с мыслью, что надежды больше нет. Итак, она потеряла всех. Есть два пути: лечь и умереть или идти дальше.

Борясь с тошнотой и головокружением, она взглянула на Жан-Пьера и кивнула. Какой-то глубинный инстинкт заставил Ариану произнести чужим голосом:

— Хорошо. Я поеду.

Глава 28

Черный «роллс-ройс» Сен-Марна медленно въехал в гаврский порт. Бледная Ариана сидела на заднем сиденье. За всю дорогу они почти не разговаривали. Шоссе было забито грузовиками, джипами, фургонами, перевозившими грузы из Парижа в Гавр и обратно. Правда, вокруг самой столицы на дорогах было гораздо свободнее, попадались лишь армейские транспортные колонны.

Жан-Пьер то и дело поглядывал на свою спутницу. Впервые за годы общения с несчастными и обездоленными он не мог найти подходящих слов для утешения. По глазам девушки было видно, что ослабить бремя обрушившегося на нее несчастья невозможно.

Ариана все больше и больше проникалась трагизмом своего положения. В мире не осталось ни одного человека из тех, кого она любила. Обратиться было не к кому, не с кем было поделиться воспоминаниями о прошлом. А в чужой стране никто не поймет ее языка, никто не будет знать о Герхарде, о Вальмаре, о доме в Грюневальде, о матери, о фрейлейн Хедвиг, о каникулах на берегу озера, о глухом Бертольде... В Америке нет ни одного человека, который видел бы, как Герхард устраивает взрывы в своей химической лаборатории. Никто там не знает Манфреда. Вот таков новый мир, куда она едет. Американцам не понять, что она испытала, сидя в тюремной камере. Сначала домогательства Гильдебранда, потом чудесное спасение и жизнь с Манфредом в Ванзее. Кому в Америке можно будет рассказать, как она варила мужу рагу из ливерной колбасы. Как выбирала покрывало для спальни? Никому там не интересно, какими глазами смотрел на нее Манфред в то памятное утро, каким холодным было его лицо на мостовой возле рейхстага. События последнего года, да и всех двадцати лет ее жизни, никому не интересны. Ариана сидела рядом с Сен-Марном и стремительно приближалась к кораблю, который увезет ее навсегда. Вряд ли ей суждено вновь испытать чувство близости с другим человеком.

— Ариана! — позвал ее звучный голос с французским акцентом.

Утром, перед отъездом в Гавр, Жан-Пьер не решился затевать беседу с Арианой. Она была совсем больна, едва поднялась с кровати. Вчера она дважды падала в обморок. Сейчас Сен-Марну показалось, что девушке немного лучше. Только бы она перенесла плавание. Если останется жива, ее наверняка пустят в Штаты. Америка радушно встречала беженцев большой войны.

— Ариана, — вновь позвал он, и она с трудом отрешилась от черных мыслей.

— Да?

— Вы долго прожили с Манфредом?

— Почти год.

— Что ж, сейчас год вам, должно быть, кажется целой вечностью. Но учтите, — его губы чуть тронула улыбка, — в двадцатилетнем возрасте год кажется длинным, как сама жизнь. Пройдет еще двадцать лет, и вы станете оценивать движение времени по-другому.

— Вы хотите сказать, что я забуду Манфреда? — ледяным тоном спросила Ариана.

Ее возмутило, что Сен-Марн может предполагать подобное. Но Жан-Пьер лишь грустно покачал головой:

— Нет, милая, вы его не забудете.

Он вспомнил о жене и дочери, погибших всего три года назад, и боль с новой силой пронзила его сердце.

— Вы его не забудете. Но со временем боль станет менее острой. Она перестанет казаться вам невыносимой. — Он обнял ее за плечи. — Будьте благодарны судьбе, Ариана, за то, что вы еще молоды. Для вас ничего еще не кончилось.

Он очень хотел хоть как-то обогреть ее, но в огромных синих глазах не возникло и лучика надежды.

Когда они прибыли в порт, Жан-Пьер не стал выходить из автомобиля. Это было бы слишком сложной операцией — пришлось бы доставать кресло-каталку из багажника, пересаживаться с помощью шофера, потом проделывать все это снова в обратном порядке. Все равно Жан-Пьер больше не мог ничего сделать для своей подопечной. Он договорился, что ее доставят в Нью-Йорк, а там ею займется Женское общество взаимопомощи.

На прощание Сен-Марн протянул Ариане руку через открытое окно. Она стояла возле машины, держа в руке маленький фанерный чемоданчик, который экономка Сен-Марна разыскала где-то в подвале. Добрая женщина уложила туда кое-что из вещей погибшей жены Жан-Пьера. Скорее всего одежда окажется для девушки слишком велика. Она казалась совсем миниатюрной, похожей на ребенка. Тоненькое личико с большущими глазами было таким несчастным, что Сен-Марн заколе-

бался: не делает ли он ошибки? Может быть, Ариана
слишком слаба для такого путешествия? Но преодолела
же она шестьсот миль от Берлина до Парижа — пешком, на машине, в телеге, в джипе. Если уж она выдержала такое девятидневное путешествие, как-нибудь
перенесет и недельное плавание через океан. Во всяком
случае, дело того стоит. Она должна как можно дальше
уехать от кошмарных воспоминаний, начать новую жизнь
в новой стране.

— Вы ведь сообщите мне о себе? — спросил Жан-
Пьер, чувствуя, что похож на любящего отца, который
отправляет любимое чадо учиться за границу.

Слабая улыбка тронула бледные губы.

— Да. Обязательно. Спасибо вам, Жан-Пьер... за
все, что вы для меня сделали.

Жан-Пьер кивнул:

— Мне бы очень хотелось... чтобы все сложилось
иначе.

Жаль, что рядом с этой девочкой не стоит Манфред.
Она поняла, что он имел в виду.

— Да, мне тоже.

— Прощайте, Ариана, — нежно произнес он. —
Счастливого путешествия.

Взглядом она поблагодарила его еще раз и стала
подниматься по трапу на корабль. Она обернулась в
последний раз, помахала Сен-Марну рукой и прошептала: «Прощайте». По ее щекам текли слезы.

Книга третья

АРИАНА. Нью-Йорк

Глава 29

Пароходу «Гордость пилигрима» это название подходило как нельзя больше. Тесный, дряхлый, пропахший плесенью корабль и в самом деле выглядел так, словно на нем путешествовали еще первые переселенцы в Америку. Но при этом «Гордость пилигрима» вполне держался на плаву, да и в пассажирах недостатка не было. Судно было зафрахтовано совместными усилиями нескольких американских благотворительных организаций, среди которых главенствовало нью-йоркское Женское общество взаимопомощи. Оно уже организовало четыре подобных рейса и перевезло больше тысячи беженцев из разоренной войной Европы. Члены Женского общества взаимопомощи находили спонсоров для своих подопечных, рассеяли их по всей территории Соединенных Штатов. Нью-йоркским энтузиасткам удалось подобрать неплохую команду, которая весьма ответственно подходила к своему делу, доставляя женщин, мужчин, стариков, детей из опустошенной Европы в Америку, где их ждала новая жизнь.

Почти все пассажиры были в неважном физическом состоянии; многие попали во Францию из других стран. Некоторые неделями, а то и месяцами брели по дорогам. Были и такие, в особенности дети, которым довелось обходиться без крова в течение нескольких лет. Все эти люди изголодались, многие никогда не видели моря, никогда не путешествовали на корабле.

Женскому обществу взаимопомощи не удалось найти дипломированного корабельного врача, но зато пароходу повезло с медсестрой. Эта молодая женщина прекрасно знала свою работу, на пароходе она была поистине незаменима. Медсестре пришлось девять раз принимать роды, несколько раз помогать при выкидышах, у четырех пассажиров случились инфаркты, шестеро умерли. Нэнси Таунсенд — так звали эту женщину — привыкла иметь дело с голодными, усталыми, отчаявшимися людьми, которые столько претерпели в эти страшные годы. В предыдущем плавании на корабле оказались четыре женщины, которых немцы продержали в тюрьме возле Парижа два года. Американцы освободили заключенных, но женщины были в таком состоянии, что две из них умерли во время плавания. Встречая на борту пассажиров, Нэнси знала, что не все они доплывут до Нью-Йорка. Она уже научилась распознавать тех, кто может не вынести плавания. Но нередко оказывалось, что не выдерживали как раз те, кто выглядел более благополучно. Были люди, силы которых иссякали, когда испытания уже близились к концу.

На сей раз у Нэнси особое беспокойство вызывала хрупкая блондинка, расположившаяся в большой каюте на нижней палубе с девятью другими женщинами.

Вскоре после отплытия из Гавра к медсестре прибежала девушка с Пиренеев и со слезами сообщила, что ее соседка по койке умирает. Когда Нэнси увидела больную, она сразу поняла, что та и в самом деле умирает — от морской болезни, голода, нехватки кислорода, боли. Трудно было сказать, что именно стало последней каплей. Глаза блондинки закатились, сухой лоб пылал лихорадкой.

Медсестра опустилась на колени возле кровати, нащупала пульс, попросила остальных женщин отодвинуться. Они посматривали на Ариану с тревогой, боясь, что она скончается прямо в каюте. Накануне одна из пассажирок — маленькая, худенькая еврейская девочка, освобожденная из концлагеря Берген-Бельзен, — умерла от слабости и истощения.

Минут двадцать провозившись с больной, медсестра велела перенести ее в каюту-изолятор. Там Ариане стало хуже — температура поднялась, появилась болезненная ломота в руках и ногах. Нэнси боялась, что у девушки начнутся судороги, но до этого не дошло. В последний день плавания наступил кризис. Ариану постоянно рвало, а всякий раз, когда она пыталась приподняться, давление падало так низко, что она теряла сознание. Все ее знание английского куда-то улетучилось, и Ариана разговаривала с медсестрой по-немецки, отрывочно и бессвязно произнося слова, которых Нэнси понять не могла. Но со временем медсестра уловила, что повторяются одни и те же имена: Манфред, Герхард, Хедвиг, слово «папа». Несколько раз больная принималась кричать:

— Нет, Хедвиг, нет!

При этом она невидящим взглядом смотрела на Нэнси. Ночью девушку начали сотрясать рыдания, и утешить ее было невозможно. Временами медсестре казалось, что Ариана просто не хочет больше жить. Что ж, не она первая...

Наутро температура стала понижаться. Ариана смотрела на медсестру усталыми глазами, в которых по-прежнему жила боль.

— Надеюсь, вам лучше? — ласково улыбнулась Нэнси Таунсенд.

Ариана слабо кивнула и снова провалилась в сон. Она так и не увидела, как пароход входит в нью-йоркскую гавань, не имела возможности полюбоваться статуей Свободы с факелом, который вспыхивал золотыми искрами в лучах солнца. Стоявшие на палубе обнимались, радостно кричали, по лицам многих текли слезы. Наконец их путь завершился! Но Ариана ни о чем не догадывалась. Она очнулась, лишь когда в каюту вошел иммиграционный чиновник. Он негромко поздоровался с медсестрой, ознакомился с историей болезни. Обычно пассажиров сразу же препоручали заботам спонсоров, но эту девушку лучше подержать в изоляторе. У нее температура, частые обмороки. Нужно убедиться, что у нее нет никакой заразной болезни. Чиновник похвалил медсестру за то, что она поместила девушку в отдельную каюту. Потом, взглянув на уснувшую вновь Ариану, спросил шепотом:

— Как вы думаете, что с ней?

Нэнси жестом поманила его в коридор и там объяснила:

— Не могу сказать наверняка, но полагаю, что ее подвергали каким-нибудь истязаниям. Возможно, она была в концлагере. Вам нужно быть с ней повнимательнее.

Чиновник кивнул, сочувственно покосившись на приоткрытую дверь.

— Открытых ран, инфекции, внутренних кровоизлияний не обнаружено?

— Нет. Но ее все время рвало. Не исключено, что внутренние повреждения есть. Извините, но я об этой пациентке почти ничего не знаю, — смущенно призналась Нэнси.

— Не беспокойтесь, мисс Таунсенд. Ведь вы отдаете ее нам. Представляю, сколько вам пришлось с ней повозиться.

Чиновник снова углубился в изучение истории болезни. Нэнси улыбнулась:

— Да, слава Богу, она выжила. Теперь, думаю, все обойдется. Но был момент, когда мне казалось...

— Могу себе представить.

Он зажег сигарету и стал смотреть, как беженцы спускаются с корабля на причал. Потом в коридоре появились двое санитаров. Они осторожно сняли Ариану с койки и положили на носилки. Она пришла в себя, бросила прощальный взгляд на Нэнси, и ее понесли куда-то вниз. Ариана не знала, что с ней происходит. Да ей, собственно, было все равно.

Глава 30

— Ариана?.. Ариана... Ариана...

Казалось, голос доносится откуда-то издалека. Ариана не могла понять, кто ее зовет — не то мама, не то Хедвиг. Сил ответить не было. Ариана чувствовала себя бесконечно усталой, отяжелевшей, словно отправилась в какое-то дальнее путешествие, из которого слишком хлопотно возвращаться.

— Ариана... — настойчиво звал голос.

Нахмурившись во сне, Ариана почувствовала, что расстояние между ней и голосом сокращается. Все-таки придется ответить. Но так не хочется... Чего они все к ней пристали?

— Ариана...

Голос был настойчив, и в конце концов Ариана открыла глаза.

Она увидела высокую седую женщину в черной юбке и черном свитере. Волосы ее были стянуты на затылке в тяжелый узел. Женщина гладила Ариану по лбу сильной холодной ладонью. Когда она отняла руку, Ариана увидела, что на пальце посверкивает кольцо с большим бриллиантом.

— Ариана?

Девушка почувствовала, что у нее куда-то пропал голос, и в ответ она лишь кивнула. Что с ней произошло? Она ничего не помнила, не понимала, где находится. Кто эта женщина? В голове все перепуталось, все смешалось. Она еще на корабле? Или в Париже? А может быть, в Берлине?

— Вы знаете, где вы находитесь?

Улыбка была доброй, успокаивающей, как и прикосновение холодной руки. Женщина говорила по-английски. Ариане показалось, что она, кажется, что-то припоминает. Она вопросительно посмотрела на женщину, и та сказала:

— Вы в Нью-Йорке, в больнице. Вас перевезли сюда, чтобы вы поправились и набрались сил.

Самое удивительное заключалось в том, что светловолосая девушка, кажется, действительно выкарабкалась.

Рут Либман хорошо усвоила, что беженцы не любят о себе рассказывать, а приставать к ним с расспросами ни у кого права нет.

— Вам лучше? — спросила она.

Врач сказал, что не может понять, чем вызвана болезненная сонливость, слабость, истощение. Разве что температурой и приступами рвоты во время плавания. Однако, по мнению доктора, необходимо было оттащить девушку от края бездны, над которой та балансировала. Медики считали, что она просто не хочет бороться за свою жизнь. Без посторонней помощи она просто угаснет. Тогда Рут Либман, руководительница нью-йоркского Женского общества взаимопомощи, решила сама навестить больную. Сегодня она была в этой палате уже во второй раз. Первое посещение ничего не дало. Рут звала девушку по имени, гладила ее по волосам, но все впустую. Тогда Рут украдкой перевернула правую руку больной, чтобы взглянуть на сгиб локтя. Однако лагер-

ного номера на руке не было. Значит, девочке повезло — она была одной из немногих, кому удалось избежать этой страшной участи. Возможно, ее спрятали в
какой-нибудь немецкой семье. Не исключено также, что
фашисты отобрали ее для иной цели. У них существовала особая категория жертв, которых клеймению не подвергали. Худенькое личико блондинки выглядело
умиротворенным. Об этой девушке известно было очень
немногое: лишь ее имя да то, что на пароход она была
помещена по рекомендации Сен-Марна. Рут слышала
об этом человеке, инвалиде, который потерял во время
войны жену и дочь.

На долю Рут Либман тоже выпало немало горя с
тех пор, как трагедия Перл-Харбора втянула Америку
в войну. Тогда у Рут было четверо здоровых и счастливых детей. Теперь же у нее остались две дочери и один
сын. Саймона сбили в небе над Окинавой, а Пол чуть
не погиб на острове Гуам. Когда пришла телеграмма из
части, где служил второй сын, Рут чуть не упала в
обморок. С застывшим лицом она направилась в кабинет мужа и заперлась там. Сэма дома не было — он,
как обычно в это время, находился у себя в офисе. Ни
о чем не подозревавшие дочери были наверху, а Рут
держала в дрожащих руках конверт, в котором содер-
жалось сообщение о судьбе ее последнего сына. Мать
решила, что будет лучше узнать самое страшное без
свидетелей. Но, прочтя телеграмму, она испытала неимоверное облегчение: оказывается, Пол не убит, а только
ранен. Через несколько недель он должен был вернуться в Штаты. Когда она позвонила Сэму, ее голос дрожал от истерической радости — теперь можно было не
изображать хладнокровие. Для семьи Либман война закончилась. Счастье, переполнявшее Рут, подействовало
на ее мысли, на ее образ жизни. Она давно уже мучи-

лась чувством вины, читая о гонениях, которым подвергают ее соплеменников в Европе нацисты. Рут Либман решила заняться благотворительной деятельностью. Радость, вызванная тем, что Пол остался в живых, наполнила ее душу любовью и состраданием. Свою благодарность судьбе она выражала тем, что помогала незнакомым людям — подбирала для них спонсоров, отправляла поездом к новому месту жительства. А сейчас ее беспокоило состояние худенькой девушки, которую звали Арианой.

Девушка сосредоточенно посмотрела на нее и закрыла глаза.

— Почему я здесь?

— Потому что на пароходе вы заболели. Нужно было убедиться, все ли с вами в порядке.

На лице Арианы появилась усталая ироническая улыбка. Разве не очевидно, что у нее все, абсолютно все в порядке?

С помощью американки она села на постели и выпила теплого бульона, оставленного медсестрой. Затем, обессилев, Ариана откинулась на подушку. Даже это небольшое усилие ее очень ослабило. Рут Либман осторожно поправила ей одеяло и посмотрела в смятенные синие глаза. Пожалуй, доктора правы: эта девочка отказалась от надежды.

— Вы из Германии, Ариана?

Девушка кивнула и закрыла глаза. Германия? Какое это теперь имеет значение? Она такая же беженка, как все остальные. Всего три недели назад она еще была в Берлине...

Рут увидела, что сомкнутые ресницы затрепетали — на Ариану нахлынули воспоминания. Тогда американка нежно коснулась ее руки, и Ариана вновь открыла глаза. Может быть, этой девушке лучше с кем-нибудь поговорить и тогда кошмарные видения оставят ее в покое?

— Вы уехали из Германии одна?

Снова кивок.

— Это было очень мужественно с вашей стороны.

Рут тщательно подбирала каждое слово. Медсестра сказала, что девушка понимает по-английски, но, кажется, не очень хорошо.

— Дорога была дальней?

Ариана с некоторым подозрением посмотрела на участливое лицо американки и решила ответить. Даже если эта женщина работает в армии, в полиции или в иммиграционной службе, какая теперь разница? Ариана вспомнила бесконечные допросы в кабинете у капитана фон Райнхардта, но это лишь вновь пробудило в памяти все связанное с Манфредом. Она зажмурилась, а когда опять открыла глаза, по щекам ее стекли две крупные слезы.

— Я шестьсот миль добиралась до Франции...

— Шестьсот миль?

Рут хотела спросить, откуда Ариана попала во Францию, но не решилась. Было видно, что любые воспоминания причиняют девочке боль.

Рут Либман относилась к тому разряду людей, которые никогда не расстаются с надеждой. Кроме того, она обладала удивительным даром вселять надежду в других людей — потому-то ей так хорошо и удавалась ее работа. В юности Рут мечтала работать в области социального обеспечения, но после того как она стала женой Сэмюэла Либмана, у нее появилась возможность заниматься благотворительностью в ином масштабе.

Рут внимательно наблюдала за Арианой, желая понять, чем можно помочь этой девочке, в чем главный источник ее горя.

— А где ваша семья, Ариана? — спросила она как можно мягче и тут же по реакции девушки поняла, что та не готова вести разговор на эту тему.

Слезы полились потоком, Ариана села на кровати и покачала головой:

— Их больше нет... Никого... Мой отец, мой брат, мой...

Она хотела сказать «муж», но не сумела.

Повинуясь безотчетному порыву, Рут прижала Ариану к груди.

— Все, все... У меня никого не осталось... Никого и ничего...

Ариана задрожала от горя и ужаса. Весь мир сговорился ее мучить. Лучше смерть!

— Не нужно все время оглядываться назад, — тихо сказала Рут, обнимая Ариану, и той показалось, что наконец она обрела мать, которой ей так не хватало. — Нужно смотреть вперед. Вас ожидает новая жизнь в новой стране... А люди, которых вы любили раньше, навсегда останутся с вами. Они и сейчас с вами. Они и впредь будут жить в вашей душе.

Рут подумала о Саймоне. Она тоже никогда не расстанется со своим старшим сыном. Ариана почувствовала в ее словах уверенность, и в девушке шевельнулась надежда. Она прижалась к высокой сильной женщине, казалось, излучавшей оптимизм и уверенность.

— Но что мне делать?

— А чем вы занимались раньше?

Рут тут же поняла, что вопрос был глупым. Несмотря на изможденный вид и печать страдания на лице, этой девочке вряд ли было больше восемнадцати.

— Вы когда-нибудь работали?

Ариана медленно покачала головой.

— Мой отец был банкиром. — Она вздохнула, вспомнив свои прежние девичьи мечты, рассеявшиеся как дым. — После войны я должна была поступать в университет.

Но Ариана знала, что, даже если бы она окончила университет, ей никогда не пришлось бы воспользоваться полученным образованием. Она вышла бы замуж, родила детей, жила бы так же, как другие женщины ее круга: устраивала званые обеды и ужины, играла в карты, развлекалась, растила детей... Даже если бы она оставалась женой Манфреда, она жила бы точно так же. Ее жизнь проходила бы в городском доме или в замке. Обязанности фрау фон Трипп заключались бы в том, чтобы поддерживать домашний очаг. Ариана зажмурила глаза.

— Все это было очень давно. Сейчас это не имеет никакого значения.

«Впрочем, все остальное тоже не имеет значения», — подумала она.

— Сколько вам лет, Ариана?

— Двадцать.

Пол всего на два года старше, а Саймону исполнилось бы двадцать четыре, подумала Рут. Сколько же пришлось этой девочке вынести за свою короткую жизнь! При каких обстоятельствах потеряла она родных? Почему ее разлучили с ними? Впрочем, девушка была так хороша собой, даже в своем нынешнем состоянии, что ответ на этот вопрос напрашивался сам собой. От сострадания у Рут защемило сердце. Кажется, она догадалась, для чего нацисты избавили Ариану от участи остальных, как они использовали ее во время войны. Вот почему она осталась жива, вот почему на теле нет татуировки. Волна жалости накатила на Рут, она с трудом сдерживала слезы. От одной мысли о том, что с ее собственными дочерьми могли бы поступить так же, как с этой девочкой, Рут сделалось жутко.

Наступила долгая пауза. Потом американка ласково взяла Ариану за руку.

— Нужно забыть все, что было раньше. Все без исключения. Дайте себе возможность начать новую жизнь.

Если этого не сделать, воспоминания отравят девушке дальнейшее существование. Сразу видно, что она происходит из хорошей семьи, но кошмар, который она перенесла в годы войны, может отравить ей всю последующую жизнь. Девочка может стать алкоголичкой, проституткой, обитательницей сумасшедшего дома. Или же может умереть прямо здесь, на койке больницы Бет-Дэвид. Сжимая тонкую руку Арианы, Рут мысленно поклялась себе, что непременно даст этому хрупкому, сломленному ребенку новый шанс в жизни.

— С сегодняшнего дня, Ариана, все в вашей жизни будет новым. Новая страна, новый дом, новые друзья, новый мир.

— А кто же эти неизвестные благотворители? — без особого интереса спросила Ариана.

Рут ответила уклончиво:

— С ними мы еще свяжемся. Сначала я хочу убедиться, что с вами все в порядке. К чему зря тревожить людей рассказами о вашей болезни?

На самом деле Рут уже связывалась с предполагаемыми спонсорами Арианы — еврейской семьей из Нью-Джерси. Эти люди относились к своему вкладу в благотворительную деятельность без особого энтузиазма, но считали, что это их долг. Однако молоденькая девушка в качестве подопечной их совершенно не устраивала. В бизнесе от нее не будет никакого проку, да и к тому же они терпеть не могут немецких уроженок. Не могло бы Женское общество взаимопомощи подыскать для них кого-нибудь из Франции? Да еще эта история с больницей. Что с девушкой такое? Всего лишь небольшая предосторожность, ответила Рут, ничего серьезного. Но разговор закончился на довольно неприятной ноте. Рут сомневалась, что эти люди согласятся взять девушку к себе. А что, если... Внезапно ей в голову пришла мысль, что, может быть, удастся убедить Сэма принять Ариану к ним в дом.

Рут Либман выпрямилась во весь свой немалый рост и задумчиво посмотрела на Ариану сверху вниз. На ее широком добродушном лице появилась улыбка.

— Кстати говоря, я должна связаться с ними сегодня перед обедом. Уверена, что все устроится.

— Сколько времени мне придется пробыть здесь? Ариана обвела взглядом унылую палату.

Ее по-прежнему держали в изоляторе — главным образом из-за того, что она мучилась кошмарами и громко стонала по ночам. Но Рут слышала, что ее собираются перевести в общую палату.

— Думаю, вы проведете в больнице еще несколько дней. Нужно убедиться в том, что вы достаточно окрепли. — Она мягко улыбнулась. — С этим не нужно торопиться. Иначе может получиться так, что вы выйдете из больницы и разболеетесь не на шутку. Отдыхайте, набирайтесь сил.

Она поднялась, чтобы уходить, но тут Ариана вдруг резко села на кровати, с ужасом оглядывая пустую комнату.

— Господи, где мои вещи?!

Она в панике взглянула на Рут Либман, но та успокаивающе улыбнулась:

— Все в целости и сохранности. Медсестра с корабля передала ваш чемоданчик водителю «скорой помощи», и теперь ваше имущество находится здесь, в кладовке. Уверена, что там ничего не тронуто. Вам не из-за чего беспокоиться, Ариана.

Но Ариана встревожилась не на шутку. Ведь среди вещей кольца ее матери! Она взглянула на свои пальцы и увидела, что обручальное кольцо, венчальное кольцо, перстень Манфреда тоже исчезли. Ариана посмотрела на американку с таким отчаянием, что та немедленно принялась ее утешать:

— Медсестра спрятала все ценные вещи в сейф. Научитесь нам доверять, Ариана. — И уже тише добавила: — Война закончилась, дитя мое. Вам больше нечего бояться.

«Мне нечего бояться? Какое это теперь имеет значение?» — подумала Ариана.

Через несколько минут она нажала на звонок, и немедленно примчалась медсестра. Ей было любопытно взглянуть на девушку, о которой в больнице так много говорили. Рассказывали, что она сбежала из концлагеря в Германии и что в палате она проспала четверо суток не просыпаясь.

Ариана попросила принести ее вещи и с волнением ждала, пока медсестра вернется.

— А где кольца? Те, что были у меня на пальцах?

От волнения она очень сбивчиво заговорила по-английски. Ведь уроки английского закончились до начала войны.

— Извините... Видите ли, у меня были кольца.

— В самом деле? — с некоторым сомнением переспросила медсестра и отправилась куда-то наводить справки.

Через несколько минут она вернулась с маленьким конвертом. Ариана прижала его к груди, но открыла, лишь когда медсестра вышла. Все было на месте: и тонкое золотое колечко, навеки связавшее ее с Манфредом, и обручальное кольцо, которое он подарил ей на Рождество, и его перстень — последний был Ариане великоват, и она надевала его под обручальное кольцо. На глазах у девушки выступили слезы. Только теперь она поняла, насколько тяжело болела в эти недели — стоило ей опустить руку, и кольца сами спали с исхудавших пальцев. Девять дней дороги до Парижа, два дня горя и ужаса в доме Сен-Марна, семь дней непрестанной рвоты в океане, четыре дня в больнице — всего получается двадцать два дня. А ей казалось, что миновало по меньшей мере двадцать два года... Всего четыре недели назад она обнимала Манфреда, которого ей не суждено никогда больше увидеть. Ариана стиснула кольца в ладони и, решительно подавив рыдания, взяла себя в руки. Она придвинула к кровати чемоданчик, принесенный сестрой из кладовки.

Одежда, которой снабдила ее экономка Жан-Пьера, была по-прежнему аккуратно сложена. На пароходе Ариана слишком плохо себя чувствовала, чтобы переодеваться. Под одеждой лежала пара туфель, а еще ниже — то, что Ариана так взволнованно искала, — конверт с фотографиями и маленький томик в кожаном переплете. Ариана медленно заглянула в тайник и увидела большой, великолепный изумруд и бриллиантовый перстень, подаренные ей отцом в самую последнюю ночь. Ариана не стала надевать кольца, но долго любовалась ими. Это было ее единственное достояние, единственная гарантия безопасности, осязаемое напоминание о прошлом. Больше из прежней жизни у нее ничего не осталось. Весь потерянный мир сосредоточился в двух кольцах, оставшихся от матери, трех кольцах Манфреда и нескольких фотокарточках, на которых счастливая девятнадцатилетняя девушка улыбалась, стоя рядом с мужчиной в парадном мундире.

Глава 31

Секретарша Сэма Либмана защищала вход в кабинет своего шефа, словно карающий ангел Господень вход в рай. В святая святых без приглашения не пускали никого — даже жену и детей босса. Дома он принадлежал семье, но на работе для личных проблем места не было. Все в семье давно привыкли к этому правилу, и Рут почти никогда не появлялась на работе у мужа, разве что если дело было действительно неотложным.

— Не исключено, что он будет занят еще в течение нескольких часов, — неодобрительно сообщила Ребекка Гринспэн — так звали секретаршу.

Супруга шефа просидела в приемной уже почти два часа, а мистер Либман строго-настрого велел никого к нему не пускать.

— Раз не ходил обедать, Ребекка, значит, рано или поздно проголодается и выйдет. Пока он будет есть, я с ним перемолвлюсь парой слов.

— Неужели нельзя подождать до вечера?

— Если можно было бы подождать, я бы сюда не пришла.

Рут вежливо, но твердо улыбнулась девушке, которая была вдвое ее моложе и почти вдвое меньше.

Рут Либман была дамой крупной — высокой, широкоплечей, но отнюдь не похожей на мужчину. Выручали добрые глаза и теплая улыбка. Однако рядом со своим мужем Рут казалась почти миниатюрной. Рост Сэмюэла Джулиуса Либмана почти равнялся двум метрам. Широченные плечи, кустистые брови, львиная грива огненно-рыжего цвета, из-за которой домашние вечно над ним подтрунивали. С годами яркость шевелюры несколько поблекла, и пробивающаяся седина придала волосам оттенок бронзы. Старший сын, Саймон, тоже был рыжим, а остальные дети родились темноволосыми, в мать.

Сэмюэл Либман был человеком умным, великодушным и добрым. В мире финансового капитала он считался персоной весьма влиятельной. Банковская фирма «Лангендорф и Либман» пережила даже кризис двадцать девятого года. Инвестиционная компания при банке просуществовала больше двадцати лет и пользовалась у клиентов безграничным доверием. Настанет день, и Пол возглавит семейное предприятие — вот о чем мечтал Сэм в последнее время. Конечно, раньше он надеялся, что дело унаследуют оба сына... Но ничего не поделаешь, придется Полу принимать ношу одному. Лишь бы оправился после ранения.

Наконец в три часа двери святилища распахнулись, и оттуда вышел гигант с львиной гривой в темном полосатом костюме, шляпе-котелке и с портфелем в руке. Брови Сэма озабоченно хмурились.

— Ребекка, я на совещание.

Тут он с немалым удивлением увидел, что в прихожей сидит жена, и сердце банкира сжалось от страха.

Неужели новое несчастье?

Но она лукаво улыбнулась, и его тревога растаяла. Он тоже улыбнулся в ответ, подошел к жене и нежно поцеловал ее. Секретарша встала и деликатно удалилась.

— Рут, респектабельные члены общества, к тому же в преклонном возрасте, не должны вести себя подобным образом. Во всяком случае, в три часа дня.

Она поцеловала его и обняла за шею.

— Мы можем сделать вид, что сейчас более поздний час.

— Тогда я пропущу совещание, на которое и без того опаздываю, — рассмеялся Сэм. — Ну ладно, миссис Либман, что вам от меня нужно? — Он уселся и зажег сигару. — Даю вам ровно десять минут, поэтому не теряйте времени даром. Как, хватит вам десяти минут?

Он покосился на огонек сигары, и Рут улыбнулась. Супруги вечно пытались переупрямить друг друга. Обычно Рут придерживалась одной точки зрения, а Сэм — другой. Дискуссии затягивались на долгие недели.

— Давай решим этот вопрос быстро, ладно? — ухмыльнулся Сэм.

За двадцать девять лет супружеской жизни он уяснил, что любое разногласие с женой лучше заканчивать компромиссом.

— Хорошо, Сэм. Но это будет зависеть от тебя.

— Господи, Рут, давай не будем начинать все заново. В прошлый раз, когда ты сказала, что «все будет зависеть от меня», я чуть с ума не сошел. Помнишь, как ты доставала меня с автомобилем Пола, перед тем как его забрали в армию? «Зависеть от меня» — ха-ха! Ты пообещала ему машину еще до того, как сообщила об этом мне. — Сэм хмыкнул. — Ну, давай выкладывай, что там у тебя?

Рут посерьезнела и решила сразу взять быка за рога.

— Я хочу, чтобы мы взяли на себя заботу об одной девочке. Она приехала в Америку несколько дней назад, девочка сейчас находится в больнице Бет-Дэвид. Семья, куда ее первоначально должны были отправить, от нее отказалась. — Глаза Рут вспыхнули гневом. — Они хотят француженку. Должно быть, французскую горничную из голливудского фильма или французскую шлюху.

— Рут! — неодобрительно покачал головой Сэм, не привыкший слышать грубые слова из уст жены. — А кто она?

— Она из Германии.

Сэм задумчиво покивал головой:

— А почему она в больнице? Что-нибудь серьезное?

— В общем, нет, — вздохнула Рут и прошлась по комнате. — Я не знаю. Мне кажется, она надломлена. Врачи не могут обнаружить никакого заболевания, во всяком случае, ничего заразного. — Она заколебалась. — Понимаешь, Сэм... Она совершенно отчаялась. Ей двадцать лет, она потеряла всю свою семью. Просто сердце разрывается.

Рут смотрела на мужа с мольбой.

— У каждого из них свое горе, — мягко возразил он. В последнее время поступало все больше и больше фактов, свидетельствовавших о преступлениях, которые совершались в нацистских концлагерях. — Невозможно всех беженцев поселить у нас дома.

Однако мысленно он отметил, что за все время работы в Женском обществе взаимопомощи Рут впервые захотела взять кого-то к себе домой.

— Сэм, прошу тебя...

— А как же Джулия и Дебби?

— А что такое?

— Ну, все-таки совершенно чужой человек в доме...

— Интересно, как бы себя чувствовали Джулия и Дебби, если бы потеряли свою семью? Вряд ли мы их с тобой хорошо воспитали, если они не способны сочув

ствовать чужому горю. Только что закончилась война.
Девочки должны это понять. Мы не можем оставаться
в стороне.

— Мы и так не остались в стороне...

Сэм Либман подумал о погибшем сыне.

— Ты слишком многого от нас хочешь, Рут. Как к
этому отнесется Пол, когда вернется домой? Ему тоже
вряд ли понравится, что рядом чужой человек. Ведь у
мальчика покалечена нога... — Сэм запнулся, но Рут
поняла, о чем он сейчас думает. — У Пола, как тебе
известно, и без того будет достаточно потрясений. Мне
кажется, присутствие незнакомой девушки не пойдет ему
на пользу.

Рут улыбнулась своему мужу:

— Может быть, это как раз окажется кстати. Я,
например, вполне это допускаю.

Супруги Либман знали, что дома Пола ждет весьма
неприятное известие.

— Но дело, собственно, не в этом, — продолжила
Рут. — Главное — сама девушка. Места у нас для нее
хватит. Если бы ты разрешил перевезти ее к нам, хотя
бы на время...

— Надолго ли?

— Не знаю, Сэм. Думаю, на полгода или на год. У
нее нет ни семьи, ни имущества, вообще ничего. Но она
достаточно образованна и прилично говорит по-английски. Со временем, когда состояние шока минует, можно
будет подыскать ей работу, и тогда она сможет жить
самостоятельно.

— А если не сможет, тогда что? Она навечно посе-
лится у нас в доме?

— Конечно, нет. Думаю, с ней можно будет об этом
поговорить. Мы с самого начала предложим ей пожить
у нас шесть месяцев, а затем продлим этот срок еще на

шесть месяцев, если понадобится. Но девушка будет знать, что год — это крайний срок.

Сэм понял, что сражение проиграно. Так уж получалось, что жена всегда одерживала над ним верх, даже когда он был уверен, что настоял на своем.

— Миссис Либман, ваш дар убеждения меня пугает. Слава Богу, что вы не работаете на какую-нибудь конкурирующую фирму.

— Это означает, что ты согласен?

— Это означает, что я подумаю. — Немного помолчав, Сэм спросил: — Так где она?

— В больнице Бет-Дэвид. Ты хочешь ее навестить? — Рут Либман улыбнулась, а ее муж вздохнул и отложил сигару.

— Попробую, может быть, получится сегодня вечером по дороге домой. Имя «Либман» для нее что-нибудь значит?

— Да, я провела у нее все утро. Просто скажи ей, что ты муж Рут.

Тут она заметила, что Сэм чем-то обеспокоен.

— Что такое?

— Она инвалид?

Рут подошла к нему, погладила его по щеке.

— Разумеется, нет.

Ей нравилось, когда она замечала у мужа какие-то слабости — это лишь делало его в ее глазах более привлекательным, более человечным, еще явственнее подчеркивало силу его характера. В такие мгновения Рут любила мужа еще сильнее. Она лукаво посмотрела на него.

— По правде говоря, девушка очень хороша собой. Но она ужасно одинока. Думаю, ты сразу это увидишь. Такое ощущение, что она навсегда утратила надежду.

— Это неудивительно, если вспомнить, через что ей пришлось пройти. Вряд ли она способна кому-нибудь доверять. После всего, чему фашисты подвергли этих людей...

Глаза Сэма Либмана вспыхнули огнем. Он каждый раз приходил в неистовство, когда думал о том, что эти сволочи натворили в Европе. Когда Сэм впервые прочел отчет о преступлениях, совершенных в Освенциме, он заперся у себя в кабинете, долго думал и молился, а потом прорыдал всю ночь.

Еще раз взглянув на Рут, он взялся за котелок.

— А тебе она доверяет?

Немного подумав, жена ответила:

— Мне кажется, да. Конечно, до такой степени, до какой она вообще способна на доверие в своем нынешнем состоянии.

— Ну хорошо. — Он взял портфель. — Я с ней встречусь.

Супруги вместе дошли до лифта.

— Я люблю тебя, Рут Либман. Ты чудесная женщина. Я действительно тебя люблю.

Вместо ответа она нежно его поцеловала, и в этот миг двери лифта распахнулись.

— Я тоже люблю тебя, Сэм. Так когда я услышу от тебя ответ?

Он закатил глаза.

— Вечером. Когда вернусь домой. Это тебя устроит?

Однако было видно, что он с трудом сдерживает улыбку. Рут обрадованно кивнула, снова чмокнула его в щеку, и Сэм отправился на совещание, а Рут села в свой новый «шевроле» и поехала домой.

Глава 32

Все утро Ариана неподвижно просидела на кровати, глядя в окно, где ярко сияло солнце. Когда ее глаза устали, она стала смотреть просто на пол. Некоторое время спустя в палату вошла медсестра и предложила Ариане выйти на прогулку. Девушка попыталась пройтись вдоль коридора, хватаясь за ручки дверей и перила, но вскоре выбилась из сил и вернулась в постель. После обеда ей сказали, что решено перевести ее в общую палату, и перед ужином Ариана оказалась в просторной комнате, где было шумно и людно. Медсестра сказала, что такое соседство пойдет Ариане на пользу, но та почти сразу же попросила, чтобы вокруг ее койки установили ширму. Весь вечер она лежала, слыша доносящиеся со всех сторон голоса и смех, чувствуя запах пищи и борясь с тошнотой. Ариана все время держала полотенце у рта, глаза ее слезились. Когда в ширму осторожно постучали, девушка испуганно отняла ото рта полотенце и подняла глаза.

— Кто там?

Хотя какая разница, все равно она никого здесь не знает. Из-за ширмы выглянул огромного роста мужчина, и глаза Арианы пугливо расширились. Никогда еще она не чувствовала себя такой маленькой и беззащитной. Под взглядом Сэмюэла Либмана девушка задрожала и чуть не расплакалась. Кто это? Что ему нужно? В котелке и строгом костюме Сэм был похож на чиновника из полиции или иммиграционной службы. Неужели ее отправят назад во Францию?

Но мужчина смотрел на нее теплым, сочувственным взглядом.

— Мисс Трипп?

Под этой фамилией Ариана значилась во всех документах. Сен-Марн решил, что приставку «фон» будет благоразумнее опустить.

— Это я, — прошептала она.

— Как вы себя чувствуете?

Ариана не решилась ответить. Ее так трясло, что Сэм подумал, не лучше ли ему удалиться. Девушка была совсем больна, испугана, одинока. Теперь он понимал, почему сердце Рут дрогнуло. Действительно, очень милое создание. Сразу было видно, что она почти ребенок.

— Мисс Трипп, я муж Рут Либман.

Он хотел протянуть ей руку, но не решился — вдруг девушка испугается и выскочит из кровати. У нее был такой вид, словно она в любой миг может броситься в бегство.

— Вы помните Рут Либман? Это женщина, которая была у вас сегодня утром. Из добровольческой организации.

Ее взгляд прояснился. Даже в этом испуганном состоянии Ариана не забыла, кто такая Рут.

— Да... да... я помню... она была здесь сегодня.

Девушка произносила английские слова совсем неплохо. Пожалуй, у нее был вполне интеллигентный вид. Только вот голос звучал так тихо, что Сэм почти ничего не слышал.

— Она попросила меня навестить вас.

Да? Почему? Просто визит вежливости? Неужели люди все еще наносят друг другу визиты вежливости? Ариана смотрела на посетителя с изумлением. Потом, вспомнив о правилах хорошего тона, медленно кивнула:

— Спасибо.

Сделав усилие, протянула ему худенькую руку.

— Очень приятно, — сказал Сэм.

Оба чувствовали, что ситуация для обмена обычными вежливыми фразами не вполне подходящая.

В палате было шумно — кто-то стонал, кто-то говорил повышенным голосом. Ариана жестом предложила гостю сесть на краешек кровати. Сэм кое-как пристроился там, стараясь поменьше пялиться на девушку.

— Могу ли я вам чем-нибудь помочь? Вам что-нибудь нужно?

Огромные глаза внимательно посмотрели на него, и девушка отрицательно покачала головой. Сэм мысленно обругал себя за дурацкий вопрос. Все равно он не смог бы дать ей то, что ей нужно.

— Я и моя жена хотели бы сказать вам, что мы будем рады оказать вам посильную поддержку. — Он судорожно вздохнул и продолжил: — Нам, людям этой страны, трудно в полном объеме представить себе, что вы пережили... Но нам это небезразлично... То, что вы остались в живых, — настоящее чудо, и мы очень этому рады. Вы и остальные уцелевшие — живое напоминание о страшных годах войны. Вы имеете право на хорошую жизнь — и ради вас самих, и ради тех, кто не дожил до мирных дней.

Сэм поднялся и приблизился к изголовью.

Эта речь далась Сэму с трудом. Ариана смотрела на него округлившимися глазами. Что на уме у этого человека? Известно ли ему, что она бежала из Берлина? О

каких это «остальных» он говорит? Может быть, имеет
в виду немцев, которые остались в живых? Но в любом
случае было ясно, что этот человек желает ей добра.
Рыжеволосый гигант был совсем не похож на Вальмара, но Ариана почувствовала, что невольно испытывает
к этому человеку доверие, словно знает его много лет.
Перед ней, несомненно, был человек достойный и чут-
кий, человек, к которому Вальмар наверняка отнесся бы
с уважением. Поэтому Ариана наклонилась вперед, положила Сэму руки на плечи и поцеловала его в щеку.

— Спасибо, мистер Либман. Я чувствую, что приехала в Америку не напрасно.

— Так оно и есть. — Сэм улыбнулся, тронутый ее
порывом. — Это великая страна, Ариана.

Он впервые назвал ее просто по имени, но ему показалось, что теперь это будет более уместно.

— Вам здесь понравится, вот увидите. Новый мир,
новая жизнь. Вы встретите много людей. Обзаведетесь
новыми друзьями.

При этих словах глаза Арианы вновь погрустнели.
Она не хотела новых друзей, ей нужны были старые.
Но старые друзья исчезли навсегда. Догадавшись о ее
боли, Сэм Либман коснулся руки девушки.

— Отныне я и Рут — ваши друзья. Поэтому я
сюда и пришел.

И Ариана поняла, что этот человек пришел в больницу, в эту ужасную палату, ради нее. Она ему небез-
различна. На глазах Арианы выступили слезы, но губы
дрогнули в улыбке.

— Спасибо, мистер Либман.

Сэм и сам с трудом сдерживал слезы. Он медленно
поднялся, все еще сжимая маленькую руку, сказал:

— Мне пора идти. Но завтра придет Рут. Мы скоро снова увидимся.

Ариана почувствовала себя ребенком, которого вновь собираются бросить. Она попыталась улыбнуться, подавить слезы, но это не очень у нее получилось. И тогда Сэм Либман не выдержал и прижал девушку к себе. Он просидел рядом с ней, огромный, как медведь, почти полчаса, а Ариана рыдала, рыдала и никак не могла остановиться. Когда наконец слезы иссякли, Сэм протянул ей свой носовой платок и она громко высморкалась.

— Извините... Я не хотела... Просто не смогла...

— Не нужно, молчите. — Сэм нежно погладил ее по голове. — Ничего не нужно объяснять, я все понимаю.

Глядя сверху вниз на эту хрупкую, золотоволосую девушку, уткнувшуюся в платок, Сэм спросил себя: как такое создание могло перенести ужасы войны? Казалось, малейшее дуновение ветра способно ее сломать, но Сэм почувствовал, что за тонким личиком и худенькой фигуркой скрываются воля и характер, способные превозмочь почти все. В этой девушке было нечто прочное, непобедимое, благодаря чему она и выжила. Сэм Либман смотрел на ту, которой суждено было стать его третьей дочерью, и благодарил Господа за то, что Ариана осталась жива.

Глава 33

Либманы готовились к приезду Арианы со смешанным чувством радости и опасения. Вернувшись домой из больницы, Сэм приказал жене немедленно, завтра же вытащить несчастную девочку из этого чудовищного госпиталя. Как только врачи убедятся, что у Арианы нет никакого заразного заболевания, она должна быть немедленно перевезена в дом на Пятой авеню. После ужина Сэм вызвал дочерей и сказал им, что отныне у них в доме будет жить девушка из Германии, которая потеряла во время войны всю свою семью. Девушку зовут Ариана и обращаться с ней нужно как можно мягче и бережнее.

Джулия и Дебби заранее прониклись к Ариане сочувствием и симпатией. Они тоже были потрясены сообщениями, поступающими из освобожденной Германии. Девочки готовы были оказать будущей гостье всемерную поддержку. На следующее утро они стали упрашивать мать, чтобы она взяла их с собой в больницу, но родители этому строго-настрого воспротивились. У девочек еще будет время познакомиться с Арианой, а пока ее нужно оставить в покое — пусть отдохнет

после утомительного морского путешествия. По совету
доктора Рут намеревалась первую неделю после пере-
езда Арианы к ним в дом продержать ее на постельном режиме. После этого, если девушке станет лучше,
можно будет сводить ее в кино, в гости. Но сначала
пусть наберется сил.

Появившись в больнице, Рут объявила Ариане, что
отныне она будет жить у них в доме. При этом ни о
каких шести месяцах разговора не было. Рут сказала,
что Ариана может жить у них столько, сколько захочет.
Девушка была совершенно растеряна, поначалу она решила, что неправильно поняла американку, что ее под-
вело недостаточное знание английского.

— Что вы сказали? — вопросительно посмотрела
она на Рут.

Это невозможно! Должно быть, она все-таки ослы-
шалась. Но Рут крепко сжала маленькие руки девушки,
села с ней рядом на постель и улыбнулась:

— Я и мистер Либман хотели бы, чтобы вы, Ариана, жили у нас. Столько, сколько захотите.

После встречи с Арианой Сэм перестал говорить о
том, что срок пребывания девушки у них дома должен
быть ограничен.

— Жить у вас?

Но почему? Ведь у Арианы уже есть спонсор, а эта
женщина и без того потратила на нее слишком много
времени. Ариана смотрела на свою благодетельницу с
испугом и непониманием.

— Да, вы будете жить у нас, вместе с нашими дочерьми — Деборой и Джулией. Через несколько недель с войны вернется наш сын Пол. Он воевал на
Тихом океане, но был ранен осколком в колено. Как
только его немного подлечат, он вернется в Нью-Йорк.

О Саймоне Рут решила ничего не говорить. К чему? Вместо этого она принялась весело рассказывать Ариане о своих детях. Пусть девочка привыкает к своей новой семье.

— Миссис Либман... — Ариана запнулась. — Я не знаю, что сказать.

Она непроизвольно перешла на немецкий, но Рут Либман, немного знавшая идиш, поняла ее.

— Не нужно ничего говорить. — Рут улыбнулась. — А если все же вам захочется что-то сказать, говорите по-английски. Иначе мои девочки вас не поймут.

— А я говорила по-немецки? Извините. — Ариана вспыхнула и впервые за долгое время засмеялась. — Вы и в самом деле берете меня к себе?

Она все еще не могла оправиться от изумления. Рут снова сжала ей руки.

— Но почему? Ведь это доставит столько хлопот вам и вашему мужу.

Внезапно Ариана вспомнила, как у них дома два дня жил Макс Томас. Должно быть, он чувствовал себя точно так же. Хотя нет, тогда все было иначе. Ведь Макс считался старым другом семьи, да и к тому же Вальмар не собирался жить с ним постоянно. Впрочем, при иных обстоятельствах Вальмар, несомненно, пошел бы на это. Стало быть, разница не так уж велика.

Рут посерьезнела:

— Ариана, мы действительно хотим, чтобы вы у нас жили. Нам очень жаль, что ваша судьба сложилась подобным образом.

— Но ведь не вы в этом виноваты, миссис Либман, — печально ответила Ариана. — Просто была война...

У нее был такой беспомощный вид, что Рут Либман, не удержавшись, обняла ее за плечи и провела
рукой по золотистым волосам.

— Кошмар войны не обошел стороной и нас, —
сказала она, думая о Саймоне, который отдал свою жизнь
за родину. Или за что там он отдал свою жизнь? —
Но мы и не подозревали, что пришлось пережить вам,
европейцам. Если в наших силах хоть в малой степени
компенсировать ваши страдания, помочь вам забыть о
прошлом, дать вам возможность начать новую
жизнь... — Она ласково смотрела на девушку. — Ариана, вы еще так молоды.

Но та отрицательно покачала головой:

— Уже нет.

Через несколько часов «мерседес» Сэма Либмана
привез Ариану в дом на Пятой авеню. Напротив дома
раскинулся Центральный парк, шумевший листвой де-
ревьев и благоухавший цветами. Из окна было видно,
как по аллеям молодые мамы катают прогулочные ко-
ляски, а по тропинке прогуливаются парочки. Стояло
чудесное майское утро. Сидя в машине между Сэмюэлом и Рут, Ариана смотрела на нью-йоркские улицы и
чувствовала себя маленькой девочкой.

Сэм специально приехал в больницу из банка и соб-
ственноручно отнес фанерный чемоданчик Арианы в
машину. Там были собраны все немногочисленные сокровища, оставшиеся у девушки. Ариана надеялась, что
одежды, лежавшей в чемоданчике, хватит, чтобы прилично выглядеть у Либманов, но по дороге на Пятую
авеню Рут велела сделать остановку возле универмага
«Бест энд компани». Там в отделе обслуживания для
Арианы была приготовлена большая коробка, внутри

которой оказалось летнее голубое платье того же оттенка, что и глаза Арианы, с резинкой на талии и пышной
юбкой. В этом наряде Ариана сразу стала похожа на
сказочную принцессу, и Рут удовлетворенно улыбнулась. Кроме того, она захватила для девушки из дома
белые перчатки, свитер и соломенную шляпку, очень
шедшую к личику Арианы. К счастью, туфли тоже оказались впору. Ариана совершенно преобразилась. Теперь, сидя в лимузине, она выглядела не как бедная
беженка, а как богатая туристка.

На миг Ариане показалось, что все это не на самом деле, а понарошку. Стоит лишь зажмуриться, и
она вновь окажется в Берлине, у себя дома. Достаточно было представить себе такое, и незажившая
рана пронзила душу острой болью. Лучше уж было
держать глаза открытыми, впитывая новые впечатле-
ния. Сэм и Рут переглядывались с довольным видом.
Они были рады принятому решению. Дорога до Пятой авеню заняла четверть часа. Возле подъезда машина остановилась, и шофер распахнул дверцу. Это
был пожилой солидный негр в черной ливрее, бело-
снежной рубашке с галстуком-бабочкой.

Он приложил руку к козырьку, когда Сэм выходил
из машины. Рут отказалась опереться на руку мужа и
выбралась сама, предварительно взглянув на Ариану.
Та все еще была очень слаба и, несмотря на новый
наряд, выглядела совсем больной.

— Как вы себя чувствуете, Ариана?

— Спасибо, со мной все в порядке.

Однако Либманы знали, что это не так. Надевая
платье, Ариана пошатнулась, и Рут едва успела ее
подхватить. А на Сэма произвела впечатление та ес-
тественность, с которой Ариана вошла в свой новый

образ. Казалось, она возвращается в привычную среду, где чувствует себя как дома. Сэму захотелось расспросить ее о прошлой жизни. Совершенно очевидно, что они имели дело не просто с воспитанной и образованной девушкой, а с представительницей высших слоев общества, бриллиантом чистейшей воды. Тем трагичнее был удар, который обрушила на нее судьба. «Ну ничего, — утешал себя Сэм, — теперь у девочки есть Рут и я».

Ариана все не могла отойти от окна, глядя на Центральный парк с мечтательной улыбкой. Она вспомнила Грюневальдское озеро, деревья. Все это было где-то на другой планете, бесконечно далеко отсюда.

— Поднимемся наверх? — предложила Рут.

Ариана кивнула, и они медленно поднялись в главный холл, находившийся на третьем этаже. Это был великолепный зал, весь обитый бархатом и уставленный антиквариатом, который супруги купили во время поездок в Европу перед войной. Здесь были и средневековые картины, и статуэтки, и персидские ковры, и рояль, и даже маленький мраморный фонтан. Из зала наверх вела широкая лестница, на которой застыли две темноволосые девочки, смотревшие на Ариану широко раскрытыми глазами.

Джулия и Дебби взглянули сначала на Ариану, потом на мать, потом снова на Ариану, словно дожидаясь какого-то сигнала, а потом вдруг разом слетели с лестницы, бросились к Ариане и с радостными криками бросились ее обнимать.

— Добро пожаловать, Ариана! Ты у себя дома!

На глазах у Либманов выступили слезы. Девочкам удалось то, что не получилось у взрослых: они рассеяли печаль Арианы и превратили происходящее во всеобщий праздник. Джулия и Дебби приготовили торт, развесили повсюду разноцветные шарики, срезали в саду роскошный букет роз. Розы собирала Дебби, а торт испекла Джулия. Утром девочки отправились в магазин и накупили там всего, что, с их точки зрения, могло понадобиться взрослой женщине двадцати лет. Три палочки бледно-розовой губной помады, несколько пудрениц с пуховками, баночку румян, заколки для волос, черепаховый гребень и модную сеточку для волос — Дебби утверждала, что осенью это будет самый писк. Каждый подарок был отдельно завернут в бумагу, поэтому на туалетном столике в гостевой комнате лежала целая груда свертков и коробочек.

Увидев приготовленную для нее комнату, Ариана прослезилась. Комната напомнила ей спальню Кассандры в Грюневальде — то же царство шелка и атласа, то же преобладание розового цвета, но здесь, пожалуй, было еще наряднее. Огромная постель, все сияет новизной и жизнерадостной свежестью — одним словом, настоящий американский рай. На кровати под накидкой из белого органди — розовое атласное покрывало.

Письменный стол инкрустирован затейливыми узорами, в углу — антикварный шкаф, над белым мраморным камином зеркало в позолоченной раме, повсюду низкие пуфы и стулья, обтянутые розовым атласом. Джулия и Дебби предвкушали, как будут сидеть здесь допоздна, откровенничая со своей новой подругой. Дверь из спальни вела в маленькую туалетную комнату, а за ней имелась еще и облицованная розовым мрамором ванная. Повсюду в комнате в вазах стояли розы, а на столике, накрытом на пять персон, красовался испеченный Джулией торт.

Ариана не могла найти слов благодарности и просто принялась обнимать обеих девочек, плача и смеясь попеременно. Потом она поцеловала Сэма и Рут. Как чудесно, что ей выпала судьба оказаться в такой семье! Ариане казалось, что круг замкнулся: из дома в Грюневальде через тюремную камеру, женский барак, дом Манфреда, бесприютность — назад, в уютный мир роскоши, в котором она выросла и к которому привыкла. В этом мире по-прежнему существовали заботливые слуги, длинные лимузины и ванные, облицованные розовым мрамором. И все же Ариана оглядывалась по сторонам с недоверием. Когда ее взгляд упал на зеркало, она увидела, что больше не похожа на юную девушку. На нее смотрела усталая, исхудавшая незнакомка, которой было не место в этом счастливом доме. Теперь Ариана принадлежала только самой себе. Если эти люди хотят проявить доброту, она будет им благодарна, но полагаться на незыблемость мира розового мрамора больше не будет.

Все уселись за стол, к празднично разукрашенному торту. Сверху розовой глазурью было выведено «Ариана». Выдавив улыбку, Ариана с трудом превозмогла приступ тошноты, которая стала ее постоянной спутницей. У девушки не было сил съесть кусок торта, и она вздохнула с облегчением, когда Рут выставила дочерей из комнаты, хотя девочки были премилые. Сэм вернулся на работу, Джулия и Дебби отправились обедать в гости к бабушке, а Ариану Рут уложила в постель, решив, что ей нужен отдых. Возле кровати лежали четыре ночные рубашки и халат. Ариана пораженно смотрела на эти дары. Белое кружево, атлас, розовое кружево, шелк... Все это было таким знакомым и в то же время невероятным, непривычным.

— Как вы себя чувствуете, Ариана? — пытливо взглянула на нее Рут.

— Все хорошо, миссис Либман, — ответила та, опускаясь на кровать. — Вы все так добры ко мне... Я просто не знаю, что сказать...

— Ничего не говорите. Наслаждайтесь жизнью. — Немного помолчав, Рут задумчиво добавила: — Иногда мне кажется, что таким образом мы пытаемся избавиться от чувства вины.

— Какой вины? — непонимающе спросила Ариана.

— Мы тут жили в комфорте и безопасности, а вы, европейцы... Ведь вы такие же, как и мы, но вам пришлось дорого заплатить за свое еврейство.

Ариана ошеломленно промолчала. До нее только теперь дошло, что эти люди считают ее еврейкой. Так вот почему они взяли ее к себе в семью, вот почему они так добры к ней. Потрясенная и испуганная, она смотрела на Рут Либман. Нужно немедленно ей все объяснить. Нельзя, чтобы они заблуждались на ее счет... Но что сказать? Что она, Ариана, немка? Не немецкая еврейка, а настоящая немка, что она принадлежит к нации, истреблявшей евреев? Не изменится ли их отношение к ней? Для них если немка — значит, нацистка. Но это неправда! Ее отец, ее брат тоже не были нацистами. На глазах у Арианы выступили слезы. Нет, эти люди ничего не поймут... Они выгонят ее, снова посадят на корабль. Ариана громко всхлипнула, и Рут Либман подбежала к ней, села рядом, обняла.

— О Господи... Простите, Ариана... Мне не следовало об этом говорить.

И все-таки нужно сказать ей правду... Так нельзя! Но внутренний голос шепнул: «Когда они узнают тебя лучше, может быть, они отнесутся к тебе иначе». К тому же Ариана слишком устала, чтобы затевать сейчас этот разговор. Поэтому она позволила Рут уложить себя в постель, под розовое одеяло. Через несколько секунд Ариана уже спала.

Но когда она проснулась, проблема стояла перед ней по-прежнему. Сказать сейчас или позже? Но пока она колебалась, в комнату заглянули девочки: Дебби написала стихотворение в ее честь, а Джулия принесла чашку чая и кусок торта. Было слишком поздно — Ариана уже стала членом семьи.

Глава 34

— Что это вы задумали? — с подозрением спросила Рут, заглянув в комнату к Ариане и обнаружив там
какой-то девичий заговор. — Какой ужас! Накрашенные женщины!

Дело в том, что Ариана обучала девочек пользоваться румянами. Вид у всех троих с накрашенными
щеками был преглупый, причем Ариана смотрелась еще
нелепее своих младших подружек. Нарумяненные щеки
очень плохо сочетались с ее точеными чертами лица и
длинными светлыми волосами.

— Можно, мы завтра возьмем Ариану с собой? —
спросила Джулия, длинноногий, игривый жеребенок с
серьезными карими глазами, из-за которых иногда казалось, что ей не шестнадцать лет, а гораздо больше.
Джулия была почти такого же роста, как мать, но с
более тонкими чертами лица. Ариана находила ее прехо-
рошенькой и даже экзотичной. Девочка была честной,
жизнерадостной и отличалась острым умом.

Дебби была поспокойнее, помягче и, пожалуй, еще
миловиднее. Она была склонна к мечтательности и в
отличие от сестры совсем не интересовалась мальчиками. Больше всех на свете Дебби любила брата, который

на следующей неделе должен был вернуться домой. Рут обещала, что к тому времени Ариане будет позволено выходить из дома и девочки смогут брать ее с собой всюду, куда им заблагорассудится. Пока же Ариане лучше побыть дома. Рут видела, что Ариана была этому рада, хотя вслух, конечно, и не признавалась. Ей и в самом деле все время хотелось лежать.

— Ариана, милая, ты чувствуешь себя просто усталой или больной? — все время спрашивала Рут.

Она очень боялась, что девушка не справится со своей душевной травмой. Иногда казалось, что она вполне освоилась с ролью члена семьи, влилась в атмосферу всеобщего добродушного веселья, однако были моменты, когда Рут убеждалась: Ариана все еще не оправилась от перенесенных страданий. Пришлось заставить ее пообещать, что на следующей неделе, если девушке не станет лучше, она согласится встретиться с врачом.

— Уверяю вас, со мной все в порядке. Я просто устала... Все из-за того, что меня измучила на пароходе морская болезнь.

Однако Рут знала, что дело не в морской болезни. Речь шла о душевной ране. Ариана никогда не жаловалась, не раскисала. Она помогала девочкам выполнять уроки, сама убирала свои комнаты, шила, а несколько раз Рут застала ее за тем, что Ариана вместе с экономкой разбирала постельное белье, раскладывала горы простыней, скатертей и салфеток — у самой хозяйки до подобных мелочей руки никогда не доходили. Рут сочла такую активность чрезмерной и отправила Ариану в постель, но вскоре обнаружила ее в комнате Пола — Ариана подшивала новые занавески, которые Рут все никак не могла собраться повесить. Было ясно, что Ариана не желает находиться на положении иждивенки. Она хотела вносить свой вклад в ведение домашнего хозяйства, как все остальные.

Сидя в комнате Пола и орудуя иглой, Ариана пыталась представить, каков он — будущий обитатель этой комнаты. Она знала, что Пола обожают родители и сестры. Еще она знала, что он примерно ее лет. С фотографий, висевших на стене, на нее смотрел высокий улыбающийся юноша атлетического телосложения. Широкие плечи, озорной огонек в глазах. Парень выглядел довольно симпатичным. Что ж, вскоре ей предстоит с ним познакомиться. Ожидалось, что Пол вернется домой в субботу. Домашние ждали его с нетерпением — в особенности теперь, когда он остался единственным сыном. Рут рассказала Ариане про Саймона, и та отлично понимала, что после смерти старшего сына младший стал для матери во сто крат дороже. Знала Ариана и то, что Пола по возвращении ждет тяжелый удар.

Рут рассказывала, что два года назад, когда Пол отправлялся на войну, он всецело находился под влиянием старшего брата, хотел быть похожим на него. Все, что ни делал юноша, было подражанием Саймону. Перед тем как уйти в армию, Саймон обручился. Пол решил последовать его примеру и сделал то же самое. Невестой его стала девушка, которую он знал с детства.

— Очень милая девочка, — со вздохом рассказывала Рут. — Но им обоим было всего по двадцать лет. Правда, Джоанна во многом взрослее Пола.

Ариана уже догадалась, что последовало дальше.

— Полгода назад Джоанна вышла замуж за другого. Конечно, это не конец света, но... — Рут страдальчески нахмурилась. — Джоанна не сообщила об этом Полу. Мы-то думали, что она ему напишет, а недавно выяснилось, что у нее не хватило духу.

— Так он ничего не знает? — сочувственно ахнула Ариана.

Рут горестно покачала головой.

— Господи Боже! — не могла успокоиться Ариана. — И вы должны будете ему сказать об этом, когда он вернется?

— Да. Хотя мне ужасно этого не хочется.

— А его бывшая невеста? Может быть, она расскажет ему обо всем сама? Ей даже не обязательно сообщать Полу, что она вышла замуж. Пусть просто скажет, что помолвка расторгнута, а об остальном он узнает впоследствии...

Рут горько усмехнулась:

— План отличный, но проблема в том, что Джоанна на девятом месяце беременности. Так что придется мне и Сэму эту неблагодарную роль брать на себя.

Это обстоятельство омрачало радость предстоящей встречи. Ариана все время думала, как Пол воспримет такую новость. От его сестер она знала, что по характеру он вспыльчив и нетерпелив. И еще Ариану беспокоило то, что в доме появится новый, незнакомый человек. Причем если о нем она все-таки что-то знает, то сама она будет для него совершенно чужим человеком. Ариана была готова с ним подружиться. Ежедневно она выслушивала массу историй о его детстве, его шутках, его озорных выходках. Полу же предстояло встретиться с совершенно чужой ему женщиной, появившейся у них в доме невесть откуда. Должно быть, он считает всех немцев врагами. Сможет ли он, как остальные члены семьи, относиться к ней по-родственному?

Именно поэтому она и не осмеливалась признаться в том, что не является еврейкой, слишком уж Либманы доверяли ей. После нескольких дней терзаний Ариана приняла решение. Признаваться в том, что она немка, нельзя — это все испортит. Либманы не могут представить себе, что представительница «арийской расы» — нормальный, порядочный человек. Они тяжело переживают преступления фашистов. Лучше уж помалкивать и втайне мучиться сознанием своей вины. Какое это теперь имеет значение? Все равно прошлое умерло и погребено. Правду Либманы никогда не узнают. Зачем им нужна правда? От нее всем будет только хуже. Либманы сочтут, что она злоупотребила их доверием. А Ариана знала, что это не так. Фашисты нанесли ей не меньше ущерба, чем другим жертвам войны. И потом, как она будет жить без Либманов? Рассказать им правду означало бы вновь лишиться семьи. Нет, это невозможно. Ариана надеялась, что они с Полом найдут общий язык. Ее тревожило то, что вновь придется отвечать на расспросы о прошлом, но тут уже ничего поделать было нельзя. Оставалось только ждать.

А Рут Либман думала совсем о другом. Она надеялась, что присутствие в доме молоденькой и хорошенькой девушки поможет Полу отвлечься от его несчастья. За две недели Ариана буквально расцвела, хотя приступы недомогания все еще не оставили ее. Такого идеального цвета лица Рут никогда в жизни не видывала: просто бархат нежнейшего персикового оттенка. Да еще эти глаза — словно подернутые росой цветы вереска. Звонкий, солнечный смех, грациозная фигура, ясный и острый ум. Такой дочерью гордилась бы любая мать, думала она, представляя Ариану рядом с Полом.

Однако состояние девушки по-прежнему вызывало у нее тревогу. Заставив себя на минуту забыть о сыне, Рут нахмурилась и строго посмотрела на свою подопечную, которой от этого взгляда стало неуютно.

— Скажите-ка, юная леди, почему вы не сообщили мне, что вчера утром упали в обморок? Ариана, ведь мы виделись за обедом, а ты мне об этом не сказала.

Об обмороке Арианы ей доложили слуги.

— Но мне сразу же стало лучше.

Ариана попыталась улыбкой смягчить недовольство Рут, однако та по-прежнему сохраняла суровый вид.

— Ты должна говорить мне, если с тобой случается нечто подобное. Это понятно?

— Да, тетя Рут.

Между собой они договорились, что Ариана будет называть ее именно так.

— И часто это с тобой происходит?

— Нет, это было всего один или два раза. Я думаю, это случается из-за усталости или когда я проголодаюсь.

— Да ты все время ходишь голодная. Я же вижу — ты ничего не ешь.

— Я исправлюсь...

— И учти — если с тобой снова случится обморок, я должна узнать об этом не от слуг, а от тебя. Ясно?

— Да. Извините. Просто я не хотела вас беспокоить.

— Ничего, меня беспокоит гораздо больше то, что я могу ничего об этом не узнать. — Тут выражение ее лица наконец смягчилось, и Ариана улыбнулась. — Милая девочка, я действительно очень о тебе тревожусь. Важно, чтобы именно сейчас, в первые месяцы, мы как следует заботились о твоем здоровье. Ты должна полностью поправиться, избавиться от тяжелых воспоминаний. Если не сделать этого, будешь расплачиваться всю жизнь.

— Извините меня, тетя Рут.

— Не нужно извиняться. Просто будь к себе повнимательнее. Если обмороки будут продолжаться, я отведу тебя к врачу. Договорились?

В последний раз Ариана проходила врачебный осмотр перед выпиской из больницы.

— Обещаю, что в следующий раз непременно скажу вам сама. Но вы не беспокойтесь, у вас и без меня забот хватает, ведь на следующей неделе приезжает Пол. Как вы думаете, первое время ему придется посидеть дома?

— Нет, я думаю. Он вполне может передвигаться, если не будет проявлять излишней резвости. Придется мне установить наблюдение за вами обоими.

Однако наблюдение за Полом устанавливать не пришлось. Когда он, вернувшись домой, узнал о замужестве Джоанны, два дня никто из домашних его не видел — Пол заперся у себя в комнате. Он не пускал к себе никого, даже сестер. В конце концов Сэм не выдержал, ворвался к нему и заставил Пола прекратить это затворничество. Перед домашними молодой человек предстал бледным, небритым, с потухшим взглядом. Надо сказать, что и остальные члены семьи выглядели немногим лучше. После долгих месяцев страха и тревоги за сына и брата им было больно видеть, что он так страдает. Вернулся наконец в родительский дом, и тут такой удар. Сэм обрушился на сына с гневными упреками, обвиняя его в эгоизме и инфантилизме. В ответ Пол тоже рассвирепел, и эта вспышка ярости помогла ему выйти из депрессии.

На следующее утро он вышел к завтраку все такой же бледный, с красными глазами, но уже чисто выбритый. С домашними он разговаривал сквозь зубы, но по крайней мере уже от них не прятался. Трапеза прошла в гробовом молчании. Пол кидал свирепые взгляды на всех, кроме Арианы, которую, казалось, вообще не замечал. В самом конце завтрака, словно очнувшись, он уставился на нее с выражением глубочайшего изумления на лице.

Ариана не знала, улыбаться ей или сохранять невозмутимость. Честно говоря, его взгляд испугал ее — он был такой пронизывающий, словно Пол требовал ответа: что она делает за его столом, в его доме? Пытаясь соблюсти приличия, Ариана кивнула и отвела глаза, однако чувствовала на себе все тот же испепеляющий взгляд. Когда она посмотрела на Пола вновь, он набросился на нее с вопросами:

— Из какой части Германии вы родом?

Он не назвал ее по имени. Сэм и Рут, говорившие между собой, замолчали на полуслове.

— Я из Берлина, — ровным тоном ответила Ариана, глядя ему прямо в глаза.

Пол кивнул и насупился:

— Вы видели город после взятия?

— Очень недолго.

Рут и Сэм смущенно переглянулись, но Ариана не дрогнула. Правда, ее пальцы, державшие тост с маслом, едва заметно затрепетали.

— Ну и как он выглядел? — с любопытством спросил Пол.

У них на Тихом океане много говорили о том, что в Берлине было настоящее побоище.

Ариана как наяву увидела тело Манфреда, лежащее на тротуаре возле рейхстага. Она непроизвольно зажмурилась, словно таким нехитрым способом могла изгнать страшное воспоминание. За столом стало очень тихо, и Рут немедленно ринулась заполнять паузу:

— Давайте не будем говорить сейчас о подобных вещах. Во всяком случае, не за завтраком, ладно?

Она встревоженно взглянула на Ариану. Та открыла глаза, и все увидели, что в них стоят слезы.

Девушка наклонила голову и протянула руку через стол по направлению к Полу.

— Извините... Просто... — Он запнулась. — Мне с трудом даются эти воспоминания... — По ее лицу текли слезы. — Я слишком многого лишилась...

На глазах у Пола тоже выступили слезы, он схватил Ариану за руку и крепко сжал ее.

— Это вы меня извините. Я вел себя по-дурацки. Обещаю, что никогда больше не буду задавать вам подобных вопросов.

Ариана кивнула с благодарной улыбкой, а Пол поднялся из-за стола, подошел к ней и салфеткой вытер ее слезы. Все остальные наблюдали за этой сценой молча. Потом понемногу общий разговор за столом возобновился. С этой минуты между Полом и Арианой установились добрые, дружеские отношения.

Пол был ростом не ниже своего отца, однако все еще сохранял тонкую мальчишескую фигуру. От матери он унаследовал карие глаза и иссиня-черные волосы. Но по фотографиям Ариана знала, что улыбается он совершенно по-особенному: его лицо моментально преображается, излучая радостное сияние. Однако в первое утро Ариана его улыбки так и не увидела — лишь насупленное, хмурое лицо, сведенные брови, сердитые глаза. Казалось, собирается ураган, готовящийся обрушить на землю гнев небесный. В любую секунду можно было ожидать, что грянет гром и молния. После завтрака, надевая белое платье и сандалии на пробковой подошве (они с Джулией купили себе одинаковые), Ариана не могла удержаться от улыбки — теперь свирепая физиономия Пола казалась ей забавной. Рут сказала, что сегодня они снова отправятся за покупками. Этот непрекращающийся поток щедрости приводил Ариану в смущение. Она решила записывать все подарки, которые получает от Либманов, чтобы впоследствии, когда устроится на работу, вернуть долг сполна — расплатиться за все шляпки, платья, пальто, туфли, нижнее белье. Гардероб у нее в спальне уже ломился от нарядов.

При этом кольца оставались в тайнике, продавать их Ариана не собиралась. Может быть, позже. Это была ее страховка на черный день. Время от времени она доставала материнские кольца, любовалась ими, но показать свои сокровища Рут не решалась — вдруг та подумает, что она хвастается. Кольца Манфреда Ариана тоже не носила, поскольку они все еще были ей велики и падали с исхудавших пальцев. К кольцам Манфреда Ариана относилась иначе, они как бы стали частью ее души и навсегда останутся ею, как и сам Манфред. Как бы она хотела рассказать Либманам о своем муже, но теперь это было невозможно. У Арианы не хватало духу признаться им, что она была замужем, что ее муж погиб. Это известие вряд ли им понравилось бы.

— Почему ты такая серьезная, Ариана? — спросила Джулия, заглянув к ней в комнату.

Джулия надела точно такие же сандалии, и Ариана улыбнулась.

— Да нет, все в порядке. Мне нравятся наши новые сандалии.

— Мне тоже. Пойдем вместе с нами. Пол тоже идет.

— Разве вы не предпочли бы побыть втроем?

— Нет, Пол совсем не такой, как Саймон. Мы с ним все время затеваем ссоры, потом он начинает дразнить Дебби, мы все орем, скандалим... — Она весело улыбнулась, уже не девочка, но еще не женщина. — Идем с нами, повеселимся.

— А может быть, ты ошибаешься? Твой брат был два года на войне. Думаю, за это время он изменился.

Ариана и в самом деле так считала, в особенности после того, как увидела Пола за завтраком.

Но Джулия лишь приподняла брови.

— Это он из-за Джоанны был такой. По правде говоря, она мне совсем не нравилась. А Пол — он разозлился, что она променяла его на другого. Ты бы посмотрела на нее сейчас, — недобро фыркнула Джулия и выставила вперед обе руки. — Вот с таким пузом ходит, прямо слониха. Мы с мамой видели ее на прошлой неделе.

— В самом деле? — раздался ледяной голос.

В дверном проеме стоял Пол.

— Буду весьма признателен, если ты не станешь при мне обсуждать эту тему. Да и без меня тоже.

Он вошел в комнату, багровый от ярости. Джулия смущенно вспыхнула, застигнутая на месте преступления.

— Ой, извини! Я не знала, что ты здесь.

— Еще бы.

Пол бросил на сестру надменный взгляд, и Ариана внезапно поняла, что он совсем еще мальчик, изображающий взрослого мужчину. Он действительно очень уязвлен произошедшим, поэтому и откликнулся так прочувствованно на ее боль. Чем-то Пол напоминал ей Герхарда. Ариана не удержалась от мягкой улыбки, и Пол заметил это. Он уставился на девушку, потом тоже улыбнулся:

— Извините за грубость, Ариана. — Помолчав добавил: — Похоже, я всем здесь уже успел нагрубить.

Он и в самом деле был похож на Герхарда, и от этого Ариана прониклась к нему еще более теплым чувством. Девушка и молодой человек смотрели друг на друга с явной симпатией.

— Ничего удивительного — сказала она. — Должно быть, не так-то просто возвращаться домой после такого длительного отсутствия. Многое ведь изменилось.

Он ответил с веселой улыбкой:

— Да, причем некоторые вещи изменились безвозвратно.

В тот день они вместе отравились в Бруклин, на побережье. Поели там устриц, потом отправились к статуе Свободы, которую Ариана с корабля так и не видела. На обратном пути Пол свернул на Третью авеню, чтобы можно было как следует разогнать машину под эстакадой надземки. Автомобиль стремительно набрал скорость, но тут Ариана сделалась такой бледной, что он был вынужден затормозить.

— Извини, подружка.

— Нет-нет, ничего, — смутилась она.

Пол добродушно усмехнулся:

— Не хватало еще, чтобы тебя вырвало в новой машине моей мамочки.

Тут и Ариана не удержалась от смеха.

Перед тем как вернуться домой, они все вместе погуляли по Центральному парку, где устроили пикник возле пруда, и не забыли заглянуть в зоопарк. Обезьяны весело скакали по своим клеткам, сияло теплое солнце — июньский день выдался на славу. Все четверо были очень молоды и отлично чувствовали себя в компании друг друга. Впервые со дня гибели Манфреда Ариана подумала, что, может быть, когда-нибудь вновь будет счастлива.

— А какие у нас планы на лето? — вечером за ужином громогласно поинтересовался Пол. — Мы что, остаемся в городе?

Родители быстро переглянулись. Пол вечно обожал забегать вперед, за время отсутствия сына они успели забыть эту его особенность.

— Мы ведь не знали, какие у тебя будут планы, сынок.

Рут улыбнулась, накладывая себе с большого серебряного блюда ростбиф.

— Я думала, что мы снимем дом где-нибудь в Коннектикуте или на Лонг-Айленде, но не хотелось без тебя ничего решать.

После смерти Саймона Либманы продали загородный дом, с которым было связано слишком много болезненных воспоминаний.

— Кстати говоря, — вступил в разговор отец, — есть и другие решения, которые пора принять. Впрочем, если хочешь, не будем торопить события. Ты ведь едва успел вернуться.

Имелась в виду работа в банке, где для Пола уже отремонтировали персональный кабинет.

— Да, отец, нам есть о чем поговорить.

Пол посмотрел Либману-старшему в глаза, и тот улыбнулся.

— Вот и отлично. Приезжай завтра в обеденное время ко мне, и мы с тобой обо всем потолкуем.

Сэм подумал: нужно приказать секретарше, чтобы она распорядилась насчет обеда.

— Хорошо, договорились.

Однако беседа проходила не совсем так, как он рассчитывал. Во-первых, сын потребовал, чтобы ему купили спортивный «кадиллак-родстер», а кроме того, он выторговал себе отсрочку с работой до осени, сказав, что хочет устроить последние каникулы. Сэмюэл был вынужден признать, что мальчик по-своему прав. В конце концов ему двадцать два года. Если бы он окончил колледж, то тоже получил бы право на летние каникулы. Да и машина — требование вполне приемлемое. Какое счастье, что он вернулся с войны домой живым!..

В тот же день часа в четыре Пол заглянул в комнату к Ариане. Против обыкновения она была в одиночестве, без Джулии и Дебби.

— Получилось! — уверенно и спокойно сообщил он, в этот момент похожий уже не на юношу, а на мужчину.

— Что получилось, Пол? — улыбнулась Ариана, жестом приглашая его сесть. — Садись и объясни, в чем дело.

— Во-первых, отец предоставил мне отпуск до осени. А во-вторых, — тут он просиял и вновь стал похож на мальчишку, — я получу настоящий «кадиллак-родстер». Каково, а?

— Потрясающе.

Ариана один раз, еще до войны, видела в Германии «кадиллак», но он запомнился ей как-то смутно. И уж во всяком случае, это был не «родстер».

— А что такое «кадиллак-родстер»?

— Это не автомобиль, а красавец! Ты умеешь водить машину?

Лицо Арианы омрачилось.

— Да, умею.

Пол не понял, чем вызвана такая резкая смена настроения, но догадался, что, должно быть, разбередил какую-то старую рану. Он нежно взял ее за руку и сделался до такой степени похож на Герхарда, что Ариана и вовсе чуть не расплакалась.

— Извини, я не должен был тебя ни о чем спрашивать. Иногда я забываю, что тебе не следует задавать вопросы о прошлом.

— Не говори глупостей.

Она крепко сжала его руку, давая понять, что не держит на него обиды.

— Ты вечно обращаешься со мной, будто я сделана из стекла. Не бойся, спрашивай меня, о чем хочешь. Пройдет время, и мне уже не будет так больно... Просто сейчас пока еще... Иногда это свыше моих сил... Рана слишком свежа.

Пол кивнул, думая о собственных ранах — о брате, о Джоанне. Других утрат в его жизни не было. Одна из них была нешуточной и непоправимой; другая принадлежала к совсем иной категории, но от этого воспринималась не менее болезненно. Глядя на его склоненную голову, Ариана вновь заулыбалась:

— Иногда ты так похож на моего брата.

Пол внимательно взглянул на нее — впервые она добровольно заговорила о своем прошлом.

— Каким был твой брат?

— Иногда просто несносным. Однажды он, возясь с химикатами, устроил у себя в комнате настоящий взрыв. — Ариана улыбнулась, но было видно, что она в любой момент может расплакаться. — Еще был случай, когда он потихоньку от шофера взял новый «роллс-ройс» моего отца и врезался в дерево. — Голос Арианы дрогнул. — Я все время думала... — Она закрыла глаза, каждое слово давалось ей с трудом. — Я говорила себе, что такой мальчишка, как Герхард... не может умереть. Что он обязательно останется в живых, выкарабкается...

Она открыла глаза, и по ее лицу потекли слезы. Когда Ариана обернулась к Полу, он подумал, что за два года войны не видел зрелища более душераздирающего, чем это лицо.

— Уже несколько месяцев подряд я твержу себе, что должна отказаться от надежды, — еле слышным шепотом продолжила Ариана. — Я заставляю себя поверить в то, что Герхард мертв... Он так много смеялся, он был красивый, молодой, сильный... — Ее душили рыдания. — Я любила его. И вот, несмотря на все это... он мертв.

Наступила тишина. Пол обнял Ариану и прижал к себе, давая ей выплакаться.

Нарушить молчание он решился очень нескоро. Сначала осторожно вытер ей глаза своим белым платком, потом постарался разрядить атмосферу шутливыми словами, однако по его глазам было видно, что Пол тронут до глубины души. Его отношение к этой девушке никак нельзя было назвать легкомысленным.

— Значит, вы были богаты? «Роллс-ройс» с шофером и все такое.

— Я не знаю, сколько у нас было денег, — улыбнулась Ариана. — Мой отец был банкиром. Понимаешь, в Европе не принято разговаривать о подобных вещах. — Она глубоко вздохнула и попробовала говорить о прошлом без слез: — Когда я была совсем маленькая, моя мама ездила на американской машине. Кажется, это был «форд».

— Седан?

— Не знаю, — пожала она плечами. — Может быть. Тебе бы эта машина понравилась. Потом она много лет стояла в гараже.

Ариана вспомнила о Максе, потом о «фольксвагене», который купил для нее Манфред... Каждое воспоминание отзывалось болью. Углубляться в прошлое по-прежнему было опасно. Ариана почувствовала, как на нее вновь наваливается тяжесть утраты. Того мира, в котором прошла вся ее жизнь, больше не существовало.

— О чем ты думаешь, Ариана?

Она решила быть с Полом откровенной. Он ее друг, можно не скрытничать.

— Я думала, как все это странно. Все люди, все места, которые я знала в своей жизни... исчезли, больше не существуют. Люди погибли, дома разбомблены...

— Но ведь ты жива. И ты теперь здесь. — Он пожал ей руку и посмотрел прямо в глаза. — Я хочу, чтобы ты знала: я очень рад, что ты здесь.

— Спасибо.

Наступившую паузу прервала Джулия, стремглав влетевшая в комнату.

Глава 35

Неделю спустя Пол приехал домой на новом темно-зеленом «кадиллаке». Первой Пол прокатил на своей машине Ариану. Потом Джулию, Дебби, мать и снова Ариану. Они кружили вокруг Центрального парка. Кожаная обивка кресел была мягкой и упругой; от «кадиллака» пахло свежестью и новизной. Ариане этот запах понравился.

— Чудесная машина, — сказала она.

— Правда? — радостно воскликнул Пол. — И она теперь моя. Правда, папа говорит, что я должен ее отработать, но это он не всерьез, уж я-то его знаю. Машина мне подарена.

Он так гордился своим приобретением, что Ариана заулыбалась. Кроме того, Пол убедил мать снять на лето дом на Лонг-Айленде, где семья поживет месяц, а то и два.

— А после каникул мне суждено попасть в банк, на каторжные работы, — улыбнулся Пол.

— А что дальше? Ты переедешь на собственную квартиру?

— Не исключено. Я уже слишком взрослый, чтобы жить у родителей.

Ариана кивнула, думая, что он и в самом деле стал слишком зрелым, чтобы держаться за материнскую юбку.

— Конечно, все очень расстроятся, если ты переедешь. В особенности твоя мать и сестры.

Тут Пол посмотрел на нее так странно, что у Арианы внутри все сжалось. Он резко остановил машину и спросил:

— А ты, Ариана? Ты тоже расстроишься?

— Я тоже, — тихо ответила она.

Разговоры о прошлом разбередили ей душу. Думать о расставании с вновь приобретенным другом было тяжело.

— Скажи, Ариана... А если я буду жить в другом месте, ты будешь со мной встречаться?

— Конечно, буду.

— Ты не поняла, — с нажимом произнес он. — Я имею в виду — встречаться не по-дружески, а по-другому.

— Что ты хочешь этим сказать?

— То, что ты мне нравишься, — ответил он, глядя ей прямо в глаза. — Ты мне необычайно нравишься. Меня тянет к тебе с самого первого дня.

Ариана вспомнила тот завтрак, когда он довел ее до слез расспросами о Берлине. Пожалуй, ее тоже потянуло к этому парню с самой первой встречи. Но Ариана противилась этому чувству. Слишком мало прошло времени... Это было бы неправильно.

— Я знаю, о чем ты подумала.

Он выпрямился на сиденье, но по-прежнему не сводил глаз с Арианы, которая в своей белой шелковой юбке казалась каким-то неземным созданием.

— Ты подумала, что я тебя очень мало знаю, что всего пару недель назад я был обручен с другой девушкой, наверное, ты думаешь, что я слишком тороплюсь, хочу взять реванш...

Ариана улыбнулась:

— Я думала не только об этом.

— Но я близок к истине?

— Ты ведь и в самом деле очень мало меня знаешь.

— Нет, знаю. Ты добрая, остроумная и любящая, несмотря на все, что тебе пришлось перенести. И мне совершенно наплевать, что ты иностранка. Главное, что мы выросли в одном и том же мире, мы оба евреи.

Лицо Арианы исказилось. Каждый раз, когда она слышала подобное, ее охватывало чувство вины. Почему для них так важно, чтобы она тоже была еврейкой? Неужели их любовь можно заслужить только этим? Мысли такого рода посещали ее все чаще и чаще. У нее создавалось впечатление, что все знакомые Либманов — и деловые партнеры, и друзья — были исключительно евреями. В их обществе это считалось само собой разумеющимся. Поэтому Либманам и в голову не приходило, что Ариана может быть другой национальности. Хуже всего было то, что непризнание будет неправильно воспринято, ее сочтут хитрой и лживой. Они решат, что она завоевала их любовь обманом.

Сэм и Рут ненавидели немцев. Для них всякий уроженец Германии был или евреем, или фашистом. Если бы они узнали правду, то и Ариана сразу же превратилась бы для них в нацистку. Смириться с этой мыслью было трудно. А слова Пола вновь заставили Ариану вспомнить об этом мучительном для нее вопросе. Окончательно расстроившись, она отвернулась.

— Не нужно, Пол... прошу тебя.

— Но почему? — Он коснулся ее плеча. — Ты считаешь, что прошло слишком мало времени? Или же ты не разделяешь моих чувств?

В его голосе звучала надежда, и Ариана долго подбирала слова для ответа. Сколько бы времени ни прошло, это не будет иметь никакого значения. В душе она по-прежнему считала себя замужней женщиной. Если бы Манфред не погиб, сейчас они мечтали бы о первом ребенке. Ни о каком другом мужчине Ариана думать не желала. Ни сейчас, ни потом.

Когда она взглянула на Пола, в ее глазах читалась жалость.

— Пол, скорее всего я не смогу дать тебе никакой надежды... В моей прошлой жизни слишком много такого, о чем забыть невозможно... Я не хотела бы давать тебе пустые обещания.

— Но я тебе нравлюсь? Хотя бы как друг?

— Да, очень нравишься.

— Что ж, тогда будем ждать.

Их взгляды встретились, и Ариана внезапно ощутила исходившее от него притяжение. Это ее испугало.

— Верь мне. Это все, о чем я прошу, — сказал Пол и осторожно поцеловал ее в губы.

Ариана хотела воспротивиться — в память о Манфреде. Но внезапно ей захотелось, чтобы поцелуй никогда не кончался. Когда их губы разомкнулись, она сидела раскрасневшаяся и задыхающаяся.

— Ариана, если нужно, я подожду. А тем временем, — он нежно поцеловал ее в щеку и снова завел двигатель, — меня вполне устроит роль твоего друга.

Ариана почувствовала, что не имеет права смолчать, следует внести в их отношения ясность.

— Пол, — начала она, мягко положив ему руку на плечо, — я очень ценю твои чувства. Ты для меня все равно что брат...

— Но целовалась ты со мной совсем не по-сестрински, — перебил ее он.

Ариана вспыхнула.

— Ты не понимаешь... Я не готова... Я не могу быть с мужчиной...

Не выдержав, Пол обернулся к ней, и она прочла в его взгляде неизъяснимое страдание.

— Ариана, они мучили тебя?.. Я имею в виду фашистов... Неужели они...

Видя в его глазах неподдельную любовь, Ариана прослезилась, поцеловала его и покачала головой:

— Нет, Пол, они не сделали со мной того, о чем ты подумал.

Но ночью, когда Пол услышал донесшийся из ее спальни крик, он решил, что Ариана солгала. Каждую ночь ее мучили кошмары, но на сей раз Пол не выдержал. Хватит Ариане жить войной, которая уже кончилась. Бесшумно ступая, Пол подошел к двери ее спальни и заглянул внутрь. Ариана сидела на постели, закрыв лицо руками, и тихо всхлипывала. Горела ночная лампа, в руках у девушки была маленькая книга в кожаном переплете.

— Ариана! — позвал он, и она подняла голову.

Такой он никогда ее еще не видел. Лицо девушки было искажено страданием, и Пол утратил дар речи. Он сел рядом с ней, обнял и стал ждать, пока утихнут рыдания.

Ариане приснился Манфред. Он лежал мертвым возле рейхстага. Рассказать об этом Полу было совершенно невозможно. Успокоившись, она долго сидела, положив голову ему на плечо. Пол взял у нее из рук томик, взглянул на заголовок.

— Шекспир? Слишком интеллектуальное чтение для столь позднего часа. Неудивительно, что он довел тебя до слез. Я от Шекспира тоже волком вою.

Ариана улыбнулась сквозь слезы и покачала головой:

— Это не настоящая книга. Я увела ее из-под носа у нацистов... В ней все мое состояние.

Она взяла у него томик Шекспира, показала Полу тайник.

— Это драгоценности моей матери. — У нее на глазах вновь выступили слезы. — Все, что у меня осталось...

Пол увидел несколько колец, причем два из них — изумрудное и бриллиантовое — были очень хороши, однако приставать к Ариане с расспросами он не решился. Девушка была слишком взволнована.

У Арианы хватило осмотрительности спрятать фотографии Манфреда за подкладку сумочки, но сейчас она вспомнила о них, и по ее лицу снова потекли слезы. Почему она должна прятать фотографии собственного мужа?

— Тише, Ариана, успокойся. — Пол обнял ее дрожащее тело. — Ничего себе камешки. Неужели ты их увела из-под носа у фашистов?

Ариана горделиво кивнула, а он поднес к глазам кольцо с огромным изумрудом.

— Потрясающая работа.

— Да? — улыбнулась Ариана. — Кажется, оно осталось от бабушки, но точно не знаю. Мама носила его всё время. — Она взяла перстень с бриллиантом. — А на этом инициалы моей прабабушки.

Буквы были так затейливо выгравированы, что человеку несведущему разглядеть их не удалось бы.

Пол взглянул на Ариану с явным уважением.

— Поразительно, что у тебя не стащили эти кольца на пароходе.

«Да и на иных этапах твоего пути», — мысленно добавил он. Пол подумал, что Ариана проявила незаурядную изобретательность и мужество, сохранив эти камни. Впрочем, он и так знал, что она умная и храбрая.

— Я никому бы их не отдала. Сначала им пришлось бы меня убить.

Заглянув ей в глаза, Пол понял: она не преувеличивает.

— Нет ничего на свете, ради чего стоило бы жертвовать жизнью, — серьезно сказал Пол. — Я научился этому на собственном опыте.

Ариана медленно кивнула. Манфред говорил ей то же самое. Ради чего же он тогда погиб? Когда она вновь подняла глаза, от них веяло зимней стужей. Пол потянулся губами к ее щеке, и Ариана не отстранилась.

— Ну ладно, спи.

Он нежно улыбнулся и уложил ее на подушку. А Ариана уже раскаивалась, что позволила ему поцеловать себя. Делать этого не следовало. Однако когда Пол вышел, Ариана надолго задумалась — о войне, о Поле, о том, что Манфред, наверное, сказал бы то же самое. Конечно, Пол Либман очень молод, но он уже настоящий мужчина.

Глава 36

На следующее утро за завтраком Рут обратила внимание на то, что Ариана бледнее обычного.

— Ты хорошо себя чувствуешь?

После ухода Пола девушка уснула очень нескоро — ее мучило чувство вины, она считала, что не имеет права подавать молодому человеку надежду на взаимность. Ведь пройдет немного времени, он привыкнет к мирной жизни, встретится со старыми друзьями, и тогда она, Ариана, уже не будет казаться ему столь привлекательной. Пока же Пол похож на большого доверчивого щенка, обидеть которого кажется совершенно невозможным. Ариана злилась на себя, на свою податливость. Но Пол был так добр с ней минувшей ночью, и в конце концов она всего лишь слабая женщина... Взгляд ее огромных глаз был так грустен, что Рут встревоженно нахмурилась:

— Что-нибудь не так, милая?

Ариана покачала головой:

— Нет, тетя Рут. Просто я устала. Вот отдохну немного, и все будет в порядке.

Однако ее слова хозяйку не успокоили, и после завтрака она сделала один телефонный звонок, а затем решительно отправилась к Ариане.

Та приподняла голову над подушкой и слабо улыбнулась. Бессонная ночь сильно ослабила девушку. После завтрака она удалилась к себе, и ее полчаса рвало. Рут сразу догадалась об этом по землистому цвету ее лица.

— Думаю, нам стоит сегодня наведаться к доктору Каплану, — нарочито небрежным голосом сказала Рут.

— Но со мной все в порядке...

— Не спорь со мной, Ариана.

В ее голосе звучал упрек, и Ариана, укутанная одеялом, сдалась:

— Хорошо, тетя Рут. Но со мной действительно все в порядке. Я не хочу к доктору...

— Ты разговариваешь совсем как Дебби или Джулия. Хуже того, — улыбнулась Рут, — ты разговариваешь почти как Пол.

Рут решила поговорить с девушкой начистоту:

— Скажи-ка, он не слишком донимает тебя своими ухаживаниями?

Она так и впилась глазами в лицо девушки, но Ариана покачала головой:

— Нет, ни в коем случае.

— А я было подумала... Знаешь, он в тебя, что называется, втрескался.

Ариана впервые слышала это слово, но смысл его был ей понятен.

— Мне тоже так показалось, тетя Рут, — призналась она, приподнявшись. — Я не хочу его поощрять. Он похож на моего брата, по которому я так тоскую... — Голос ее дрогнул, Ариана посмотрела американке в глаза. — И потом, я ни за что не сделала бы ничего такого, что могло бы вас расстроить.

— Вот об этом я и хотела с тобой поговорить. С чего ты взяла, Ариана, что меня это расстроило бы?

— А разве нет? — поразилась девушка.

— Ни в коей степени. — Рут улыбнулась. — Мы с Сэмом на днях говорили на эту тему. Конечно, мальчик еще не совсем оправился от истории с Джоанной, но это ничего не значит. Ариана, он действительно славный парень. Я не хочу тебя подталкивать ни к какому решению. Просто знай: если такая ситуация возникнет... — Рут ласково посмотрела на светловолосую девочку, поселившуюся у нее в доме. — Мы все очень тебя любим.

— Ах, тетя Рут, и я вас очень люблю!

Ариана обняла за шею ту, что была столь добра к ней с самой первой встречи.

— Мы хотим, чтобы ты чувствовала себя совершенно свободной. Теперь ты член семьи, поступай так, как считаешь правильным. И если ему взбрело в голову докучать тебе своими ухаживаниями, можешь послать его к черту. Уж я-то знаю, какой он упрямый!

Ариана засмеялась:

— Думаю, до этого не дойдет, тетя Рут.

Нет, она этого не допустит — ни в коем случае.

— Я беспокоилась, что Пол тебе досаждает, а ты переживаешь и не знаешь, как поступить.

— Нет, он ко мне не пристает, — застенчиво покачала головой Ариана. — Правда, недавно он сказал нечто в этом роде, но... — Ариана улыбнулась, — я думаю, он просто втрескался.

Она произнесла это новое слово с удовольствием.

— Главное — слушайся своего сердца.

Ариана засмеялась и вылезла из кровати.

— Вот уж не думала, что мать молодого человека может выступать в роли купидона.

— Честно говоря, я занимаюсь этим впервые. — Рут посмотрела Ариане прямо в глаза. — Но о лучшей невестке я не могла бы и мечтать. Ты прелесть, Ариана. Просто чудо.

— Спасибо, тетя Рут.

Ариана извлекла из гардероба летнее платье в розовую полоску и белые сандалии. Июньское солнце припекало не на шутку. Девушка хотела было сказать, что чувствует себя превосходно и идти к врачу незачем, но внезапно у нее закружилась голова, и она бессильно осела на пол.

— Ариана! — воскликнула Рут, бросившись к упавшей девушке.

Глава 37

Кабинет доктора Стэнли Каплана находился на перекрестке Пятьдесят третьей улицы и Парк-авеню. Рут высадила Ариану возле дверей, а сама отправилась прогуляться по парку.

— Ну-с, юная леди, как мы себя чувствуем? Впрочем, вопрос глуповатый. Очевидно, чувствуем мы себя не слишком хорошо, иначе наша встреча не произошла бы.

Пожилой врач добродушно улыбнулся, глядя на девушку, сидевшую в кресле возле стола. Когда он видел ее в последний раз, она была бледной, истощенной, испуганной. Теперь же Ариана превратилась в настоящую красавицу. Хотя нет, не совсем. В глазах, пожалуй, все еще остались боль и горечь, избавиться от которых не так-то просто. Но цвет лица был вполне приличный, взгляд прояснился, длинные золотистые волосы уложены в красивую прическу. В легком летнем платье девушка была похожа на дочь обычных пациентов доктора Каплана, а не на беженку, вырвавшуюся из разоренной Европы всего несколько недель назад.

— Так в чем у нас проблемы? По-прежнему кошмары, тошнота, головокружение, обмороки? Ну-ка, рассказывайте.

Врач ласково улыбнулся и взял ручку, готовый записывать.

— Да, кошмары все еще бывают, но уже не так часто. Теперь мне иногда удается поспать.

— Вижу, — кивнул он. — Вид у вас отдохнувший.

Ариана тоже кивнула, однако призналась, что после каждой еды ее тошнит. Это известие доктора удивило.

— А Рут об этом знает?

Ариана покачала головой.

— Вы должны ей об этом сказать. Очевидно, необходима специальная диета. Неужели после каждой еды?

— Почти.

— Так вот почему вы такая худенькая. А раньше у вас бывали такие проблемы?

— Нет, тошнота началась после того, как я пешком добиралась до Парижа. В дороге я два дня ничего не ела, а потом я несколько раз питалась всякой дрянью с полей...

Врач покивал.

— Обмороки продолжаются?

— Да, бывают.

И тут врач повел себя довольно неожиданным образом. Он отложил ручку и посмотрел на Ариану внимательным и испытующим, но при этом по-прежнему добрым и сочувственным взглядом. Сразу было видно, что этот человек ей не враг, а друг.

— Ариана, я хочу, чтобы вы знали: со мной вы можете откровенно говорить о чем угодно. Мне нужно знать подробности вашего прошлого. Я не смогу вам помочь, если не буду иметь точного представления о том, что вы вынесли. Учтите, что бы вы мне ни рассказали, никто об этом не узнает. Я врач, я давал клятву свято хранить врачебную тайну. Я не имею права, да и ни за что на свете не стану разглашать то, что от вас услышу. Об этом не узнают ни Рут, ни Сэм, ни их дети. Никто на свете. Ариана, я ваш врач и ваш друг. Кроме того, я старый человек, много поживший на свете. Возможно, я видел меньше, чем видели вы, но, уверяю вас, и того, с чем довелось столкнуться мне, вполне достаточно. Меня трудно чем-нибудь удивить или шокировать. Поэтому, если фашисты делали с вами что-то такое, из-за чего возникли нынешние проблемы, вы смело можете мне об этом рассказать.

У Каплана было такое выражение лица, что Ариане захотелось его поцеловать, однако она ограничилась легким вздохом.

— Ничего такого не было, доктор. Меня продержали в одиночной камере больше месяца, кормили картофельной похлебкой и черствым хлебом, один раз в неделю выдавали какую-то бурду с обрезками мяса. Больше ничего ужасного со мной не делали. Да и в тюрьме я сидела уже давно, почти год назад.

— Кошмары начались именно тогда?

— Да. Я очень беспокоилась об отце и брате. — Голос Арианы дрогнул. — С тех пор я их не видела.

— А проблемы с желудком начались тоже тогда?

— Не совсем.

Лицо Арианы на миг озарилось улыбкой — она вспомнила, как под руководством Манфреда осваивала кулинарную науку и готовила «рагу» из ливерной колбасы. Может быть, именно то «рагу» испортило ей желудок? Но доктору Ариана об этом рассказывать не стала.

— Ну вот, теперь мы знаем друг друга немного получше, — резюмировал Каплан, решив двигаться постепенно.

Во время первой встречи с этой девочкой он не осмелился задавать ей какие-либо вопросы.

— Вы хотите меня спросить о чем-то еще?

— Скажите, — он запнулся, пытаясь подобрать слово помягче, — они вас... использовали?

Каплан был уверен, что такая красивая девушка наверняка подвергалась насилию, однако Ариана отрицательно покачала головой. Может быть, просто боится сказать правду?

— Ни разу?

— Один раз это чуть не произошло. Когда я была в тюрьме.

Больше она ничего не сказала, и Каплан был вынужден этим удовлетвориться.

— Что ж, тогда приступим к осмотру.

Он нажал на звонок, вызывая медсестру, чтобы она помогла Ариане раздеться.

Во время осмотра брови Каплана недовольно сдвинулись, он задал еще несколько вопросов, а затем сказал, что вынужден провести гинекологическое обследование. Он думал, что Ариану это испугает, но она и не подумала противиться. Она лежала притихшая и странно спокойная, а Каплан убедился, что его подозрение не было ошибочным: шейка матки была явно увеличена.

— Ариана, вы можете сесть и одеться.

Он смотрел на нее с грустью. Значит, она все-таки ему солгала. Ее не только изнасиловали, но и сделали ей ребенка.

Медсестра вышла, а Ариана сидела, закутавшись в простыню, такая юная, такая бледная.

— Я вынужден вам кое-что сообщить, — вздохнул доктор. — После чего нам нужно будет поговорить более откровенно.

— Что-нибудь не так? — испугалась Ариана.

Она до сих пор считала, что все ее недомогания — результат перенесенных испытаний и упадка сил. Она не думала, что у нее какая-то серьезная болезнь. Правда, менструации в этом месяце у нее не было, но Ариана относила это за счет путешествия, переживаний, физических нагрузок.

— Боюсь, девочка, что у вас проблема. Вы беременны.

Каплан ожидал увидеть на ее лице горе и ужас, но вместо этого Ариана сначала удивленно вскинула брови, а затем улыбнулась.

— Вы об этом не подозревали?

Ариана покачала головой, ее улыбка стала еще шире.

— И вас это радует? — поразился врач.

Ариане показалось, что судьба преподнесла ей бесценный подарок. В ее синих глазах появилось любовно-восторженное выражение. Должно быть, это произошло в самом конце апреля, скорее всего в последнюю ночь перед тем, как Манфред отправился защищать рейхстаг. Если так, то беременность продолжается примерно семь недель.

— А вы не ошибаетесь? — со страхом спросила она у доктора.

— Если хотите, можно сделать анализ. Но я абсолютно уверен. Скажите, Ариана, а вам известно...

Она нежно улыбнулась:

— Да, я знаю, кто отец ребенка.

Она чувствовала, что может доверять этому доктору, да и не было у нее другого выхода.

— Мой муж. Других мужчин у меня в жизни не было.

— А где он теперь, ваш муж?

Ариана опустила глаза, на ее ресницах блеснули слезы.

— Он погиб... Как и все остальные. — Девушка низко опустила голову. — Он мертв.

— Но вы ждете его ребенка, — тихо произнес Каплан, радуясь вместе с ней. — Этого у вас никто не отнимет. Так ведь?

Ариана блаженно улыбнулась и наконец позволила себе подумать о Манфреде, вспомнить его лицо, его руки. У нее было такое чувство, что теперь можно не чинить препятствий памяти, она и Манфред будут вместе радоваться будущему ребенку. До сих пор Ариана всячески изгоняла воспоминания, боясь, что они перевернут ей душу. Но теперь, когда доктор куда-то вышел и его не было целых десять минут, она стала вспоминать самые сладостные эпизоды из прошлого. По ее лицу текли слезы, но при этом она улыбалась. Пожалуй, это был один из самых счастливых моментов в ее жизни.

Когда Каплан вернулся, вид у него был очень серьезный.

— Ариана, что вы намерены делать? Придется обо всем рассказать Рут.

Наступила пауза. Об этом Ариана как-то не успела подумать. Она вообще на время забыла о Либманах. Однако придется им все рассказать, и она уже заранее предвидела, какую это вызовет бурю. Обрадуются ли они ребенку, чей отец неизвестен? А если они узнают, что отец ребенка — нацист, фашистский офицер? Она должна во что бы то ни стало защитить своего еще не родившегося младенца. Как быть? Ариана вспомнила о кольцах матери. Можно продать их и жить на эти деньги до рождения ребенка. Нельзя злоупотреблять гостеприимством Либманов. Но может быть, они могут потерпеть еще несколько месяцев. Потом она уйдет.

— Доктор, я не хочу говорить об этом миссис Либман.

— Но почему? — расстроился Каплан. — Рут — славная, добрая женщина. Она все поймет.

Но Ариана заупрямилась:

— Я не могу требовать от нее большего, чем она уже мне дала. Она сделала для меня так много, что, пожалуй, будет перебор.

— Нужно подумать и о ребенке, Ариана. Вы обязаны обеспечить своему младенцу достойную жизнь, дать ему шанс. Без Либманов сделать это вам будет трудно.

Эти слова произвели на Ариану впечатление, она думала о них весь вечер. Каплан пообещал, что ничего не скажет миссис Либман. Он сообщил встревоженной Рут, что Ариана немного утомлена, но особенно беспокоиться не из-за чего. Ей нельзя перенапрягаться, нужно побольше спать и хорошо питаться, а в остальном все в порядке.

— Теперь мне стало гораздо легче, — говорила Рут по дороге домой.

Она вела себя с Арианой еще ласковее, чем обычно, и у бедной девушки разрывалось сердце при мысли о том, что она обманывает эту добрую женщину. Но взваливать на Либманов свои заботы казалось ей бессовестным. Нужно разобраться со своими проблемами самостоятельно. Ребенок принадлежит ей и Манфреду — больше никому. Они так мечтали об этом младенце, и он был-таки зачат среди развалин и пепла, в который обратились их мечты. Ребенок появится на свет под более ласковым солнцем и будет живым напоминанием об их любви. Ночью Ариана сидела у себя в комнате одна и пыталась угадать, кто родится — девочка или мальчик. На кого он будет похож — на Манфреда или, может быть, на ее отца? Ей казалось, что к ней должен прибыть чудесный гость из прежнего мира. Лицо одного из дорогих ей людей может воскреснуть в облике этого младенца. Врач сказал, что дитя родится в конце января или даже в начале февраля. Первый ребенок обычно рождается позже. Еще Каплан сказал, что живот не будет заметен до сентября, а то и до октября, в особенности если носить просторные платья. Значит, жить у Либманов можно до осени. Потом Ариана переедет, найдет работу и тогда расскажет им обо всем. Родится ребенок, Джулия и Дебби будут приходить к ним в гости... Ариана улыбнулась, представив себе очаровательное создание в кружевных одежках, представила восторг своих будущих посетительниц...

— У тебя такой счастливый вид. О чем ты думаешь? — спросил Пол, незаметно появившийся рядом.

— Не знаю. Так, размышляю кое о чем.

— О чем же?

Он сел на пол рядом с ней и снизу вверх посмотрел на ее прелестное лицо.

— Ни о чем особенном.

Ей трудно было скрывать свое счастье, и, заразившись ее настроением, Пол воодушевленно сказал:

— Знаешь, о чем я думал целый день? О летних каникулах. За городом будет просто шикарно. Мы будем играть в теннис, плавать. Можно загорать, ходить в гости. Правда, здорово?

Но Ариана теперь должна была думать не только об удовольствиях. Она серьезно взглянула на своего друга и объявила:

— Пол, я только что приняла важное решение.

— Какое? — улыбнулся он.

— В сентябре я найду работу и съеду отсюда.

— И ты тоже? Хочешь, будем жить с тобой вместе?

— Очень смешно. А я говорю совершенно серьезно.

— Я тоже. Кстати говоря, где ты намерена работать?

— Не знаю, но что-нибудь придумаю. Может быть, твой отец подскажет что-нибудь?

— У меня есть идея получше. — Он наклонился и поцеловал ее золотистые локоны. — Почему ты меня не слушаешь?

— Потому что ты слишком молод и легкомыслен и несешь всякую чушь.

Давно уже Ариана не чувствовала себя такой счаст-ливой. Пол уловил ее настроение и радостно засмеялся.

— Если ты всерьез намерена в сентябре найти ра-боту, значит, для тебя тоже это лето — последнее, как и для меня. Нужно будет как следует повеселиться на-последок.

— Вот именно что напоследок, — широко улыбну-лась Ариана.

Пол встал.

— Итак, давай постараемся, чтобы это лето стало самым лучшим в нашей жизни.

Ариана улыбалась, душа ее пела от счастья.

Глава 38

Через неделю семья переехала в большой загородный дом в Истгемптон. В распоряжении Либманов было шесть спален, три комнаты для прислуги, просторная столовая, большая гостиная, рабочий кабинет да еще общий зал на первом этаже. Гигантская кухня выглядела весьма уютно, а во дворе находился еще один домик для гостей плюс домик на пляже, где можно было переодеться. «Домик» для гостей тоже был не так уж мал — целых пять комнат. Либманы рассчитывали, что у них все лето будут гостить друзья и родственники. Настроение у всех было приподнятое, во всяком случае до той минуты, пока Пол не проговорился матери, что Ариана намерена осенью найти работу.

Рут была сражена этим известием.

— Но почему, Ариана, почему? Что за глупости? Мы не хотим, чтобы ты уезжала!

— Не могу же я вечно сидеть у вас на шее.

— Ты вовсе не сидишь у нас на шее. Ты одна из наших дочерей. Какая чушь! Если уж ты так хочешь работать, ради Бога. Но зачем уезжать? — Рут не могла прийти в себя от огорчения. — Если хочешь, поступай в университет. Ты ведь хотела учиться дальше? Делай все, что пожелаешь. Но уезжать-то зачем?

— Ах, Пол, она была так расстроена, — рассказывала Ариана своему другу, когда они ехали на «кадиллаке» в Нью-Йорк, чтобы перевезти на дачу всякие мелкие вещи: два купальных костюма для Дебби, лекарства для Джулии, документы Женского общества взаимопомощи, забытые на столе, и тому подобное. Когда все необходимые вещи были собраны, Ариана взглянула на золотые часики, подаренные ей Рут.

— Как ты думаешь, мы успеем заглянуть еще в одно место?

— Конечно, а куда тебе?

— Я обещала доктору Каплану, что заеду к нему за витаминами.

— Хорошо. — Пол строго взглянул на нее. — Нам нужно было с этого начать.

— Слушаю, сэр, — засмеялась Ариана.

Они сложили вещи в машину и поехали в центр Нью-Йорка. Такое счастье для Арианы было вновь наслаждаться молодостью, летом. Ласково сияло солнце, и девушка блаженно откинулась на спинку сиденья.

— Хочешь, на обратном пути я дам тебе вести машину?

— Твой драгоценный «кадиллак»? Пол, неужели ты нетрезв?

Он расхохотался, довольный тем, что она настроена так легкомысленно.

— Ничего, я тебе доверяю. Ты ведь говорила, что умеешь водить машину.

— Буду польщена высоким доверием.

Ариана и в самом деле была тронута его предложением, зная, как он дорожит своей машиной.

— Мое доверие к тебе, Ариана, безгранично. Оно распространяется даже на мой «кадиллак».

— Спасибо.

По дороге до кабинета доктора Каплана они больше почти не разговаривали. Когда машина затормозила, Пол проворно выскочил и помог Ариане выйти на тротуар. Пол был в белых полотняных брюках, свободном пиджаке, двигался легко и грациозно. Вид у него был элегантный, но в то же время совсем мальчишеский. В дверь приемного покоя они вошли вместе.

— Я зайду с тобой, — заявил Пол. — Давно не видел мистера Каплана.

На самом деле особенной нужды встречаться с врачом у него не было. Раненое колено почти полностью зажило, хромота стала совсем незаметной. Можно было надеяться, что после летнего отдыха от нее и вовсе следа не останется. Но доктор Каплан был рад видеть Пола, они весело поговорили втроем обо всякой всячине, а затем врач сказал, что ему нужно осмотреть Ариану. Пол вышел в приемную и уселся в кресло.

Оставшись наедине с доктором, Ариана молча смотрела на него широко раскрытыми глазами.

— Как вы себя чувствуете, Ариана?

— Спасибо, хорошо. Главное — не съесть чего-нибудь не того, других проблем нет.

Она улыбнулась, и Каплан подумал, что никогда еще не видел ее такой умиротворенной. На девушке было летнее платье с широкой юбкой и зауженной талией; соломенная шляпка держалась на голубых лентах, завязанных у подбородка, — они были того же цвета, что и глаза Арианы.

— Вы прекрасно выглядите. — После неловкой паузы Каплан спросил: — Вы никому не рассказывали о своей беременности?

— Нет, — медленно покачала головой Ариана. — Я приняла решение. Вы сказали, что беременность станет очевидной не раньше сентября. Когда мы вернемся

из Лонг-Айленда, я съеду от Либманов и найду работу.
Тогда-то я все им и расскажу. Уверена, они меня поймут.
Но я не хочу садиться им на шею. Несправедливо было
бы требовать, чтобы они содержали моего ребенка.

— Это очень благородно, Ариана, но на что вы
собираетесь жить? Вы подумали о своем ребенке или
же вы думаете только о себе?

Эта неожиданно резкая отповедь сначала возмутила
Ариану, а затем обидела.

— Разумеется, я подумала о ребенке! Я только о
нем и думаю. Что вы хотите этим сказать?

— Вам двадцать лет. У вас нет ни профессии, ни
образования. Вы окажетесь одна, с маленьким ребенком
на руках в неизвестной вам стране. Вас не будут брать
на работу хотя бы потому, что вы немка. Наша страна
только что закончила воевать с Германией, а предубеж-
дения сохраняются надолго. Я считаю, что вы намерены
оказать своему будущему ребенку скверную услугу. А
ведь все можно было бы повернуть иначе. Просто нужно не терять времени даром.

Каплан многозначительно посмотрел на Ариану, она
ответила ему непонимающим взглядом.

— Что вы имеете в виду?

— Вам нужно выйти замуж, — мягко произнес
он. — Дайте вашему ребенку шанс на нормальную
жизнь. Я знаю, что это чертовски сложное решение, но
вы и ваша история не даете мне покоя, я все время о вас
думаю. И мне кажется, что это единственно возможный
выход. Вы не представляете, сколько я ломал себе над
этим голову. Я знаю Пола Либмана с детства. Уверяю
вас, он в вас влюблен. Конечно, с моей стороны чудо-
вищно предлагать такое... Но в конце концов, кому от
этого будет хуже? Если вы выйдете замуж за парня,

который сидит за этой дверью, ваше будущее и будущее вашего ребенка обеспечено.

— Меня не волнует мое будущее! — воскликнула Ариана, возмущенная этим предложением.

— А будущее ребенка? О нем вы подумали?

— Нет, я не могу так поступить... Это было бы бесчестно.

— Вы не представляете, сколько девушек, оказавшихся в вашей ситуации, поступают подобным образом. А ведь большинство из них не прошли через то, что пришлось пережить вам... Ариана, ребенок родится только через семь месяцев. Я всегда могу сказать, что он появился на свет преждевременно. Никто не поставит под сомнение мои слова. Никто. Даже Пол.

Ариана все еще не могла прийти в себя.

— Вы думаете, что я не прокормлю ребенка сама?

— Конечно, нет. Разве беременные женщины работают? Кто вас наймет? И чем, собственно, вы собираетесь заниматься?

Ариана долго молчала, потом задумчиво кивнула. Может быть, он и прав. Она надеялась найти работу продавщицы, но, вероятно, это не так просто, как ей казалось. Но и с Полом поступить подобным образом было бы недопустимо... Какая чудовищная ложь! Разве можно так обманывать человека, к которому испытываешь дружеские чувства, возможно, и любовь? Ведь она и в самом деле к нему неравнодушна...

— Но разве я могу поступить подобным образом? Ведь это, доктор, было бы нечестно.

При одной мысли об этом в душе Арианы поднималась волна стыда и вины.

— Ради будущего ребенка можно пойти и не на такое. Вспомните, как вы добирались до Парижа. Всегда ли вы были честны с окружающими? Разве ради

спасения собственной жизни вы не солгали бы, не вы-
стрелили бы, не убили бы? То же самое можно сделать
и для своего ребенка. У него должна быть семья, отец,
обеспеченная жизнь, нормальная пища, ему понадобится образование...

Ариана поняла, что была наивна, когда строила все
свои планы на будущее, надеясь лишь на материнские
кольца. Она неохотно кивнула:

— Хорошо, я подумаю об этом.

— Думайте, но не слишком долго. Если промедли-
те, можете опоздать. Семимесячного ребенка я еще кое-
как смогу объяснить — слабое здоровье роженицы,
утомительное плавание через океан и так далее.

— Вы все предусмотрели, да? — спросила Ариана,
глядя на доктора.

Она поняла — он так давит на нее, искренне желая
помочь. Каплан учил ее правилам игры, в которую он
настойчиво предлагал ей научиться играть. В глубине
души молодая женщина знала, что врач прав. Но к чему
все это приведет?

— Если вы поступите так, вашу тайну буду знать
только я, а на меня вы можете положиться.

— Я так благодарна вам, доктор, и за себя, и за
моего ребенка.

Каплан протянул ей витамины, ласково погладил
по плечу:

— Не тяните с решением, Ариана.

— Хорошо, — кивнула она.

Глава 39

— Ариана, пойдешь купаться?

Джулия забарабанила кулаком в дверь в девять часов утра.

Ариана еле разлепила сонные глаза.

— В такую рань? Я еще не встала.

— Ну и что? Я и Пола разбудила.

— Это правда, — подтвердил Пол, заглядывая в дверь. — Мне придется идти на море с двумя этими чудовищами. Тебе тоже не отвертеться.

— Правда?

Ариана лениво потянулась и улыбнулась, а Пол сел рядом с ней на кровать и поцеловал ее распущенные волосы.

— Немедленно вставай, а не то я вытащу тебя из кровати и поволоку на пляж, не обращая внимания на твои вопли.

— Очень мило с твоей стороны.

— Еще бы. — Они обменялись улыбками. — Слушай, поедешь со мной на вечеринку в Саутгемптон? Девчонок родители тоже увозят в гости.

— А что, сегодня праздник?

— Сегодня четвертое июля, милая. День независимости. Ты увидишь, как у нас отмечают это событие.

Праздник и в самом деле удался на славу. Утром все купались в море, потом вместе с родителями устроили пикник, а ближе к вечеру Сэм и Рут увезли дочерей в гости. Ариана немного поспала после обеда, но к семи часам привела себя в порядок и оделась понаряднее. Когда она спускалась по лестнице вниз, Пол восхищенно присвистнул:

— До чего же тебе идет загар!

Ариана надела бирюзовое шелковое платье, подчеркивавшее золотистый оттенок кожи. Пол тоже смотрелся франтом: белый полотняный костюм, белая рубашка, широкий голубой галстук в белую крапинку. На вечеринку они поехали в его замечательном новом «кадиллаке».

В великодушном порыве Пол разрешил Ариане вести машину. Когда они прибыли на место, он принес ей коктейль с джином, но Ариана лишь пригубила напиток, опасаясь, что в ее положении алкоголь вреден. Вокруг царило всеобщее веселье: играли целых два оркестра — один в доме, второй на лужайке. К берегу причалило несколько яхт, в небе сияла полная летняя луна.

— Хочешь потанцевать? — спросил Пол, и Ариана закружилась в танце, прижавшись к его плечу.

Они впервые танцевали вместе, и в свете звезд очень легко было вообразить, что это Манфред, Вальмар, кто угодно.

— Тебе раньше говорили, что ты танцуешь, как ангел?

— В последнее время нет, — засмеялась она, польщенная комплиментом.

Когда танец кончился, они подошли к перилам и стали смотреть на покачивающиеся на волнах яхты. В голосе Пола звучала непривычная серьезность:

— Я так счастлив быть с тобой рядом. Я никогда не встречал таких женщин, как ты.

Ариана хотела поддразнить его, спросить про Джоанну, но поняла, что момент для шуток неподходящий.

— Ариана, я должен тебе кое-что сказать, — тихо произнес Пол, взял обе ее руки в свои, стал целовать ей пальцы. — Я люблю тебя. Другими словами не скажешь. Я люблю тебя, не могу жить без тебя. Когда мы вместе, я чувствую себя счастливым и сильным. Мне кажется, что я могу своротить горы, все вокруг превращается в праздник... Понимаешь, у меня появляется ощущение, что жизнь — стоящая штука... И я не хочу терять это чувство. Если после каникул мы разъедемся по разным квартирам, я навсегда потеряю тебя. — Его взгляд затуманился. — А я не хочу тебя терять.

— Тебе и не придется меня терять, — прошептала она. — Пол... я...

Именно в этот миг словно по заранее подготовленному сценарию в небо взлетели первые ракеты фейерверка. Пол достал из кармана кольцо с большим бриллиантом и, прежде чем Ариана опомнилась, надел ей кольцо на палец. Его губы жадно прильнули к ее губам, а в Ариане проснулась страсть. Ариана не думала, что когда-либо испытает вновь это томительное, щемящее чувство. Она прильнула к Полу, отвечая на поцелуй. На миг ее охватила неясная тоска, но Ариана усилием воли прогнала ее.

Когда их уста разомкнулись, Ариана сказала, что очень устала, и Пол отвез ее, задумчивую и подавленную, в Истгемптон. Ариана мучилась угрызениями совести. Как ей вести себя в этой непростой ситуации? По-своему она любила Пола, относилась к нему очень тепло, по-дружески. Но воспользоваться его чувством, чтобы обманом подсунуть ему чужого ребенка, было бы подло.

Когда машина остановилась у входа в дом, Пол положил ей руку на плечо и повел внутрь. В прихожей он
грустно сказал:

— Я знаю, о чем ты думаешь. Тебе ничего этого не
нужно — ни кольца, ни меня... Ничего, Ариана, я все
понимаю. — Но в его голосе слышались сдерживаемые
слезы. — Господи, я так тебя люблю! Прошу тебя,
подари мне хотя бы всего одну ночь. Дай мне возможность помечтать, представить себе, что мы уже женаты,
что все мои грезы осуществились.

Ариана мягко высвободилась из его объятий и увидела, что по его молодому красивому лицу текут слезы.
Это было уже слишком, она не выдержала — притянула его к себе, подставила его поцелуям свое лицо. Не
думала она, что когда-либо вновь будет дарить другому
мужчине любовь и жар своего сердца. Несколько мгновений спустя они были уже у нее в спальне. Пол, нежный и внимательный, любовно снял с нее шелковое платье.
Долгое время они просто лежали в лунном свете, обнимаясь, целуясь и лаская друг друга. Не было произнесено ни слова. Вся ночь до самого рассвета была наполнена
страстью, и заснули они в объятиях друг друга лишь с
первыми лучами солнца.

Глава 40

— Доброе утро, милая.

Ариана, жмурясь от яркого солнца, открыла глаза и увидела на кровати поднос с завтраком. Пол вынимал из шкафа ее вещи и укладывал в чемоданчик.

— Что ты делаешь?

Она выпрямилась на кровати, борясь с подступившей тошнотой. Ночь была утомительной, а кофе оказался чересчур крепким.

— Складываю твои вещи, — ответил он улыбаясь.

— Куда мы едем? Сегодня вечером возвращаются твои родители. Если нас здесь не будет, они станут волноваться.

— Вечером мы вернемся.

— Тогда зачем чемоданчик? Я не понимаю.

Ариана, забыв о наготе, сидела на кровати и растерянно смотрела на длинноногого юношу в голубом шелковом халате, укладывавшего ее вещи.

— Пол, прекрати, — испуганно попросила она. — Объясни мне, в чем дело.

— Чуть позже.

Закончив возиться с чемоданчиком, Пол обернулся, сел с Арианой рядом, взял ее за левую руку, на которой сверкало обручальное кольцо.

— Слушай. Сегодня мы с тобой отправляемся в Мэриленд.

— В Мэриленд? Но зачем?

Пол держался очень решительно. Казалось, за одну ночь он разом повзрослел.

— Для того, чтобы пожениться. Мне надоело играть в дурацкие игры, словно нам обоим по четырнадцать лет. Мы взрослые люди, Ариана. Я мужчина, ты женщина. Если минувшей ночью между нами что-то произошло, то это должно повториться вновь. Я не собираюсь тебя упрашивать, не собираюсь хитрить. Я тебя люблю, и, по-моему, ты меня тоже любишь. — Его голос стал чуть мягче. — Ты выйдешь за меня замуж? Дорогая, я люблю тебя всем сердцем.

— Ах, Пол...

Из глаз хлынули слезы, и она протянула к нему руки. Может быть, она сможет сделать его счастливым? В благодарность за то, что он будет заботиться о ее ребенке, она станет идеальной женой. Пока же Ариане оставалось только плакать, уткнувшись ему в плечо. Ей предстояло принять очень важное решение, а она все еще не знала, как поступить.

— Хватит реветь, я жду ответа. — Он нежно поцеловал ее в шею, стал осыпать поцелуями ее лицо. — Ах, Ариана, я так тебя люблю... Я тебя очень люблю...

Ариана медленно кивнула, мысленно видя перед собой другие лица: Манфред... отец... Макс Томас, целующий ее в ночь перед побегом. Что сказали бы все они об этом брачном союзе? Но это уже не имело никакого значения. Решение она должна была принять самостоятельно, ведь это ее жизнь, а не их. Этих людей больше нет. Никого из них. Она осталась на свете совсем одна. Правда, есть еще ребенок... И есть Пол. Он сейчас реальнее, чем все тени прошлого. На лице Арианы появилась неуверенная улыбка, и девушка протянула Полу руку. Ей казалось, что этим жестом она вверяет ему свое сердце и душу. Ариана давала себе безмолвную клятву никогда не предавать эту любовь.

— Ну что? — спросил он, с трепетом ожидая ее ответа.

Ариана взяла его за руки, поднесла их к губам, поцеловала каждый палец, закрыла глаза. Когда она открыла их вновь, в ее взгляде читалась нежность, идущая из самой глубины души.

— Да! — Она улыбнулась и обняла его. — Да, милый. Да! Ответ утвердительный. — Она положила голову ему на плечо и прошептала: — Я люблю тебя, Пол Либман. — Потом она сделала шаг назад и осмотрела его с головы до ног. — До чего же ты хорош!

— О Господи! — радостно заулыбался он. — По-моему, ты делаешь большую ошибку. Главное, чтобы ты не успела опомниться. А уж об остальном я позабочусь.

И он действительно обо все позаботился. Час спустя они уже мчались по шоссе в Мэриленд. Чемоданы были закинуты на заднее сиденье, в кармане у Пола лежали документы Арианы. Еще несколько часов спустя жена мирового судьи в пригороде Балтимора сделала памятный снимок: ее муж торжественно объявляет молодым: «Жених может поцеловать невесту».

— Мама... Отец...

Голос Пола чуть дрожал, но молодой человек крепко держал Ариану за руку. Их сцепленные руки Пол гордо поднял и с улыбкой посмотрел на родителей.

— Мы с Арианой тайно поженились. — Он взглянул на свою молодую жену, едва живую от волнения. — Мне пришлось чуть ли не силком волочить Ариану к венцу, поэтому я не стал терять время на объяснения с вами. Итак, позвольте представить вам миссис Либман, мою супругу.

У родителей вид был несколько ошарашенный, но вовсе не разгневанный.

Пол церемонно поклонился своей новоиспеченной жене, а та изобразила книксен.

Потом Ариана быстро поцеловала его в щеку и протянула руки к Рут. Свекровь прижала к себе девушку, думая о том, какой жалкой и слабенькой она была еще совсем недавно. Сэм Либман некоторое время смотрел на женщин, а потом раскрыл объятия своему сыну.

Глава 41

Как и планировалось, Ариана и Пол прожили в Истгемптоне до сентября, а после Дня труда* вернулись в Нью-Йорк и занялись поисками квартиры.

Пол начал работать в банке у отца, а Рут помогала Ариане найти подходящее гнездышко для молодой семьи. Вскоре после того как Либманы отметили Рош-Гашана**, им подвернулся очень уютный домик в районе Шестидесятых улиц.

Пол сразу же решил, что лучшего нечего и желать. Для начала было решено, что дом они возьмут в аренду, но владелец пообещал продать Полу эту недвижимость по истечении срока аренды. Молодую пару такие условия вполне устраивали. За время аренды можно будет решить, подходит им этот дом или нет.

Теперь надо было купить мебель. В этом молодым могла помочь Рут, у которой свободного времени было хоть отбавляй — Джулия и Дебби снова начали ходить в школу, да и забот с приемом и размещением беженцев

* День труда — американский праздник, отмечаемый в первый понедельник сентября.
** Рош-Гашана — один из главных еврейских праздников.

стало заметно меньше. Рут почти неотлучно находилась рядом с Арианой, беспокоясь за ее здоровье.

— Ты встречаешься с доктором Капланом? — спросила свекровь.

Ариана, всецело углубленная в изучение образцов ткани для новых занавесок, рассеянно кивнула.

— Ну и когда ты у него была?

— В прошлый четверг.

Она на миг отвела глаза, а потом робко улыбнулась.

— Что он сказал?

— Что обмороки и рвота могут продлиться еще какое-то время.

— Он считает, что эти явления приобрели хронический характер? — еще больше встревожилась Рут, но Ариана успокоила ее:

— Вовсе нет. Наоборот, теперь это его больше не беспокоит. Он сказал, что сначала таким образом проявлялись последствия переутомления, а сейчас я расплачиваюсь за то, что произошло уже после моего приезда.

— Что он хотел этим сказать?

Внезапно до Рут дошел смысл этих слов. Она изумленно расширила глаза, и на ее лице появилась радостная улыбка.

— Ты что, беременна?

— Да.

— Ах, Ариана!

Рут вся засветилась от радости и бросилась обнимать невестку, но тут же взглянула на худенькую молодую женщину с новой тревогой.

— А ты для этого достаточно здорова? Что он говорит? Ты такая худенькая, не такая здоровенная кобыла, как я.

И все же Рут была так обрадована этой новостью, что крепко сжала руку Арианы и не хотела ее выпускать. Рут вспомнила, какое счастье когда-то доставило ей известие о том, что у нее будет первый ребенок.

— Он хочет, чтобы ближе к сроку я начала посещать специалиста, вот и все.

— Что ж, это вполне разумно. Кстати, а когда срок?

— В начале апреля.

Ариана внутренне вся сжалась от этой лжи, моля Бога только о том, чтобы Рут никогда не узнала правду о ребенке. Мысленно она пообещала себе и свекрови, что вырастит своего будущего ребенка достойным человеком. Пол сможет гордиться этим ребенком. Это ее долг по отношению к Полу. Когда она будет в состоянии, непременно родит мужу еще одного ребенка, а потом и третьего — детей у них будет столько, сколько Пол пожелает. Он имеет на это право, ибо ему суждено стать отцом ребенка Манфреда.

Шли месяцы. Пол мужал, готовясь к роли отца. Он помогал Ариане обустраивать детскую, сидел с ней рядом по вечерам, когда будущая мать вязала одежки для ребенка. Рут натаскала целый ворох вещей, оставшихся от ее собственных детей. Весь дом был завален чепчиками, носочками, платьицами, кофточками.

— У нашего жилища такой вид, словно ребенок уже родился, — сказал он за две недели до Рождества.

Пол считал, что его жена на шестом месяце, хотя на самом деле до рождения ребенка оставалось не более шести недель. Никому из окружающих большой живот Арианы не казался подозрительным, все относили это за счет ее субтильности. Полу же раздутый живот жены даже нравился, счастливый муж придумывал для него всякие забавные прозвища и взял себе за правило перед уходом на работу непременно дотронуться рукой до живота, причем два раза — на счастье.

— Не делай так! — верещала Ариана, которой было щекотно. — Он снова начнет брыкаться.

— Значит, это мальчик, — с важностью говорил Пол, прикладывая ухо к животу. — Думаю, из него получится отличный футболист.

Ариана стонала, закатывала глаза, смеялась.

— Да, он и так уже играет в футбол — моими почками.

Однажды утром, когда Пол ушел на работу, на Ариану накатило какое-то странное настроение, ностальгия по прежней жизни. Несколько часов она сидела в кресле, думая о Манфреде. Потом достала шкатулку с драгоценностями, примерила кольцо своего первого мужа. Она сидела и вспоминала их мечты, их планы. Что бы сказал Манфред, если бы узнал о ребенке? Какое имя захотел бы он ему дать? Пол настаивал, чтобы ребенка, если это будет мальчик, назвали Саймоном, в честь погибшего брата. Ариана понимала, что должна уступить мужу в этом вопросе.

Перебирая вещи, оставшиеся от прошлого, она наткнулась на конверт с фотографиями, спрятанный в самой глубине ящика, который запирался на ключ. Ариана разложила снимки и стала смотреть на лицо мужчины, которого когда-то любила. Она вспоминала прошлое Рождество, смотрела на офицерский мундир Манфреда. Не верилось, что снимки на рождественском балу были сделаны всего год назад. По щекам молодой женщины стекали слезы, и внезапно вошедший в комнату Пол так и застал Ариану с фотографиями в руках. Он подошел сзади и уставился на снимки — сначала с недоумением, потом с ужасом. Его взгляд был прикован к немецкой военной форме.

— Господи, кто это?!

С гневом и изумлением Пол смотрел на лицо Арианы, сиявшее на фотографии счастливой улыбкой. Рядом с ней стоял немецкий офицер. Услышав голос Пола, молодая женщина чуть не лишилась сознания от ужаса; она не слышала, как он подошел.

— Что ты здесь делаешь?

Слезы мгновенно высохли, она поднялась на ноги, прижимая к себе фотографии.

— Да вот, заехал домой, проверить, в порядке ли моя жена. Хотел пригласить ее пообедать где-нибудь, а она тут, оказывается, ведет какую-то тайную жизнь. Ты это делаешь каждый день, Ариана, или только по большим праздникам? — После ледяной паузы он спросил: — Может быть, ты объяснишь мне, кто это?

— Это... Он был немецким офицером.

Ариана смотрела на Пола с отчаянием. Меньше всего она хотела, чтобы он узнал правду таким вот образом.

— Это я вижу — по нарукавной повязке со свастикой. Может быть, сообщишь мне еще какие-нибудь подробности? Например, сколько евреев он истребил? В каком концлагере служил?

— Он не убивал евреев и не служил в концлагере. Этот человек спас мне жизнь. Он пришел на помощь, когда меня хотел изнасиловать один лейтенант, а потом помог мне, когда меня хотели сделать шлюхой при генерале. Если бы не он...

Ариана судорожно всхлипнула, прижимая к груди фотографию того, кто ушел из жизни семь месяцев назад.

— Если бы не он... меня скорее всего не было бы в живых.

Пол уже пожалел о своих резких словах, но, видя, как бережно она обращается с этими фотографиями, снова вспыхнул.

— Если твоя жизнь была в опасности, какого черта ты на снимке такая радостная?

Он вырвал у нее фотографии и к еще пущему своему негодованию увидел, что они сделаны на балу.

— Ариана, кто это?

Внезапно ему пришло в голову, что для Арианы это был единственный способ выжить. Значит, мать все-таки права. И он не имеет права упрекать Ариану за это. У нее не было выбора. Весь дрожа, он нежно притянул к себе Ариану, обхватил руками ее огромный живот.

— Милая, прости меня... Я на миг забыл, как все это было. Просто увидел мундир, немецкую физиономию, и внутри у меня все перевернулось.

— Я тоже немка, Пол, — тихо сказала она, глотая слезы.

— Да, но ты не такая, как они. Если тебе пришлось стать любовницей этого человека, чтобы избежать концлагеря, я ничуть тебя не осуждаю.

Он почувствовал, как Ариана замерла в его объятиях. Потом она медленно отстранилась и села.

— Так вот что ты подумал?

Она долго смотрела на него молча, затем так же тихо сказала:

— Ты думаешь, что я легла под мужчину, спасая свою шкуру? Знай же, что это не так. Я хочу, чтобы между нами больше не было лжи. После гибели отца и Герхарда этот человек — его зовут Манфред — отвез меня к себе домой и ничего не требовал взамен. Ничего. Он меня не насиловал, даже не прикасался ко мне. Он не делал мне ничего плохого. Он защищал меня, был моим единственным другом.

— Очень трогательная история, но не будем забывать, что этот человек в фашистской форме.

Голос Пола был холоднее льда, но Ариана не испытывала ни малейшего страха — она знала, что поступает правильно.

— Это верно. Но даже среди тех, кто носил фашистскую форму, попадались порядочные люди, и Манфред был одним из них. Мир не делится на черное и белое, жизнь гораздо сложнее.

— Спасибо за лекцию, моя милая. Но мне как-то трудно смириться с тем, что моя жена льет слезы над фашистом, который, оказывается, был ее дорогим «другом». Фашисты не могут быть ничьими друзьями. Неужели ты этого не понимаешь? Как ты можешь говорить подобные вещи? Ведь ты еврейка!

Пол впал в неистовство, но Ариана встала со стула, решительно покачала головой и перебила его:

— Нет, Пол, я не еврейка. Я немка.

Он сразу замолчал, а Ариана продолжала скороговоркой, боясь, что если остановится, то уже не сможет найти подходящих слов:

— Мой отец был честным немцем, банкиром. Ему принадлежал самый большой из берлинских банков. Когда моему брату исполнилось шестнадцать, он получил мобилизационную повестку. Отец решил не отпускать Герхарда в армию.

Ариана попыталась улыбнуться. Чем бы все это ни закончилось, говорить правду было невероятным облегчением.

— Мой отец никогда не симпатизировал нацистам. Когда они захотели отнять у него сына, отец решил, что мы должны бежать. Он составил план, согласно которому должен был сначала переправить в Швейцарию брата, а потом вернуться за мной. Но что-то разладилось, отец так и не вернулся. Наши слуги, люди, которым я так доверяла, — ее голос дрогнул, — донесли. Фашисты меня арестовали. Месяц меня держали в одиночной камере, надеясь получить выкуп в случае, если отец вернется. Но отец так и не вернулся. Целый месяц я провела в грязной, зловонной темнице, сходя с ума от голода и тревоги. Моя камера была вдвое меньше, чем кладовка горничной в доме твоей матери. Потом меня выпустили, потому что я уже не представляла для них никакой ценности. Фашисты забрали дом моего отца, все имущество, а меня выкинули на улицу. Но генерал, которому достался наш дом в Грюневальде, захотел еще заполучить в наложницы меня. Этот человек, — она показала дрожащим пальцем на снимок, — его звали Манфред, спас меня от них всех. Лишь благодаря ему я выжила. — У Арианы сорвался голос. — А во время штурма Берлина Манфред погиб.

Она взглянула на Пола, увидела, что его лицо стало непроницаемым, как скала.

— Значит, ты была любовницей этого поганого фрица?

— Неужели ты ничего не понял? Он спас мне жизнь! Или тебе до этого нет дела?

Ариана почувствовала, как в ней тоже нарастает гнев.

— Я понял лишь, что ты была любовницей фашиста.

— Значит, ты просто дурак. Главное, что я выжила. Выжила!

— Так ты его любила? — ледяным тоном осведомился он.

Арина почувствовала, что буквально ненавидит его в эту минуту. Ей захотелось сделать ему больно, ведь он тоже ее не щадил.

— Да, и очень сильно. Он был моим мужем. Мы и сейчас были бы женаты, если бы Манфред не погиб.

Какое-то время они смотрели друг на друга молча, осознавая смысл произнесенных слов. Когда Пол снова заговорил, его голос дрожал. Он показал на живот Арианы и взглянул ей в глаза:

— Чей это ребенок?

Ариана хотела солгать — ради ребенка, но почувствовала, что не может.

— Моего мужа, — твердо, с гордостью ответила она, словно эти слова могли вернуть Манфреда к жизни.

— Твой муж — я.

— Это ребенок Манфреда, — уже тише сказала она, понимая, какой удар наносит Полу. Еще мгновение, и у нее подкосились бы ноги.

— Что ж, спасибо, — прошептал Пол и, резко развернувшись, вышел.

Глава 42

На следующее утро Ариана получила пакет от адвоката Пола Либмана. В письме ее извещали, что мистер Либман намерен подать на развод. Далее Ариану ставили в известность, что через четыре недели после рождения ребенка она должна будет съехать. До того момента дом в ее распоряжении. В течение этого периода она будет получать денежное содержание, а после рождения ребенка получит единовременное пособие в размере пяти тысяч долларов. После этого никаких выплат производиться не будет, поскольку младенец не является ребенком мистера Либмана, а брак был заключен обманным путем. В том же конверте находилось письмо от свекра, подтверждавшее финансовые условия аннулирования брака. Была там и записка от Рут, полная гневных слов и обвинений. Рут писала, что Ариана всех их обманула и предала, что она изображала из себя еврейку. Ариана всегда боялась, что именно этим и закончится. Ее выставят подлой предательницей, которая к тому же вынашивает ребенка «какого-то фашиста». Вот оно, наследие войны, думала Ариана, читая записку. Там так и было сказано: «какого-то фашиста». Далее Рут строго-настрого запрещала Ариане показываться у них в доме и вообще близко подходить к кому-либо из членов семьи. Если выяснится, что Ариана пыталась встретиться с Деборой или Джулией, семья обратится в полицию.

Ариана сидела в доме одна, читая все эти послания, и хотела только одного — поговорить с Полом. Но ее муж спрятался в родительском гнезде, подходить к телефону отказывался. Все контакты поддерживались через адвоката. Бракоразводный процесс шел своим чередом, но Ариану Либманы из своей жизни уже вычеркнули. В полночь двадцать четвертого декабря, на месяц раньше срока, у Арианы начались схватки. Она была совсем одна.

Тут мужество оставило ее. Парализованная страхом, измученная одиночеством, она бросилась звонить в больницу и еле успела взять такси.

Двенадцать часов Ариана не могла разродиться, чуть не потеряла рассудок от боли. Ей было безумно страшно, она все еще не могла оправиться после разрыва с Либманами, эта история лишила ее последних сил. Роженица отчаянно кричала, звала Манфреда, и в конце концов ей дали болеутоляющее. Ребенок родился в результате кесарева сечения. Это произошло в десять часов утра, на Рождество. Несмотря на трудные роды, мать и ребенок не пострадали. Ариане показали маленький кусочек плоти. Никогда еще она не видела таких крохотных ручек и ножек, такого беспомощного и родного существа.

Младенец был не похож ни на Манфреда, ни на Герхарда, ни на Вальмара. Он вообще ни на кого не был похож.

— Как вы его назовете? — ласково спросила медсестра.

— Не знаю...

Ариана так устала, а младенец казался таким крошечным! Она забеспокоилась — нормально ли, что ребенок такой маленький. И все же через дурман обезболивающего к сердцу подступала теплая волна радости.

— Сегодня Рождество, — сказала медсестра. — Можно назвать ребенка Ноэль*.

— Ноэль? — Ариана задумчиво улыбнулась, борясь с дремотой. — Хорошее имя.

Она обернулась туда, где лежал младенец, и перед тем как провалиться в сон, успела произнести:

— Ноэль фон Трипп.

---

* Noel — Рождество (фр.).

Глава 43

Ровно через четыре недели после рождения ребенка Ариана стояла с чемоданами в прихожей своего бывшего дома. Согласно условиям развода, она освобождала помещение. Спеленутый младенец уже лежал в такси. Мать и ребенок переезжали в гостиницу, которую Ариане порекомендовала медсестра. Там было уютно и недорого, к тому же питание входило в стоимость проживания. Вообще-то после кесарева сечения полагалось долгое время находиться на постельном режиме, но у Арианы такой возможности не было. Она несколько раз пыталась позвонить Полу на работу, однажды даже осмелилась потревожить его дома, но все тщетно — Пол отказывался с ней разговаривать. Все было кончено. Он отправил ей чек на пять тысяч долларов, а взамен потребовал ключи от дома.

Ариана закрыла за собой дверь и шагнула навстречу новой жизни. Ее имущество состояло из ребенка, одежды, фотографии Манфреда и томика Шекспира с потайным отделением. Кольцо с бриллиантом, полученное ею от Пола, она вернула бывшему мужу и теперь опять, как прежде, ходила в кольцах Манфреда. Они так естественно и плотно сидели у нее на пальцах, что Ариана поняла: больше она никогда с этими кольцами не расстанется. Отныне и навсегда она будет Арианой фон Трипп. Если в Штатах приставка «фон» сейчас не в моде, от нее можно и отказаться, но никогда больше Ариана не будет лгать и притворяться. Она, как и многие другие, пострадала от фашистов, но при этом отлично понимала, что нацисты — это огромная людская масса, в которой попадались и вполне достойные личности. Никогда больше она не предаст Манфреда.

Манфред — вот муж, которому она будет верна всю жизнь. О таком отце не стыдно рассказать сыну. Этот человек доблестно служил своей стране и был верен женщине, которую любил, до самого конца. Еще она расскажет сыну о Герхарде, о деде. Может быть, когда-нибудь она поведает ему и о своем браке с Полом Либманом, но в этом Ариана уверена не была. Она знала, что поступила скверно, но и заплатила за свой поступок сполна. Ничего, утешала себя она, с улыбкой глядя на спящего младенца. Зато у нее теперь есть сын.

Глава 44

Когда Ноэлю исполнилось два месяца, Ариана увидела в газете объявление, в котором предлагалась работа продавщицы в магазине иностранных книг. Жалованье там платили мизерное, но на него все же можно было существовать, а главное — Ариане разрешили приносить с собой на работу ребенка.

— Ариана, ты должна это сделать! — сказала молодая женщина, наблюдая за тем, как Ариана возится со своим малышом.

Прошел год после того, как Ариана начала работать в книжном магазине. Ноэль уже ходил и все время хватался ручонками за яркие корешки книг.

— Мэри, мне ничего от них не нужно.

— Тебе, допустим, не нужно, а твоему ребенку? Неужели ты собираешься всю жизнь торчать в этом магазине? Не произойдет ничего страшного, если ты наведешь справки. Ты ведь добиваешься не милостыни, а того, что тебе принадлежит по праву.

Ариана заколебалась.

— Не принадлежит, а принадлежало. Это большая разница. Когда я уезжала, все имущество захватили нацисты.

— Во всяком случае, нужно сходить в консулат и выяснить.

Мэри была настойчива, и Ариана решила в ближайший выходной последовать совету подруги. Германское правительство постановило, что люди, пострадавшие от нацистов, могут получить компенсацию за утраченное имущество. У Арианы на руках не было никаких документов, из которых следовало бы, что дом в Грюневальде и родовой замок Манфреда принадлежат действительно ей, и это осложняло дело.

Две недели спустя, когда выходной пришелся на четверг, Ариана с детской коляской отправилась в немецкое консульство. Был холодный, ветреный мартовский день. Ариана чуть было не отложила свой поход из опасения, что пойдет снег. Оказавшись у здания консульства, она закутала ребенка в теплое одеяло и открыла массивную бронзовую дверь.

— Чем я могу вам помочь? — спросили ее в приемной по-немецки.

Ариана ответила не сразу. Она давно уже не слышала родной речи, не видела европейцев, да и от официальной вежливости, не слишком распространенной в Америке, тоже успела отвыкнуть. Ей показалось, что она в мгновение ока перенеслась обратно в Германию. Ариана принялась объяснять чиновнику, в чем состоит суть ее дела. К величайшему ее удивлению, чиновник отнесся к ней уважительно, с вниманием, предоставил всю необходимую информацию, выдал бланки и предложил явиться вновь на следующей неделе.

Когда Ариана пришла в консульство в следующий раз, в вестибюле было довольно много народу. У Арианы в кармане лежали заполненные бланки, и теперь ей оставалось лишь дождаться приема у клерка, который переправит бумаги по назначению. Кто знает, сколько времени займет юридическая процедура? В лучшем случае годы, а в худшем она вообще ничего не получит. Но тем не менее попытаться следовало.

Стоя в очереди с коляской, в которой мирно спал Ноэль, Ариана закрыла глаза и представила себе, что она снова дома. Сделать это было легко — отовсюду доносились звуки немецкой речи: баварский, мюнхенский, лейпцигский, франкфуртский диалекты, даже суетливый берлинский говор. Эти звуки были родными, сладостными, и в то же время слушать их было мучительно больно. Среди обилия знакомых слов и интонаций ни одного знакомого голоса. В этот миг Ариану кто-то схватил за локоть, она услышала удивленное восклицание, судорожный вздох и, открыв глаза, увидела перед собой — о чудо! — знакомое лицо. Эти карие глаза она когда-то видела прежде... Неужели с тех пор прошло всего три года?

— О Господи! Не может быть!

У Арианы выступили слезы. Это был Макс, Макс Томас... Не раздумывая, она бросилась ему на шею. Они простояли обнявшись, казалось, бесконечно долго. Оба одновременно смеялись и плакали. Макс прижимал ее к себе, целовал, любовался ребенком. У Томаса тоже было ощущение, что осуществилась несбыточная мечта. Ариана рассказала ему о гибели отца и Герхарда, о конфискации дома. Поведала она Максу и о Манфреде. Ей уже нечего было бояться и нечего было стыдиться. Она сказала, что полюбила Манфреда, что они поженились, что Ноэль — их сын. Однако выяснилось, что Макс и так обо всем знает, за исключением рождения ребенка. После войны он приехал в Берлин и долго разыскивал фон Готхардов.

— Ариана, а вы пытались найти отца и брата после войны?

Немного поколебавшись, она отрицательно покачала головой:

— Я не знала, как. Муж говорил, что отец наверняка погиб. В Париже я познакомилась с другом Манфреда, у которого целая организация, занимающаяся беженцами. Это было еще до моего отъезда из Европы. Этот человек наводил справки, пытался выйти на след Герхарда. — Она глубоко вздохнула. — Он и вас разыскивал, но безуспешно... Как и Герхарда.

Тут внезапно смысл произошедшего дошел до ее сознания. Ведь следов Макса найти тоже не удалось, а он тем не менее жив. Вдруг и Герхард тоже уцелел? Ариана застыла на месте пораженная, а Макс погладил ее по щеке и сокрушенно покачал головой.

— Не нужно, Ариана. Их больше нет. Я знаю это, ведь я тоже искал. После войны я вернулся в Берлин, чтобы разыскать вашего отца... — Он чуть было не сказал «и вас». — Люди в банке сказали мне, что произошло.

— И что же они вам рассказали?

— Что он загадочным образом исчез. Однако все были уверены, что Вальмар хотел спасти Герхарда от мобилизации. Никаких следов вашего отца и брата мне обнаружить не удалось. В Швейцарии, в одном отеле, горничная вроде бы узнала мальчика по фотографии. С год назад у них останавливался юноша, похожий на Герхарда, но полной уверенности у нее не было. В конце концов она заявила, что это все-таки не он. Я потратил на поиски в Швейцарии три месяца. — Макс грустно вздохнул и прислонился к стене. — Скорее всего их застрелили пограничники. Других вариантов быть не может. Если бы Вальмар и Герхард остались живы, рано или поздно они вернулись бы в Берлин, а этого не произошло — мне сразу бы сообщили.

Услышав эти слова из уст другого человека, Ариана, которой те же самые мысли не раз приходили в голову, вновь утратила надежду. Разумеется, Макс прав. Если бы Вальмар и Герхард остались живы, они дали бы о себе знать. Раз Макс был в Берлине, встречался с сослуживцами отца, никаких сомнений быть не может. И горечь утраты обрушилась на Ариану с новой силой. Макс обнял ее за плечи, погладил рукой по волосам.

— Поразительно! Ведь я знал, что вы в Америке, но не думал, что мы когда-нибудь встретимся.

— Знали? — поразилась Ариана. — Откуда?

— Я же говорю, я вас всех разыскивал. Ваш отец спас мою жизнь, а кроме того... — Макс смутился и сразу как бы помолодел. — Я все не мог забыть тот вечер... ту ночь... когда поцеловал вас, — понизил он голос. — Помните?

Ариана посмотрела на него с грустью.

— Ну как же я могла бы такое забыть?

— Ничего удивительного. Прошло столько времени.

— Да, каждый из нас прошел длинный путь. Но вы ведь ничего не забыли? И я тоже.

Но Ариана хотела знать все подробности.

— Так откуда вы узнали, что я в Америке?

— Ниоткуда. Просто догадался. Я подумал, что если вы остались живы после падения Берлина, то скорее всего покинули страну. Все-таки жена немецкого офицера... Как видите, я догадался правильно. — Макс немного поколебался и, заглянув ей в глаза, спросил: — Вас вынудили сделать это?

Ариана покачала головой. Неужели всю жизнь придется доказывать окружающим, что никто ее к этому не принуждал?

— Нет, Макс. Он был замечательный человек.

Она вспомнила Гильдебранда, генерала Риттера, капитана фон Райнхардта, бесконечные допросы... Должно быть, так на нее подействовала немецкая речь, доносившаяся со всех сторон. Ариана изгнала эти воспоминания прочь и всецело сосредоточилась на разговоре с Максом.

— Он спас мою жизнь.

Наступила продолжительная пауза, затем Макс вновь притянул Ариану к себе.

— Кто-то рассказывал мне, что вашего мужа убили.

Ариана мрачно кивнула.

— Я решил выйти на ваш след, перепробовал различные варианты. Франция была одним из них. Иммиграционная служба в Париже сообщила мне, что вам были выданы проездные документы. Я узнал, какого числа вы покинули Францию. Затем я вышел на Сен-Марна.

Ариана была несказанно растрогана.

— Зачем же вы так упорно искали меня?

— Я считал, что слишком многим обязан вашему отцу. Как только вернулся в Берлин, тут же нанял частного детектива. Ни Вальмара, ни Герхарда найти не удалось. — Он виновато улыбнулся. — Но про вас я знал, что вы живы, и сдаваться не собирался.

— Почему же тогда вы не смогли меня разыскать в Нью-Йорке? Ведь Жан-Пьер наверняка сообщил вам, куда я отправилась.

— Да, но вы знаете, что Сен-Марн погиб?

— Жан-Пьер? Погиб? — не поверила своим ушам Ариана.

— Да, он погиб в автомобильной катастрофе под Парижем.

Наступило молчание. Потом Макс продолжил:

— Сен-Марн дал мне адрес семьи в штате Нью-Джерси. Я написал им, но они ответили, что никогда вас не видели. Первоначально они действительно должны были стать вашими спонсорами, но потом передумали.

Ариана вспомнила, что у нее и в самом деле первоначально были какие-то спонсоры в Нью-Джерси, но они так и не появились — исчезли куда-то, когда она, полумертвая после путешествия, лежала в больнице.

— Они написали мне, что не знают, кто стал вашим спонсором вместо них. Выяснить это так и не удалось. Люди, продолжившие дело Сен-Марна в Париже, тоже не смогли мне помочь. Через несколько месяцев я сам приехал сюда, и в Женском обществе взаимопомощи меня направили к Либманам. Я встречался с ними, разговаривал, но тут ваш след окончательно затерялся.

При упоминании Либманов сердце Арианы заколотилось.

— Что они вам сказали? — взволнованно спросила она.

— Сказали, что в жизни вас не видели, понятия не имеют, где вы. Миссис Либман признала, что ваше имя ей знакомо, но сообщить какую-либо информацию о вас отказалась.

Ариана грустно кивнула. Что ж, она не могла осуждать за это Рут. Миссис Либман настолько разгневалась на Ариану, что наверняка предпочла вообще забыть о ней, а в особенности о ее браке с Полом. По выражению лица Арианы Макс понял, что в этой истории все не так просто.

— Ну вот, — закончил он, — после этого мои поиски остановились.

— Теперь это не имеет значения. — Она нежно дотронулась до его руки. — Главное, что вы меня все-таки разыскали.

После недолгих колебаний она решила рассказать ему всю правду. Почему бы и нет?

— Рут Либман солгала вам. Дело в том, что я была замужем за ее сыном.

Это известие поразило Макса, а побледневшая Ариана поведала ему всю историю до самого конца, без утайки. Слушая ее, он не мог удержаться от слез. Непроизвольным движением Макс взял Ариану за руку, и она с силой сжала его пальцы.

— А что теперь?

— Жду развода. В июле закончится.

— Что ж, все это очень грустно. Что еще я могу сказать?

— Я сама во всем виновата. Нельзя было так себя вести. Я поступила глупо, безответственно. Мне жаль, что я рассорилась с этими замечательными людьми. Ведь Рут спасла мне жизнь, а значит, спасла и Ноэля.

— Может быть, когда-нибудь они отнесутся к этому иначе.

— Сомневаюсь.

— А как малыш? — улыбнулся Макс, вспомнив, какими были в этом возрасте его собственные дети. — Как, вы сказали, его зовут?

— Ноэль, — просияла улыбкой Ариана. — Он родился в день Рождества, поэтому я и назвала его так.

— Вы сами себе преподнесли замечательный подарок к Рождеству. — Макс с беспокойством взглянул на нее. — А кто-нибудь был рядом с вами, когда это произошло?

Она покачала головой.

— Как это грустно, Ариана...

Сердце Арианы разрывалось от жалости к ним обоим. Сколько воды утекло, как многого они лишились...

И все же она гораздо счастливее, у нее есть Ноэль, ее сокровище, а это самое главное.

— А как вы? — спросила она.

Пользуясь тем, что очередь продвигалась медленно, Макс рассказал Ариане, как сложилась его судьба в эмиграции. Картины Вальмара не только помогли ему выжить в годы войны, но даже позволили заплатить за обучение на юридическом факультете в одном из университетов Соединенных Штатов.

Он оставался в Швейцарии до конца войны, берясь за любую работу, недоедая, а после победы продал картины и перебрался в Штаты. С тех пор миновало два года.

Макс приехал в Америку в надежде получить диплом американского адвоката, и вот эта мечта осуществилась. Макс намеревался предъявить иск немецкому правительству, чтобы оно компенсировало ему имущественные потери. В будущем же он собирался заключить соглашение с консулатом и вести дела всех эмигрантов, рассчитывавших на компенсацию. У Макса были все основания полагать, что его услуги будут охотно приняты, ведь он имел два диплома юриста — немецкий и американский.

— Вряд ли я на этом разбогатею, но на жизнь хватит, — резюмировал он. — А вы, Ариана? У вас что-нибудь осталось?

— Моя жизнь, немножко драгоценностей и фотографии Манфреда.

Макс вспомнил роскошь, царившую в доме Вальмара фон Готхарда. Как все изменилось! От прежнего богатства не осталось и следа — лишь воспоминания, безделушки да сны.

Но предаваться воспоминаниям у Макса сил не было.

— Вы когда-нибудь думали о возвращении в Германию, Ариана?

— Нет. Там мне будет не лучше, чем здесь. А Ноэлю в Америке будет хорошо.

— Надеюсь, — нежно улыбнулся Макс, вспомнив о своих погибших детях.

Он осторожно взял мальчугана на руки, потрепал его по волосам. Со стороны они казались счастливой семьей, связанной тесными узами любви. Вряд ли кто-нибудь поверил бы, сколько испытаний выпало на долю этого мужчины и этой женщины.

Книга четвертая

НОЭЛЬ

Глава 45

Церемония состоялась ярким солнечным утром во дворе Гарвардского университета между Уайденеровской библиотекой и Эплтонской часовней. Сияющие юные лица, высокие стройные фигуры, облаченные в шапочки и мантии, — молодые люди ожидали момента вручения дипломов, доставшихся им ценой стольких усилий. Ариана разглядывала студентов и мечтательно улыбалась. Подошел Макс и сел рядом с ней в узкое складное кресло. Он взял ее за руку и заметил, как сверкнул на солнце огромный изумруд, с которым она никогда не расставалась.

— Правда, он чудесно выглядит, Макс? — Она коснулась плечом респектабельного седовласого джентльмена, в которого превратился Макс Томас за минувшие годы. Он погладил ее по руке и улыбнулся.

— Неужели ты отсюда его видишь, Ариана? Я вот, например, с такого расстояния лиц различить не могу.

— Какое бестактное замечание!

Они шептались, словно дети, посверкивая смеющимися глазами. Он был ее близким другом вот уже двадцать пять лет, но они по-прежнему наслаждались обществом друг друга.

Ее яркая красота ничуть не поблекла, лишь слегка приглушилась со временем. Прежние совершенные линии, мягкое золото волос, бездонная голубизна огромных глаз. А вот Макс изменился очень сильно. Он все еще оставался высоким, худощавым, но грива пышных волос стала совершенно белой. Он был на девятнадцать лет старше Арианы, ему недавно исполнилось шестьдесят четыре.

— Ах, Макс, я так горжусь им!

Он снова сжал ее руку и кивнул.

— И правильно делаешь. Он чудесный мальчик. — Макс улыбнулся. — И хороший юрист. Как обидно, что он намерен работать в этой надутой от важности компании, черт бы ее побрал! Я бы с удовольствием взял его к себе в компаньоны.

Но хотя адвокатская практика Макса в Нью-Йорке процветала, она не шла ни в какое сравнение с той фирмой, в которой собирался работать Ноэль. Прошлым летом он работал в этой фирме клерком и получил предложение поступить туда после окончания юридического факультета Гарварда. И вот теперь этот момент настал.

К полудню все закончилось, и Ноэль подошел к ним, чтобы ласково обнять мать и пожать руку дяде Максу.

— Ну как, вы еще живы? Я боялся, вы изжаритесь на солнце.

Огромные синие глаза глядели на мать, и она смотрела ему в лицо, которое становилось так похоже на лицо Манфреда, что временами она вздрагивала. Ноэль был высок и строен, как его отец, с широкими плечами и изящными руками. И еще было в нем что-то... что-то неуловимое... взгляд или выражение лица... какое-то смутное сходство с Герхардом; потому-то она и улыбалась: они оба — муж и брат — жили в ее сыне.

— Дорогой, какая чудесная церемония! Нас переполняет гордость.

— И меня тоже.

Он склонился к ней, и она тронула его лицо рукой — на мизинце перстень, доставшийся ей от матери, а на безымянном пальце — кольцо, которое ей подарил Манфред, она не снимала их с того самого дня, когда родился сын. Ариана не рассталась с ними даже в самые трудные времена — когда ее оставил Пол. Эти кольца были не просто ее последним прибежищем, они были единственным, что осталось от прошлого. Со временем Максу удалось добиться для нее компенсации за дом в Грюневальде, часть его обстановки и за замок Манфреда. Сумма получилась не такой уж значительной, но все же существенной, а удачное вложение этих средств обеспечило Ариане и ее сыну вполне приличный пожизненный доход. Большего ей и не нужно было. Для нее молодость прошла. Работу в книжном магазине можно было оставить. Ариана купила маленький домик в Ист-Сайде, в районе Семидесятых улиц, и, выгодно разместив остальные деньги, целиком посвятила свою жизнь воспитанию сына.

Первые несколько лет Макс уговаривал ее выйти за него замуж, но потом перестал. Ни он, ни она не хотели больше иметь детей, а жизнь каждого была слишком уж прочно связана узами прошлого. Поэтому Макс просто

нанимал квартиру для встреч до тех пор, пока Ариана
не настояла, чтобы он купил небольшую, но очень уютную квартиру прямо напротив ее домика. Они ходили
слушать оперу, посещали концерты, вместе ужинали,
изредка исчезали вдвоем на выходные, но в конце концов каждый возвращался в свое одинокое пристанище.
Сначала Ариана поступала так из-за Ноэля, но потом
подобный образ жизни вошел в привычку. И сейчас,
хотя сын уже семь лет учился в Гарварде, она проводила много времени у себя.

— Ты имеешь полное право гордиться, дорогой.

Она взглянула на Ноэля из-под соломенной шляпы,
и так же, как это часто происходило с Максом, сына
поразило, насколько молодо она выглядит. Ариана оставалась поразительно хорошенькой — почти как в юности.

Ноэль покачал головой и усмехнулся.

— Я не говорил, что горжусь собой, — прошептал
он. — Я имел в виду, что горжусь тобой.

Она в ответ засмеялась от удовольствия, коснулась
его щеки и взяла Макса под руку.

— Ты не должен говорить подобные вещи матери,
Ноэль.

— Вот именно. И кроме того, — Макс шутливо
нахмурился, — я ревную.

Все расхохотались, и Ариана высвободила руку.

— Итак, когда ты приступишь к работе, Ноэль?

— Какого черта! Я не собираюсь работать сейчас
же, дядя Макс! Вы шутите? У меня же каникулы!

Ариана поглядела на него весело и недоуменно:

— Вот как? Куда же ты намерен отправиться?

Он ей ничего об этом не говорил. Но ведь он теперь
мужчина. Она и не ждала, что сын будет посвящать ее
в свои намерения. Ариана училась отвыкать от сына

постепенно, с помощью Макса, еще с тех пор, когда в 1963 году он уехал в Гарвард.

— Я думаю поехать в Европу.

— Правда? — изумилась Ариана.

Они много путешествовали вместе: в Калифорнию, в Аризону, на Большой Каньон, в Новый Орлеан, в Новую Англию... куда угодно, но только не в Европу, потому что ни Макс, ни она сама не находили в себе сил поехать туда. Зачем возвращаться в забытые места, смотреть на знакомые улицы, на дома, где когда-то жили люди, которых ты любил, люди, которые ушли из твоей жизни, но не забыты? Макс и Ариана давно договорились никогда не заглядывать в прошлое.

— Куда в Европу, Ноэль? — спросила она, внезапно побледнев.

— Я еще не решил. — Потом мягко произнес: — Может быть, я заеду в Германию, мама. Я должен... Я хочу... Ты понимаешь?

Она медленно кивнула сыну, который так незаметно превратился в мужчину.

— Да, дорогой, я понимаю.

Она с удивлением осознала, что это причиняет ей боль. Она так жаждала сделать его стопроцентным американцем, так стремилась к тому, чтобы в его жизни не осталось места для Германии! Она не желала встречи со старым!

— Не надо так расстраиваться, Ариана, — сказал Макс, когда Ноэль ушел, чтобы принести ленч. — Для него это вовсе не «возврат в прошлое». Он просто собирается увидеть то, о чем столько слышал, о чем читал. Ты придаешь этому слишком много значения. Поверь мне.

Она вымученно улыбнулась:

— Может быть, ты прав.

— Это всего лишь здоровое любопытство, поверь мне. Кроме того, это не только твоя страна, Ариана, это страна его отца.

Оба знали, что все связанное с отцом было для Ноэля священно. Для него Манфред всегда был чем-то вроде бога. Ариана все рассказала ему об отце: как тот спас ее от нацистов, каким он был хорошим человеком, как они любили друг друга. Ноэль видел фотографию отца в форме. От мальчика ничего не утаили, не скрыли даже мельчайших подробностей.

Макс посмотрел на нее и снова сжал ее руку.

— Ты хорошо воспитала его, Ариана.

— Ты правда так считаешь? — Она лукаво покосилась на него из-под шляпы.

— Да.

— А разве ты не приложил к этому руку?

— Разве самую малость...

— Макс Томас, ты несносный лгун. Он такой же твой сын, как и мой.

Макс поцеловал ее в шею и только потом ответил:

— Спасибо, дорогая.

Они вздрогнули, когда откуда-то неожиданно возник Ноэль с подносами в руках и широченной улыбкой на лице.

— Если вы будете и дальше так целоваться, то все вокруг поймут, что вы не женаты.

Все расхохотались, а Ариана покраснела:

— Перестань.

— Не смотри на меня так, мама. Это не я сижу тут в обнимку, как подросток, да еще при свете дня! — Они снова рассмеялись. — Приятно видеть вас столь счастливыми.

— А разве мы не всегда такие? — удивилась Ариана и взглянула сначала на Макса, а потом на сына.

Ноэль утвердительно кивнул:

— Да, поразительно, но факт. Это встречается довольно редко.

Он опять улыбнулся, и на этот раз Ариана без всякого стеснения поцеловала Макса.

— Может быть.

Они сидели, завтракали, вот-вот должны были начаться приветственные речи почетных гостей. Вдруг Ноэль вскочил и замахал руками, подзывая кого-то. Мантия его колыхалась, он знаками просил кого-то подойти. Потом он сел на место и широко улыбнулся — глаза его победно глядели на мать и Макса.

— Она идет.

— *Она?* — переспросил Макс, и на этот раз покраснел Ноэль.

Через минуту к их столику подошла молодая девушка. Ноэль тут же поднялся с места. Девушка была очень высокой и стройной, с иссиня-черными волосами, разительно контрастировавшими со светлой шевелюрой Ноэля. На смуглом лице сияли зеленью огромные глаза, волосы были собраны сзади в хвост. Длинные стройные ноги, как заметила Ариана, обуты в сандалии.

— Макс, мама, это Тамара.

Находчиво, ничего не скажешь. Девушка улыбнулась, обнажив ровные белоснежные зубы.

— Тамми, это моя мама и дядя Макс.

— Рада познакомиться.

Она вежливо пожала им руки, перекинула за спину волосы и взглянула прямо Ноэлю в глаза. Казалось, мгновение между ними шел безмолвный разговор, своего рода обмен тайной информацией. Макс поймал себя на том, что улыбается. Подобный взгляд двух людей может означать только одно.

— Вы тоже учитесь на юридическом факультете, Тамара? — вежливо обратилась к ней Ариана, стараясь не выдать своего страха перед тем, что в жизнь сына вошла эта девушка. Но в девочке не было ничего внушающего страх — она казалась такой открытой и дружелюбной.

— Да, миссис Трипп.

— Да она еще младенец в юриспруденции, — поддразнил Ноэль и коснулся рукой волос девушки. — Неоперившийся птенчик.

Тамара метнула на него острый взгляд.

— Мне осталось два года до окончания, — объяснила она Максу и Ариане. — А Ноэль сегодня просто лопается от важности.

Она говорила так, словно они все были давным-давно знакомы, и еще так, словно Ноэль больше принадлежал ей, а не им. Ариана поняла намек и улыбнулась.

— Думаю, сегодня особенный день, Тамара. Но придет и ваш черед. Вы продолжите учебу в Гарварде?

— Наверно.

И снова сверкнула глазами в сторону Ноэля.

Юноша спокойно выдержал этот взгляд.

— Иногда вы будете встречаться с ней в Нью-Йорке. Если она будет аккуратно выполнять домашние задания. Правда, детка?

— О! Кто бы говорил!

Ариана и Макс вдруг с изумлением поняли, что молодые люди совершенно забыли о их существовании.

— А кто доделал за тебя последнюю курсовую? Кто тебе все печатал последние полгода?

Оба рассмеялись, и Ноэль прижал палец к губам:

— Ш-ш-ш, Тамми, это же большой секрет! Ты хочешь, чтобы меня лишили диплома?

— Нет, — усмехнулась она. — Я просто хочу, чтобы его дали мне и я могла бы уехать отсюда.

В этот момент специально приглашенный оратор начал свою речь. Ноэль зашикал на Тамару. Она снова пожала руки Максу и Ариане и исчезла в толпе студентов.

— Очень хорошенькая молодая дама, — прошептал Макс, обращаясь к Ноэлю. — Просто красавица.

Ноэль кивнул:

— Когда-нибудь она станет дьявольски хорошим адвокатом.

Он смотрел вслед девушке, а Ариана смотрела на него и любовалась своим молодым, высоким, золотоволосым сыном.

Глава 46

Тем вечером они ужинали в ресторане «Лок Обер». Все трое очень устали, и разговор о Тамаре не возобновлялся. Макс и Ноэль беседовали на юридические темы, Ариана слушала вполуха и смотрела на публику вокруг. Раз или два она вспомнила о девушке. Почему-то Ариане казалось, что она видела ее раньше, может, на какой-нибудь фотографии, которую показывал Ноэль? Впрочем, какая разница? Как бы ни были эти двое увлечены друг другом, отныне их пути разойдутся.

— О чем ты думаешь, Ариана? — Макс поднял брови и усмехнулся. — Кокетничаешь с каким-нибудь молодым человеком?

— Ты застал меня врасплох. Извини, дорогой. Что ты сказал?

— Я спросил, не кажется ли тебе, что ему лучше отправиться не в Шварцвальд, а в Баварию?

Ее лицо потемнело.

— Может быть. Но, откровенно говоря, Ноэль, думаю, тебе лучше съездить в Италию.

— Почему? — Он упрямо нахмурился. — Почему не Германия? Чего ты боишься, мама?

Макс про себя порадовался, что мальчик набрался мужества завести этот разговор.

— Ничего я не боюсь, что за глупости!

— Нет, боишься.

Она в замешательстве взглянула на Макса, опустила глаза. Они трое всегда были откровенны между собой, но сейчас ей вдруг стало трудно говорить о том, что у нее на душе.

— Я боюсь, что, если ты поедешь туда, ты найдешь там частичку самого себя. И почувствуешь себя дома.

— И что? Ты думаешь, я останусь? — Он ласково улыбнулся и осторожно коснулся ее руки.

— Может быть, — тихо вздохнула она. — Я сама не очень понимаю, чего боюсь, и кроме того... Я уехала оттуда так давно, это были ужасные времена. Я думаю только о том, что там я потеряла людей, которых любила.

— А тебе не кажется, что я имею право знать о них? Увидеть страну, где они жили? Где жила ты, когда была ребенком? Увидеть дом твоего отца, дом моего отца? Почему я не могу поехать туда, где осталась частичка тебя, частичка меня самого?

За столом воцарилось долгое молчание. Макс нарушил его первым.

— Мальчик прав, Ариана. Он имеет на это право. — Потом обратился к Ноэлю: — Это чудесная страна, сынок. И всегда такой будет. И единственная причина, по которой мы не возвращаемся, та, что мы слишком любим Германию и глубоко переживаем все, что с ней приключилось.

— Я понимаю, Макс. — Ноэль нежно, чуть не с жалостью посмотрел на мать. — Поездка не причинит мне боли, мама. Я ведь не знаю, как все было раньше. Я просто поеду погляжу, а потом вернусь назад, домой,

к тебе, в мою страну, вернусь, зная чуть больше о тебе
и о себе самом.

Она вздохнула и посмотрела на них:

— Вы так убедительны и красноречивы — вам бы
адвокатами быть.

Все рассмеялись и стали пить кофе, а Макс подал
знак официанту, чтобы тот принес чек.

Ноэль собирался вылететь из аэропорта Кеннеди через две недели и провести в Европе месяца полтора. Он
намеревался вернуться в Нью-Йорк в середине августа,
чтобы спокойно подыскать квартиру и в сентябре приступить к работе.

Предотъездные дни прошли в суете и суматохе. Он
встречался с друзьями, устраивал вечеринки и почти каждый день обсуждал маршрут с Максом. Путешествие
это все еще беспокоило Ариану, но она смирилась. Ее
захватила вся эта кутерьма. Как-то раз, видя, что среди
ночи Ноэль отправляется с друзьями развлекаться, она
подумала, что за двадцать лет молодежь изменилась не
так уж сильно.

— О чем ты задумалась? — спросил Макс, заме-
тив ностальгический блеск ее глаз.

— О том, что ничего не изменилось, — нежно улыбнулась она своему возлюбленному.

— Разве? А вот я как раз думаю наоборот. Но может,
это потому, что я почти на двадцать лет старше тебя.

Оба вспомнили пустынные комнаты ее матери в доме
в Грюневальде, где Макс прятался от нацистов и где он
впервые поцеловал Ариану. «Помнишь?» — казалось,
спрашивали его глаза.

Ариана медленно склонила голову:

— Да.

— Я тогда сказал, что люблю тебя. Ты знаешь, это
была правда.

Она прикоснулась губами к его щеке.

— Я тоже тебя тогда любила — как умела. — Ариана заглянула в его карие глаза. — Ты был первым, кого я поцеловала в своей жизни.

— И надеюсь, буду последним. Потому что в таком случае я просто обязан буду прожить до ста лет.

— Я рассчитываю на это, Макс.

Они помолчали, улыбаясь, и потом Макс, посерьезнев, взял ее за руку, на которой поблескивало неизменное кольцо с огромным изумрудом.

— Я хочу тебе кое-что сказать, Ариана... вернее, я должен тебе кое-что сказать.

Внезапно она все поняла. Возможно ли? Неужели это все же случится, через столько лет?

— Это очень важно для меня. Ариана, ты выйдешь за меня замуж?

Он говорил очень тихо, во взгляде светились любовь и мольба.

Мгновение она ничего не отвечала, потом склонила голову набок и прищурилась:

— Макс, любовь моя, зачем? Разве это имеет сейчас какое-нибудь значение?

— Да. Для меня — да. Ноэль стал взрослым. Он теперь мужчина, Ариана. Когда он вернется из Европы, он переедет на другую квартиру. А мы с тобой? Снова будем «соблюдать приличия»? Ради кого? Ради твоей прислуги и моего консьержа? Ты можешь продать свой дом или я продам квартиру — и мы поженимся. Пришла наша очередь. Двадцать пять лет жизни ты посвятила Ноэлю. Так посвяти следующие двадцать пять нам с тобой.

Услышав последний аргумент, Ариана не смогла сдержать улыбку. В конце концов она понимала, что он прав, ей нравился ход его мыслей.

— Но зачем нам жениться?

Он ухмыльнулся:

— Ты не хочешь стать уважаемой женщиной, в твоем-то возрасте?

— Но, Макс, мне только сорок шесть.

Она заулыбалась, и он понял, что победил. Заключая ее в объятия, Макс вспоминал их первый поцелуй двадцать восемь лет назад.

На следующий день они сообщили о своем решении Ноэлю. Он был счастлив. Он крепко расцеловал мать и Макса.

— Ну, теперь я уеду с легким чувством. А к сентябрю обязательно переберусь на другую квартиру. А вы будете жить в нашем доме, мама?

— Мы это еще не обсуждали, — в замешательстве ответила Ариана. Она еще не совсем пришла в себя после внезапного решения. Ноэль вдруг ухмыльнулся и снова чмокнул ее в щеку.

— Подумай хорошенько. Не каждая пара женится, когда уже пора отмечать серебряный юбилей.

— Ноэль!

Ариана и так чувствовала себя несколько неловко, оттого что собиралась замуж в таком возрасте. Она всегда полагала, что женятся люди лет в двадцать — двадцать пять, а вовсе не двумя десятилетиями позже, имея взрослого сына.

— Итак, когда же свадьба?

Макс ответил за нее:

— Мы еще не решили. Но мы подождем до твоего возвращения.

— Надеюсь. Надо бы отметить это дело?

С тех пор как он оставил Гарвард, они, кажется, только этим и занимались вплоть до того дня, когда Ноэль отбыл в Европу.

Но в тот вечер Макс пригласил их на ужин в ресторан «Баскский берег». Трапеза получилась роскошной, но ведь и повод был выдающийся. Они пили за путешествие Ноэля в прошлое и за их смелый шаг в будущее. Как всегда, Ариана не удержалась и уронила несколько слезинок.

Париж оправдал его самые смелые надежды. Ноэль взобрался на Эйфелеву башню, побродил по Лувру. Он посидел в парижских кафе, почитал газету и написал открытку «дорогим помолвленным», подписался: «Ваш сын». Вечером, прежде чем идти ужинать, он позвонил подруге Тамми — Бригитте Годар, с которой обещал связаться в Париже. Бригитта была дочерью известного агента по продаже произведений искусства, владельца картинной галереи Жерара Годара. Ноэль познакомился с Бригиттой во время ее короткой стажировки в Гарварде, а француженка и Тамми еще в школе стали близкими подругами. Бригитта была странной девушкой из еще более странной семьи. Мать свою она ненавидела, отца обвиняла в том, что он живет только своим прошлым, а насчет брата утверждала, будто он совершеннейший псих. Бригитта обладала острым язычком, отличалась живым и веселым нравом, была хорошенькой и забавной.

Но в ней всегда чувствовалось что-то неуловимо трагичное, словно ее постигла тяжкая утрата. И однажды, когда Ноэль серьезно спросил ее об этом, она ответила:

— Ты прав. Моя семья — ее у меня нет, Ноэль. Мой отец живет в своем собственном мире. Его ничто и никто не интересует... Только прошлое... Люди, которых он потерял в той, другой жизни. А все мы как бы не в счет. Мы для него не существуем.

Потом она переменила тему, сказала что-то легкое и циничное, но Ноэль навсегда запомнил выражение ее глаз — там светились печаль и мучительное отчаяние, совершенно не свойственные девушке ее возраста. Теперь Ноэль хотел повидаться с ней и был горько разочарован, узнав, что Бригитты нет в городе.

В качестве утешения он заказал роскошный ужин с вином сначала в «Серебряной башне», а затем в «Максиме». Он обещал себе, что устроит этот кутеж перед отъездом из Парижа, но, к сожалению, пришлось пировать без Бригитты. Времени было хоть отбавляй, и он с удовольствием наблюдал за элегантными француженками и их щеголеватыми кавалерами. Каждый здесь одевался по своему вкусу, публика выглядела куда более космополитичной, чем в Америке. Ему нравилось смотреть на этих женщин, любоваться их походкой, их изысканными туалетами, их ухоженными волосами. Чем-то они напоминали ему мать. Они являли собой совершенство манерой держаться, чувственностью — не бьющей в глаза, а тихой и приглушенной, эта чувственность не оскорбляла, но манила. Ноэлю нравилась утонченность парижанок, она будила в нем неведомые ранее чувства.

Назавтра он ранним утром вылетел из аэропорта Орли и приземлился в берлинском аэропорту Темпельхоф. Его сердце учащенно колотилось в беспокойном ожидании. Конечно, у него не было ощущения того, что он вернулся домой, но он надеялся найти ответы на многие вопросы, надеялся раскрыть секреты, отыскать следы людей, которые давно исчезли. Ему хотелось узнать, как они жили, как любили, что они значили друг для друга. Каким-то внутренним чутьем Ноэль понимал, что ответы на все эти вопросы находятся здесь.

Он оставил вещи в отеле «Кемпински», где у него был заказан номер, и, выйдя из вестибюля, долго стоял и смотрел на Курфюрстендам. Вот она, эта улица, о которой рассказывал Макс. Здесь десятилетиями встречались писатели, художники, разного рода интеллектуалы. Здесь находилось множество кафе и магазинов, оживленно бурлил людской водоворот. Вокруг царила праздничная атмосфера, словно все было специально подготовлено для встречи Ноэля с Берлином.

Во взятом напрокат автомобиле юноша медленно ехал по городу, поминутно сверяясь с картой. Он уже осмотрел развалины церкви поминовения императора Вильгельма, где венчались его родители. Полуобвалившийся шпиль беспомощно торчал над площадью. Ноэль вспомнил рассказ матери о том, как бомбили эту церковь; она стояла живым напоминанием о войне. Вообще в Берлине почти не осталось следов разрушений военного времени, однако кое-где разбомбленные здания намеренно не были восстановлены, являя собой памятники тех страшных лет. Ноэль медленно проехал мимо станции Анхальтер, так и оставшейся невостановленной, миновал зал филармонии и далее поехал через Тиргартен к колонне Победы, а оттуда к дворцу Бельвю, который действительно был красив, как и рассказывал Макс. А потом юноша резко затормозил. Перед ним высился залитый солнцем рейхстаг — штаб-квартира нацистов, защищая которую погиб его отец. Со всех сторон серое здание окружили притихшие туристы.

Для Ноэля рейхстаг не являлся напоминанием о фашизме. Это здание не имело никакого отношения к истории, к политике, к маленькому человечку с усиками, стремившемуся установить контроль над всем миром. У Ноэля оно ассоциировалось лишь с человеком, который, наверное, во многом был похож на него самого, с человеком, который любил его мать, с человеком, которого Ноэль никогда не знал. Мать рассказывала ему про тот день... про взрывы, про солдат, про беженцев, про бомбежки... Про то, как она увидела Манфреда мертвым. И сейчас Ноэль стоял там, и слезы текли по его лицу. Он плакал о себе и об Ариане, он представлял, как она страдала, глядя на безжизненное тело, лежавшее перед ней. Господи Боже, как ей удалось справиться со всем этим?

Ноэль медленно поехал прочь от рейхстага, и тогда он впервые увидел стену: прочная, массивная, непреклонная, она тянулась через весь Берлин, прямо через Бранденбургские ворота и обрубала бессмысленным тупиком некогда цветущую Унтер-ден-Линден. Ноэль с любопытством думал: что же там, за ней? Даже мать с Максом никогда не видели эту стену, разделившую Берлин. Надо будет потом наведаться в восточную часть города, полюбоваться собором, церковью Святой Марии, зданием муниципалитета. Он знал, что там остались не восстановленные с войны дома. Но сначала Ноэль должен был посетить другие места, места, ради которых он сюда приехал.

На сиденье взятого напрокат «фольксвагена» лежала карта города, и Ноэль, заглянув в нее еще раз, поехал прочь из центра. Юноша объехал Олимпийский стадион, в Шарлоттенбурге он ненадолго вышел из машины, чтобы взглянуть на озеро и замок. Ноэль не мог этого знать, но он стоял сейчас на том самом месте, где тридцать пять лет назад стояла его бабушка Кассандра фон Готхард рядом с человеком, которого любила, — Дольфом Штерном.

Из Шарлоттенбурга Ноэль направился в Шпандау — посмотреть на знаменитую цитадель, постоять у прославленных ворот. На каменных барельефах были высечены шлемы, символизировавшие всевозможные войны — от средних веков до последней доски с цифрами «1939». В тюрьме сидел один-единственный узник — Рудольф Гесс, содержание которого обходилось городскому муниципалитету более четырехсот тысяч долларов в год. Из Шпандау Ноэль поехал в Грюневальд. Он двигался вдоль озера и разглядывал дома, разыскивая адрес, который дал ему Макс. Ноэль собирался поподробнее расспросить мать, но, когда подошло время, не решился. Макс рассказал ему примерное направление, он писал (правда, без подробностей), каким красивым был этот дом прежде. А однажды поведал историю о том, как дедушка Ноэля спас ему, Максу, жизнь, когда ему пришлось бежать из страны; как вырезал из рам два бесценных полотна, скатал в трубку и вручил своему другу.

Сначала Ноэль решил, что проехал мимо, но вдруг он увидел ворота. Они в точности соответствовали описанию Макса. Ноэль вылез из машины и стал их рассматривать, когда появился садовник.

— Bitte?*

Ноэль почти не говорил по-немецки. Он едва помнил то, что изучал в Гарварде всего три семестра несколько лет назад. И все же ему каким-то образом удалось объяснить старику, ухаживавшему за садом, что много лет назад дом принадлежал дедушке Ноэля.

— Ja?**

Садовник поглядел на него с интересом.

— Ja. Вальмар фон Готхард, — с гордостью произнес Ноэль.

Старик улыбнулся и пожал плечами. Он никогда не слышал этого имени. Тут появилась пожилая женщина и стала выговаривать садовнику, что следует поторо-

---

* Простите? *(нем.)*
** Да? *(нем.)*

питься, так как мадам вернется из путешествия уже завтра вечером.

Улыбаясь, старик объяснил жене, почему здесь оказался Ноэль. Женщина подозрительно поглядела на незнакомца, потом перевела взгляд на мужа. Поколебавшись немного, она неохотно кивнула и жестом велела Ноэлю следовать за ней. Он вопросительно глянул на старика, неуверенный, что правильно понял.

Но садовник, улыбаясь, взял Ноэля за руку:

— Она разрешает вам посмотреть.

— И внутри дома?

— Да.

Старик довольно закивал головой. Он все понял. Как замечательно, что этот молодой американец настолько интересуется страной своего деда, что даже приехал сюда! Многие уже давно позабыли, откуда они родом, ничего не знают о том, что здесь было до войны. Но американец вел себя иначе, и это очень нравилось старику.

Кое в чем дом оказался совсем не таким, каким ожидал его увидеть Ноэль, но некоторые помещения в точности соответствовали описаниям Арианы — она часто рассказывала сыну о своем детстве. Третий этаж, где она когда-то жила с няней и братом, совершенно не изменился. Большая комната для игр, две спальни, огромная ванная. Сейчас здесь располагались комнаты для гостей, но Ноэль отчетливо мог представить себе, как жила его мать. Зато второй этаж претерпел значительные изменения. Сейчас здесь находились маленькие спальни, гостиные, библиотека, комната для шитья и комната, вся забитая игрушками. Очевидно, в доме произошла перепланировка, и от прошлого мало что уцелело. Парадная лестница все же оставалась такой же величественной и торжественной. Ноэлю очень легко было представить себе дедушку, сидевшего во главе стола в огромной столовой. На мгновение юноша вспомнил про нацистского генерала, развлекавшегося здесь с девочками, но быстро отогнал неприятное видение.

Он рассыпался в благодарностях перед пожилой парой, перед уходом сделал фотографию дома. Может быть, он попросит Тамми сделать набросок с фотографии и потом подарит матери. Эта идея очень понравилась ему. Он потратил массу времени, чтобы отыскать на Грюневальдском кладбище место захоронения семейства фон Готхардов; наконец нашел и долго вчитывался в имена дядьев и тетушек, прабабушек и прадедушек — никого из них он не знал. Только одно имя было ему знакомо — имя его бабушки Кассандры фон Готхард. Интересно, отчего она умерла такой молодой — всего в тридцать лет?

Кое о чем Ариана никогда не рассказывала сыну — она считала, что ему не нужно этого знать. Например, о самоубийстве ее матери — Ариана никогда не могла без ужаса думать об этом. И еще мать никогда не рассказывала сыну о своей недолгой семейной жизни с Полом Либманом. Зачем мальчику все это? К тому времени, когда он стал достаточно взрослым, чтобы понимать подобные вещи, Ариана и Макс пришли к выводу, что это событие касается только самой Арианы и никого более, поэтому ее сына вовсе не следует посвящать в подробности.

Ноэль медленно бродил по тихому кладбищу, разглядывал могильные холмы. Наконец он вернулся к машине и поехал по направлению к Ванзее, но на этот раз его ждало разочарование. Он так и не смог найти дом, о котором он все еще смутно помнил из рассказов матери. Теперь там стояли аккуратные ряды многоэтажных зданий. Дома, где жили его мать и Манфред, больше не существовало.

Ноэль пробыл в Берлине еще три дня. Он снова ездил в Грюневальд, в Ванзее, но большую часть времени юноша проводил по другую сторону стены. Восточный Берлин действовал на Ноэля завораживающе — там жили совершенно другие люди. Какими невыразительными были их лица, какими убогими магазины! Это была его первая и единственная встреча с коммунизмом, который являлся для Ноэля куда большей реальностью, чем смутные тени нацизма, пытавшиеся проникнуть в сегодняшнюю жизнь.

Из Берлина Ноэль поехал в Дрезден, где пробыл некоторое время. Главным образом его интересовал замок, за который Ариане выплатили компенсацию. Он знал только, что сейчас там маленький краеведческий музей, время от времени пускавший посетителей. Ноэль пошел туда; в музее не было ни души, если не считать одного сонного служителя. В замке царили мрак и какое-то запустение, большая часть обстановки, если верить табличке, висевшей при входе, была вывезена во время войны. Но здесь снова, как и в Грюневальде, Ноэль мог прикоснуться к стенам, бывшим свидетелями детских игр его отца, со странным и щемящим чувством выглянуть в те же окна, постоять у тех же дверей, потрогать те же дверные ручки, вдохнуть тот же воздух. Этот замок мог бы стать домом и его детства, живи он здесь, а не на Семьдесят седьмой улице в Нью-Йорке. Когда Ноэль выходил, старый служитель улыбнулся ему со своего места.

— Auf Wiedersehen*.

Посещение замка не подействовало на юношу угнетающе, наоборот, он наконец почувствовал себя

---

* До свидания *(нем.)*.

свободным. Свободным от вопросов, от ощущения, что существовали на земле места, которые видели Макс и мать, а он — нет. Вот наконец и он увидел их, увидел такими, какими они были сейчас, они стали частью его жизни, его времени, они теперь не принадлежали прошлому. Сейчас Ноэль чувствовал себя свободным, как никогда прежде.

У Ноэля имелось достаточно времени, чтобы все обдумать. Он теперь лучше понимал, как много вынесла его мать, какой сильной она оказалась. Юноша поклялся себе, что сделает все для того, чтобы мать гордилась им всю оставшуюся жизнь.

Прилетев в аэропорт Кеннеди, он выглядел довольным и счастливым. Ноэль долго не выпускал руки матери из своих. Что бы он там ни увидел, что бы ни почувствовал, в одном можно не сомневаться: его дом здесь.

Глава 47

— Ну, ребята, когда же свадьба?

По возвращении из Европы Ноэль нашел себе квартиру с видом на Ист-Ривер. По соседству располагалось множество симпатичных маленьких забегаловок. Ноэль по-прежнему любил зайти в бар и выпить с приятелями по факультету, и он не стал менять свои привычки даже ради своей первой работы. Но ему ведь еще не исполнилось и двадцати шести, поэтому Макс и Ариана не беспокоились: со временем мальчик остепенится.

— Вы уже назначили дату?

Они обедали вместе в первый раз с тех пор, как Ноэль переехал на новую квартиру, а купальный халат Макса занял прочное место на двери ванной в доме Арианы.

— Ну... — Ариана взглянула на Макса, потом на сына. — Мы думали, на Рождество. Как тебе?

— Прекрасно. Устроим свадьбу перед моим днем рождения. — Ноэль застенчиво улыбнулся. — Это будет пышное торжество?

— Нет, конечно, нет, — смеясь, замотала головой Ариана. — Только не в нашем возрасте. Так, несколько друзей.

Но тут взгляд ее затуманился. В третий раз она выходила замуж, и в памяти всплыли образы тех, кого она утратила. Ноэль, казалось, читал ее мысли. С тех пор как он вернулся из Европы, мать и сын стали еще ближе друг к другу, чем раньше. Вот и сейчас он словно понял, что творилось в ее душе. Они редко разговаривали об этом, но каждый ощущал это новое чувство единения.

— Мама, ты не возражаешь, если я приведу на вашу свадьбу одну знакомую?

— Конечно, дорогой. — Лицо Арианы вновь прояснилось. — Мы ее знаем?

— Да. Вы встречались летом, на церемонии вручения дипломов. Помнишь Тамми?

Ноэль так отчаянно пытался изобразить равнодушие и так явно нервничал, что Максу едва удалось сдержать улыбку.

— Та сногсшибательная особа с длинными черными волосами, если не ошибаюсь? Тамара, да?

— Да, — благодарно поглядел на него Ноэль, а Ариана улыбнулась.

— Да, я тоже помню. Юная студентка юридического факультета, она тогда закончила первый курс.

— Верно. Понимаешь, она приедет навестить родителей на Рождество, вот я и подумал... не пригласить ли ее на вашу свадьбу?..

— Конечно, Ноэль. Конечно.

Макс пришел юноше на помощь и быстро сменил тему разговора, но выражение лица сына не ускользнуло от Арианы. В тот вечер, перед тем как лечь в кровать, она спросила Макса:

— Ты полагаешь, это у него серьезно?

Она казалась обеспокоенной. Макс присел на край кровати.

— Может быть, и да. Но я сомневаюсь. Вряд ли мальчик созрел для серьезных отношений.

— Надеюсь, что нет. Ему ведь только двадцать шесть.

Макс Томас насмешливо поглядел на женщину, на которой собирался жениться.

— А сколько лет было тебе, когда он родился?

— Это совсем другое дело, Макс. Мне исполнилось всего двадцать, но тогда была война...

— Ты действительно думаешь, что не нашла бы мужа до двадцати шести лет, даже если бы не было войны? Наоборот, думаю, ты бы выскочила замуж еще раньше.

— Ах, Макс, это было совсем в другом мире, в другой жизни!

Они долго молчали, потом она легла рядом с ним и взяла его за руку. Он был ей необходим сейчас, чтобы помочь справиться с воспоминаниями, с болью. И он тоже хорошо это понимал.

— Скажи, Ариана, после всех этих лет ты возьмешь мою фамилию?

Она пораженно уставилась на него:

— Конечно. Почему ты спрашиваешь?

— Не знаю. — Он пожал плечами. — Женщины сейчас стали такими независимыми. Я подумал, может быть, ты предпочтешь оставаться Арианой Трипп.

— Я предпочитаю стать твоей женой, Макс, и называться миссис Томас. Сейчас самое время сделать это.

— Что мне в тебе нравится, Ариана, — заметил он, целуя ее плечо, — так это то, что ты быстро принимаешь решения. Не прошло и двадцати пяти лет.

Ариана расхохоталась. Ее серебристый звонкий смех ничуть не изменился с девических времен. Сохранила она и страсть, раскрываясь навстречу его объятиям. Его желание захватило ее, повлекло за собой и досыта напоило любовью.

Глава 48

— И ты, Максимилиан, берешь эту женщину в жены...

Церемония была недолгой, но очень красивой. Ноэль смотрел на новобрачных со слезами, но надеялся, что мало кто заметит его увлажнившиеся глаза.

— Можете поцеловать невесту.

Молодожены слились в долгом поцелуе, вид у них был слишком уж довольный. Приглашенные гости захихикали, а Ноэль похлопал Макса по плечу и улыбнулся.

— Ну вы, двое, хватит уже. Медовый месяц у вас начнется в Италии. Нужно еще отпраздновать свадьбу.

Макс поглядел на него с веселой улыбкой, а Ариана усмехнулась и поправила прическу.

Свадьбу решено было отметить в «Карлайле». Отель находился недалеко от дома, и там как раз нашелся зал подходящего размера. Всего на свадебный завтрак пригласили около сорока человек; для желающих потанцевать играл небольшой музыкальный ансамбль.

— Можно тебя пригласить, мама? Вообще-то первый танец невеста танцует со своим отцом, но, может быть, ты согласишься на осовремененный вариант?

— Буду счастлива.

Он поклонился, она положила руку ему на плечо, и они заскользили в медленном вальсе. Ноэль танцевал безупречно, как когда-то его отец, и Ариана удивлялась: неужели так сильны гены? Мальчик обладал необыкновенной грацией, множество женских глаз следили за его плавными движениями. Глядя через плечо сына на своего мужа, Ариана заметила Тамми, стоявшую поодаль. Черные волосы она уложила в аккуратный узел, в ушах посверкивали бриллиантовые сережки, черное шерстяное платье очень шло девушке.

— Ты только посмотри на эту парочку, — кивнул Ноэль на мать и Макса, стоя рядом с Тамми.

Девушке было немного неуютно среди незнакомых людей, но рядом с Ноэлем она всегда чувствовала себя прекрасно. Хотя наблюдать за ним в подобной обстановке было забавно. До сих пор Тамми видела его только в джинсах и грубых свитерах или в спортивной форме, когда он играл в футбол с однокашниками в Гарварде. Этой зимой Ноэль уже дважды приезжал к Тамми, и сейчас она снова заговорила о том, что занимало все ее мысли:

— Что ты об этом думаешь, Ноэль?

— О чем? — Он рассеянно улыбнулся матери со своего места.

— Ты знаешь, о чем.

— О твоем переводе в Колумбийский университет? Я думаю, у тебя не все дома. Бросаться гарвардским дипломом, словно это ничего не значащий клочок бумаги? Ты явно не в себе, детка.

— И это все, что ты можешь сказать?

Глаза ее сузились, девушка казалась рассерженной и обиженной. Но он тут же взял ее за руку и нежно поцеловал.

— Нет, не все, и ты это отлично знаешь. Я всего лишь хотел обратить твое внимание на следующее обстоятельство. — Он ласково усмехнулся. — Ты не желаешь сидеть в Гарварде еще два года и ожидать моих приездов, и все из-за своего сладострастия.

— Да, потому что это глупо. Тяжело для тебя и для меня. Ты сейчас начнешь работать, да еще собираешься заниматься наукой. Как ты думаешь, часто ли ты сможешь приезжать? Я тоже едва ли смогу ездить туда-сюда — нагрузка в этом году еще больше, чем раньше. А если я переведусь сюда, мы будем чаще проводить время друг с другом.

Огромные глаза Тамми умоляюще глядели на него, и Ноэль изо всех сил боролся с собой, чтобы не уступить.

— Тамми, я не хочу, чтобы наши отношения повлияли на твое решение. Слишком все это важно. Столь серьезная перемена может испортить всю твою карьеру.

— О, ради Бога, не будь таким снобом. Я ведь собираюсь перевестись в Колумбийский университет, а не в какой-нибудь заштатный колледж.

— А почему ты уверена, что тебя примут?

Ноэль отчаянно старался исполнить до конца свой долг, но столь же отчаянно желал, чтобы она осуществила задуманное.

— Я уже узнавала. Мне сказали, что я могу начать со следующего семестра.

Он со значением посмотрел на нее, но ничего не сказал.

— Ну? — Тамми ждала с замиранием сердца.

Он глубоко и медленно вздохнул.

— Благородный человек на моем месте продолжал бы тебя отговаривать.

— А ты не будешь? — Она посмотрела на него в упор.

— Нет. Я хочу жить с тобой вместе. Начиная прямо с сегодняшнего дня. Но это ужасно эгоистично, имей в виду. — Он придвинулся к ней, и тела их слегка соприкоснулись. — Я люблю тебя, я хочу всегда быть с тобой.

— Тогда позволь, я сделаю то, что задумала.

Он улыбнулся ей в ответ, и тут к ним подошли Макс и Ариана, с удовольствием глядевшие на юную пару.

Ноэль и его подруга были такими молодыми, такими счастливыми и свободными; всем окружающим хотелось хоть на мгновение разделить с ними их радость. Казалось, перед ними простиралась долгая светлая дорога, по которой они зашагают к своему счастью.

— Мама, ты помнишь Тамми?

— Конечно.

Ариана тепло взглянула на девушку. Тамми ей нравилась. И хорошеньким личиком, и явно неплохим характером. И еще Ариана заметила серьезную нежность, светившуюся в глазах сына.

— Наверное, мне следует представить вас друг другу заново. Ведь у моей матери теперь другая фамилия. — На этот раз покраснела Ариана, а Макс гордо выпрямился и слегка усмехнулся. — Моя мать — миссис Томас, мой отчим — Макс Томас, моя подруга — Тамара Либман.

— Либман... — пораженно повторила Ариана, но быстро справилась со своими чувствами. — Вы не состоите в родстве с Рут и Сэмюэлом Либман? — Она не осмелилась упомянуть имя Пола.

Тамми спокойно кивнула. В лице этой женщины появилось какое-то странное выражение, которое Тамми не могла понять.

— Это мои дедушка и бабушка, только они умерли. Я их никогда не видела.

— А-а... — Ариана на мгновение онемела. — Значит, вы...

— Дочь Пола и Марджори Либман. А моя тетя Джулия живет в Лондоне. Может, вы с ней тоже были знакомы?

— Да. — Ариана страшно побледнела. Она, казалось, была близка к обмороку.

Тамми не знала, что именно так подействовало на Ариану. Девушка только поняла, что ее отвергли. Слезы отчаяния катились по ее лицу, когда несколько минут спустя она кружилась с Ноэлем в медленном танце.

— Тамми, ты плачешь? — Ноэль с ласковым недоумением посмотрел на нее. Она помотала головой, но отрицать очевидное было бесполезно. — Ну-ка, давай выйдем отсюда на минутку. — Они спустились вниз по лестнице и стали медленно прогуливаться в холле. — Что случилось, детка?

— Твоя мать ненавидит меня.

При этих словах из горла ее вырвалось сдавленное рыдание. Господи, как же она мечтала, чтобы все было хорошо! Тамми знала, как близки Ноэль и его мать; именно поэтому для девушки было так важно понравиться Ариане с самого начала. Но теперь все кончено.

— Ты видел выражение ее лица, когда ты произнес мою фамилию? Она чуть в обморок на месте не упала, узнав, что я еврейка. Разве ты ей об этом не говорил?

— Ради Бога, Тамми, мне и в голову не пришло! На дворе семидесятые годы! Быть евреем — не такое уж страшное преступление!

— Для тебя, может быть, но не для нее. Точно так же моих родителей привело в шок известие о том, что ты немец. Но по крайней мере я их хотя бы предупредила! Почему же ты не подумал о своей матери? Господи Боже, она антисемитка, а ты даже не подозревал об этом!

— Нет! Ты еще скажи, что моя мать нацистка!

Этого Тамми не думала, но ведь отец назвал тогда Ноэля именно так.

— Ноэль, ты ничего не понимаешь.

Дрожа всем телом, она стояла и смотрела в окно на спешащих по улице людей.

— Все я понимаю. Я отлично понимаю, что ты наслушалась этой чепухи от своих родителей. Тамми, это их война — не наша. Мы просто люди: черные, белые, коричневые, желтые, евреи, ирландцы, арабы. Мы все — американцы, вот в чем заключается прелесть нашей страны. И все остальное не имеет никакого значения.

— Для них имеет.

Тамми вновь вспомнила выражение лица Арианы и в отчаянии заломила руки, но Ноэль крепко прижал ее к себе.

— Но ты веришь, что для меня это ровным счетом ничего не значит?

Она кивнула.

— Я поговорю сегодня вечером с матерью, прежде чем они уедут в аэропорт. Посмотрим, права ли ты.

— Я знаю, что права, Ноэль.

— Не будь такой самоуверенной.

Но Тамми отказалась возвращаться обратно. Они на минутку поднялись наверх, Тамми взяла свое пальто и, вежливо попрощавшись с его матерью, ушла. Ноэль усадил ее в такси.

— У тебя очень хорошенькая подружка, Ноэль, — довольно натянуто проговорила Ариана, когда они вернулись из отеля и расположились все вместе в гостиной. До отъезда в аэропорт оставалось три часа. В свой медовый месяц молодожены собирались поехать в Европу, но были намерены посетить только Женеву и Рим.

— Кажется, она очень милая девушка.

Но после этих слов Арианы в комнате повисло неловкое молчание. Во время праздника Макс и Ариана улучили минутку и обсудили случившееся.

Стоя у камина, Ноэль смотрел на мать, и выражение его глаз недвусмысленно говорило о том, что юноше непонятен ее тон.

— Тамми считает, что не понравилась тебе, мама. — Ответом было молчание. — Потому что она еврейка. Она права?

Вздрогнув от подобного обвинения, Ариана медленно опустила глаза.

— Мне очень жаль, что она так думает, Ноэль. — Потом она снова подняла глаза на сына. — Нет, совсем не поэтому.

— Значит, все же наполовину Тамми права — она тебе не нравится?

Ариане трудно было продолжать: мальчик выглядел таким рассерженным и обиженным.

— Я этого не говорила. Девушка очень милая. Но, Ноэль... — Она взглянула ему прямо в глаза. — Ты должен прекратить встречаться с ней.

— Почему? Ты что, шутишь? — Он оставил свое место у камина и нервно зашагал по комнате.

— Нет, не шучу.

— Тогда объясни толком, что происходит? Мне двадцать шесть лет, а ты будешь указывать мне, с кем встречаться, а с кем — нет?

— Я делаю это для твоего же блага.

Оживление, владевшее Арианой весь вечер, спало, и она казалась сильно уставшей и какой-то разом постаревшей. Макс подошел и участливо сжал ее руку, но даже он не мог утешить ее, ведь сейчас Ариане предстояло сделать больно собственному сыну.

— Черт возьми, не лезь в мою жизнь!

Ариана слегка вздрогнула.

— Очень сожалею, что слышу это от тебя. Но дело в том, что тебе будет еще больнее, когда ее отец узнает, кто ты такой, Ноэль. Хорошо бы тебе понять это.

— Но почему? — вырвался у Ноэля мучительный возглас. — И откуда, черт побери, ты вообще что-то знаешь о ее отце?

Воцарилось долгое молчание. Макс уже было совсем собрался прийти на выручку Ариане и прервать паузу, но она спокойно подняла руку, жестом останавливая его.

— Я была замужем за ним. Давно, когда только приехала в Штаты.

Ноэль ошеломленно замер, потом буквально рухнул в кресло.

— Ничего не понимаю.

— Да, милый, — мягко произнесла Ариана. — Мне очень жаль. Я не предполагала, что придется когда-нибудь рассказать тебе об этом.

— Но разве ты не была замужем за моим отцом?

— Конечно, была. Но здесь, в Америке, я оказалась уже будучи вдовой. Я была перепугана до смерти и тяжело больна. Я перебралась сюда на корабле, зафрахтованном Женским обществом взаимопомощи. Вряд ли оно существует по сию пору, но тогда оно имело большое влияние. Я подружилась с одной чудесной женщиной. — Ариана задумалась на мгновение, с горечью вспомнив слова Тамми о том, что Рут умерла. — Рут Либман. Это бабушка Тамары. И семья Рут решила взять меня к себе. Они прекрасно ко мне относились. Нянчились как с ребенком, все покупали. Они полюбили меня. Но вся семья не испытывала и тени сомнения в том, что я еврейка. А я тогда была слишком глупа и не рассеяла вовремя это роковое заблуждение.

Ариана надолго замолчала. И потом поглядела прямо Ноэлю в глаза:

— У Рут и Сэмюэла был сын. Он вернулся с Тихого океана после ранения. И он в меня влюбился. Мне было двадцать, ему всего двадцать два. После твоего отца... понимаешь... он казался мне совсем мальчишкой. Но он был очень милый; к тому же девушка, с которой он обручился перед войной, его бросила. А я, — Ариана судорожно сглотнула, — я как раз обнаружила, что беременна тобой, Ноэль. Я собралась уже уйти от них, но... почему-то... сама не понимаю, как это произошло... Пол попросил меня стать его женой. Все казалось таким простым и очевидным. Я не смогла бы одна вырастить тебя, а выйди я замуж за Пола Либмана, я обеспечила бы своего ребенка абсолютно всем. — По щеке Арианы скатилась слеза. — Я считала так: он даст тебе все, что не смогла бы дать я, а я буду всю жизнь ему за это благодарна. — Она продолжала утирать слезы. — Но однажды за две недели до твоего рождения он пришел домой и застал меня врасплох, когда я рассматривала фотографии твоего отца. И все рухнуло. Больше я не могла ему лгать. Я рассказала правду. И конечно, он узнал, что ребенок не его, а Манфреда. — Казалось, Ариана не видела никого перед собой, голос ее звучал глухо. — В тот же день он ушел. Больше я никогда его не видела. Он общался со мной лишь через адвоката. — Она говорила еле слышно. — С тех пор я не встречалась ни с кем из этой семьи. Для них я нацистка.

Ноэль встал, подошел к матери, опустился перед ней на колени и нежно погладил по волосам.

— Мама, они не в состоянии причинить вред мне или Тамми. Сейчас другое время.

— Это не важно.

Он ласково коснулся ее щеки.

— К нам это не имеет никакого отношения.

— Я совершенно с тобой согласен, Ноэль, — первый раз за все время заговорил Макс. — А сейчас, не сочти меня слишком эгоистичным, но я хотел бы, чтобы время, оставшееся до отъезда, твоя мать провела со мной. — Макс понимал, что на сегодня с Арианы достаточно.

— Конечно, Макс.

Ноэль поцеловал их обоих, и на мгновение все задержались в дверях.

— Ты не сердишься, что я рассказала тебе, Ноэль? — печально посмотрела на него Ариана, но юноша отрицательно помотал головой.

— Не сержусь, мама, просто я потрясен и растерян.

— С ним все будет в порядке, — успокаивающе сказал Макс, заводя жену обратно. — Ты ни перед кем не должна оправдываться, дорогая. Даже перед ним.

Он нежно ее поцеловал, и Ариана последовала за ним.

А Ноэль уже мчался на такси домой и, едва вбежав, схватил телефонную трубку. Тамми подошла к телефону сразу же. Голос ее звучал необычно тихо и неуверенно.

— Тамми? Мне необходимо с тобой увидеться.

— Когда?

— Сейчас.

Через двадцать минут она позвонила в дверь.

— Хочу сообщить тебе кое-какие любопытные вещи, детка.

— Например?

Он не знал, с чего начать. И решил действовать без околичностей.

— Ну например, что твой отец — как бы и мой тоже.

— Что? — Она изумленно воззрилась на него.

Тогда Ноэль стал медленно объяснять. Рассказ продолжался почти полчаса. Потом они посмотрели друг другу в глаза.

— По-моему, в нашей семье никто не знает, что папа раньше был женат.

— Ну, его родители, разумеется, знали, его сестры, думаю, тоже. Интересно, твоя мать в курсе?

— Возможно. — Девушка задумалась. — Отец — человек честный и порядочный. Наверняка он рассказал маме обо всем, перед тем как они поженились.

— Это никак не может бросить на него тень. Ведь не он, а моя мать ввела всех в заблуждение. — Ноэль произнес эти слова неосуждающе. Он не испытывал к матери ничего, кроме нежности и сочувствия, ведь она сделала это ради него. Он представил себе отчаяние двадцатилетней беременной беженки, и сердце его сжалось.

Трагедия, случившаяся с их родителями, была для молодых людей историей, прошлым. К ним она не имела отношения. Она принадлежала лишь участникам тех событий.

— Ты расскажешь ему о нас, Тамми?

— Не знаю. Может быть.

— Я думаю, тебе следует рассказать ему обо всем не откладывая. Давай не будем ждать, пока другие раскроют наш секрет. Я хочу выложить карты на стол. Достаточно того, что жизнь наших родителей была полна сюрпризов.

— Значит, ты все-таки собираешься жить со мной вместе, Ноэль? — Ее зеленые глаза озарились надеждой, а он торжественно кивнул:

— Да. Собираюсь.

Глава 49

К концу зимнего семестра Тамми все окончательно решила. Она довольно долго собирала все бумажки для перевода на юридический факультет Колумбийского университета. Теперь ей оставалось только упаковать вещи и освободить маленькую квартирку, которую она делила с четырьмя другими девушками. И вот ранним солнечным субботним утром приехал Ноэль, и они вместе отправились в Нью-Йорк.

В каждом шкафчике своей квартиры Ноэль освободил место для вещей Тамми; повсюду были цветы и воздушные шарики, в холодильнике стояло шампанское.

С тех пор минуло три месяца, и в жизни молодых людей существовала только одна проблема: ни родители Тамми, ни Ариана ничего не знали о нынешнем положении вещей. Вопреки своему всегдашнему принципу быть откровенным с матерью Ноэль не сообщил Ариане о переселении Тамми. А Тамми просто установила свой собственный телефон, и, когда он звонил, Ноэль не поднимал трубку. Обычно это был отец девушки, приглашавший ее пообедать вместе.

Но однажды в конце мая тайное наконец стало явным, когда Ариана без предупреждения зашла к сыну, чтобы отдать письма, по ошибке пришедшие на ее адрес. Ариана уже стояла у входа, когда вдруг из дверей вылетела Тамми, держа в руках пакет с бельем, собранным для прачечной, и тяжелую сумку с книгами.

— О... о... здравствуйте, миссис Трипп... я хотела сказать миссис Томас.

Она залилась яркой краской. Ариана холодно поздоровалась.

— Вы навещали Ноэля?

— Я... да... Мне просто нужно было заглянуть в его старые учебники... и его конспекты...

Тамми хотелось провалиться сквозь землю. Ноэль был прав. Следовало с самого начала обо всем рассказать. А сейчас у Арианы был такой несчастный вид, словно ее предали.

— Уверена, Ноэль сделал для вас все, что мог.

— Да-да... А как вы поживаете?

— Очень хорошо, спасибо.

Вежливо попрощавшись, Ариана направилась в ближайшую телефонную будку и позвонила сыну. А Ноэль даже обрадовался, что все так получилось. Давно пора, хватит с него секретов. И если Тамара не собирается рассказывать отцу, то он, Ноэль, для себя уже все решил. Узнав по справочной телефон офиса Пола Либмана, Ноэль твердой рукой набрал номер и договорился о встрече с главой фирмы на два сорок пять.

Такси остановилось у того самого здания, где пятьдесят лет назад основал свою фирму Сэмюэл Либман. А кабинет, где сейчас размещался Пол, был тем самым кабинетом, в котором столько лет просидел Сэм. Именно сюда приходила Рут, чтобы уговорить мужа принять к ним в дом худенькую светловолосую немецкую девушку. И именно сюда вошел широким уверенным шагом сын той самой немецкой девушки, поздоровался за руку с отцом Тамми и спокойно сел.

— Мы знакомы, мистер Трипп?

Пол внимательно посмотрел на молодого человека; лицо Ноэля показалось ему знакомым. На визитной карточке посетителя значилось имя весьма уважаемой юридической фирмы; Пол Либман не знал, зачем пришел сюда этот молодой человек — по делам фирмы или сам по себе.

— Мы встречались однажды, мистер Либман. В прошлом году.

— О, извините. — Пол вежливо улыбнулся. — Боюсь, память стала меня подводить.

Ноэль объяснил:

— Я друг Тамары. Я окончил Гарвард в прошлом году.

— Ах, вот оно что! — Внезапно Пол все вспомнил, и улыбка исчезла с его лица. — Однако надеюсь, мистер Трипп, вы здесь не для того, чтобы говорить о моей дочери. Итак, чем могу служить?

Молодому человеку назначили эту встречу только потому, что он работает в столь уважаемой фирме.

— Боюсь, сэр, что не оправдываю ваших надежд. Я здесь именно для того, чтобы говорить о Тамаре. И о себе. Вам вряд ли понравится, что я скажу, но мне кажется, нам с самого начала следует быть откровенными.

— С Тамарой что-то случилось?

Либман побледнел. Теперь он вспомнил, окончательно вспомнил этого мальчишку. И тут же почувствовал, что ненавидит его до глубины души.

Но Ноэль немедленно успокоил его:

— Нет, сэр. Она в порядке. Можно даже сказать, что у нее все очень хорошо. — Он улыбнулся, стараясь скрыть нервозность. — Мы любим друг друга, мистер Либман, уже довольно давно.

— С трудом могу в это поверить, мистер Трипп. Дочь уже несколько месяцев даже не упоминает вашего имени.

— Думаю, она боялась вашей реакции. Но прежде чем продолжу, я должен кое-что вам рассказать, ибо, если я этого не сделаю, рано или поздно все так или иначе откроется. Поэтому лучше объясниться теперь же. — Ноэль отвел взгляд и подумал: было сумасшествием прийти сюда. Полным безумием. Но приход в этот кабинет оказался едва ли не самым мужественным поступком в жизни Ноэля. — Двадцать семь лет назад ваша мать активно участвовала в деятельности организации, занимавшейся помощью беженцам здесь, в Нью-Йорке. — Лицо Пола Либмана окаменело, но Ноэль бесстрашно продолжал: — Она подружилась с молодой немецкой девушкой, беженкой из Берлина. На этой девушке вы были женаты — совсем недолгое время, пока не обнаружили, что она беременна от своего мужа, погибшего при обороне Берлина. Вы ее оставили, развелись с ней, а... — он запнулся на мгновение, — а я — ее сын.

Напряжение, царившее в комнате, достигло предела. Пол Либман встал.

— Убирайтесь вон из моего кабинета!

Он в бешенстве указал на дверь, но Ноэль не двинулся с места.

— Я уйду, но прежде я должен сказать, что люблю вашу дочь, сэр, а она любит меня. И еще, — он выпрямился в полный рост (даже Пол рядом с ним казался невысоким), — знайте, что я имею по отношению к ней самые серьезные намерения.

— Вы осмеливаетесь намекать на то, что собираетесь жениться на моей дочери?

— Именно так, сэр.

— Никогда! Вы поняли? Никогда! Это ваша мать все затеяла?

— Вовсе нет, сэр.

Глаза Ноэля сверкнули, и Пол первый опустил глаза. Словно некая искра пробежала между ними, и Либман не стал дальше развивать эту тему.

— Я запрещаю вам впредь встречаться с Тамарой.

На лице Пола смешались ярость и боль — старая
боль, смягчить которую не смогло даже время.

Но Ноэль спокойно ответил:

— Я говорю вам, сэр, здесь и сейчас, что ни она, ни
я не подчинимся вам. Придется вам смириться с этим.

И, не дожидаясь ответа, Ноэль развернулся и вышел. Он услышал яростный удар кулака по столу, но
дверь за молодым человеком уже закрылась.

Получше познакомившись с Арианой, Тамара полюбила ее как собственную мать. А на Рождество, когда Ноэль решил объявить об их помолвке, Ариана
вручила Тамми подарок, тронувший девушку до глубины души. Ноэль был посвящен в тайну; мать и сын
заговорщицки улыбались, пока Тамми разворачивала
яркую бумагу. Вдруг прямо на ладонь Тамми упало бриллиантовое кольцо. Это был тот самый перстень, который много лет назад носила Кассандра.

— О... Боже мой!.. О... нет... нет!

Тамара в изумлении посмотрела сначала на Ноэля,
потом на Ариану, стоявшую рядом с сыном, потом на
широко улыбавшегося Макса и — заплакала, уткнувшись Ноэлю в плечо.

— Это твое обручальное кольцо, дорогая. Мать попросила подогнать его под твой размер. Ну-ка, примерь.

Но, надев кольцо на палец, Тамара снова разрыда-
лась. Она знала историю этого кольца, и вот, принадле-
жавшее четырем поколениям, оно теперь стало ее
собственностью. Оно пришлось как раз впору на сред-

ний палец левой руки; Тамми смотрела на него и поражалась искусной работе ювелира.

— О, Ариана, спасибо!

Но объятия породили только новые взаимные слезы.

— Все в порядке, дорогая, все в порядке. Теперь оно твое. Пусть принесет тебе счастье.

Ариана нежно глядела на девушку, которую полюбила всей душой. «Пора браться за дело самой», — думала она.

Через несколько дней после Рождества Ариана, сильно волнуясь, набрала телефонный номер. Она представилась как миссис Томас, договорилась о встрече и на следующий день взяла такси и отправилась в центр города. Она ничего не сказала ни Максу, ни Ноэлю. Зачем? Но сама твердо решила: пришло время после стольких лет встретиться лицом к лицу.

Секретарша объявила о ее приходе, Ариана в черном платье и черной норковой шубке спокойно вошла в кабинет. Теперь на руке ее было только одно кольцо — с изумрудом. Бриллиантовый перстень отныне принадлежал Тамаре.

— Миссис Томас?

Но, вставая, чтобы поздороваться с посетительницей, Пол Либман замер от неожиданности и широко раскрыл глаза. Даже несмотря на растерянность, в голове его промелькнула мысль о том, как же мало изменилась эта женщина за прошедшие годы.

— Здравствуй, Пол. — Она бесстрашно смотрела на него, ожидая приглашения присесть. — Я решила, что нам следует встретиться. Из-за наших детей. Я могу сесть?

Он жестом показал на кресло и, не отрывая от нее глаз, сел сам.

— Кажется, мой сын уже побывал здесь однажды.

— И совершенно напрасно. — Лицо Пола стало еще более жестким. — И в твоем визите я не вижу никакого смысла.

— Может быть. Но мне кажется, дело сейчас не в наших чувствах, а в чувствах наших детей. Сначала я думала так же, как ты. Я изо всех сил противилась их сближению. Но факт остается фактом: нравится нам это или нет, они теперь вместе.

— А могу я спросить, почему ты противилась?

— Потому что знала: ты считаешь меня и в равной степени Ноэля своими злейшими врагами. — Она помолчала и продолжала уже более спокойным тоном: — Мой поступок был страшной, непростительной ошибкой. Потом я поняла это, но тогда я пребывала в отчаянии, хотела сделать как лучше для ребенка... Ведь ты мог дать ему все, а я? Ну что теперь говорить, Пол? Я была ужасно не права.

Он посмотрел на нее долгим взглядом.

— У тебя есть еще дети, Ариана?

Она покачала головой и слабо улыбнулась:

— Нет. И замуж я снова вышла только в прошлом году.

— Не из-за того же, что чахла по мне, думаю.

Но в голосе его было уже меньше горечи, а взгляд вдруг напомнил Ариане прежнего, молодого Пола.

— Нет. Просто я знала, что, один раз выбрав себе мужа, определила свою судьбу. И изменить ее не властна. Главное, что у меня был сын, а замуж я решила больше не выходить.

— Кто же заставил тебя передумать?

— Один старый друг. Но ты-то, насколько я понимаю, женился снова почти сразу же.

Он кивнул:

— Как только закончился бракоразводный процесс. Я знал ее со школьных лет. — Перед его мысленным взором пронеслась вся жизнь за эти двадцать с лишним лет. — Браки с одноклассницами — они самые проч-

ные. Жениться лучше на своих. Вот почему я против
того, чтобы Тамара и Ноэль встречались. Дело не только в том, что он твой сын. — Пол снова вздохнул. —
Он замечательный мальчик, Ариана. У него достало
мужества прийти сюда и все мне рассказать. Я уважаю
людей, способных на подобные поступки. Тамара не столь
щепетильна и откровенна, — проворчал он недовольно. — Но проблема даже не в том, что мы с тобой
были когда-то женаты. Проблема в них самих. Одно
дело — его отец, твоя семья, Ариана. А мы евреи. Ты
действительно думаешь, что у этой пары есть будущее?

— Они могут попробовать. Что с того, что я немка,
а ты еврей? Может быть, тогда, сразу после войны, это
имело большое значение. Но теперь мне хочется думать, что никого не волнуют подобные глупости.

Однако Пол Либман решительно покачал головой:

— Еще как волнуют. Такие вещи не теряют акту-
альности, Ариана. Они будут существовать всегда.

— Почему бы по крайней мере не дать нашим
детям шанс?

— Для чего? Чтобы я лишний раз убедился, что
был прав? Они быстренько состряпают парочку-троеч-
ку детишек, а лет через пять придут ко мне и скажут,
что хотят развестись, потому что я оказался прав и ничего не получилось.

— Ты действительно считаешь, что можешь этому
помешать?

— Может быть.

— Так и будешь отваживать всех женихов? Неужели ты не понимаешь, что твоя дочь поступит так, как
сочтет нужным? Не важно, правильно или нет. Она
выйдет замуж за того, за кого захочет, и будет строить
свою собственную жизнь сама. Ведь они с Ноэлем живут вместе почти целый год, нравится это тебе или не

очень. В конце концов останется лишь один проигравший — это ты, Пол. Может, пришло время забыть о вражде между нами и взглянуть на мир глазами нынешнего поколения? Мой сын вовсе не считает себя немцем. А твоя дочь тоже вряд ли хочет быть только еврейкой и все время помнить об этом.

— А кем же она хочет быть?

— Личностью, женщиной, юристом. Я не очень-то хорошо разбираюсь в устремлениях нынешней молодежи. Они стали куда более независимыми и свободомыслящими. — Она спокойно улыбнулась. — Может, они и правы. Мой сын мне сказал, что война, о которой мы столько говорим, — наша война, а не их. Для них она всего лишь история. А для нас она временами реальнее настоящего.

— Я смотрел на твоего сына, Ариана, — голос Пола трагически дрогнул, — и словно видел перед собой фотографии, которые ты тогда разглядывала. И я вообразил его в форме... В нацистской форме, как у его отца... — Пол крепко зажмурился, потом взглянул на Ариану затуманившимися от боли глазами. — Он ведь очень похож на отца, да?

Ариана улыбнулась и кивнула:

— А вот Тамара на тебя совсем не похожа.

Больше она не нашлась что сказать, но по крайней мере он улыбнулся.

— Знаю. Она копия своей матери. Ее сестра похожа на Джулию. А вот мой мальчик очень похож на меня, — горделиво добавил Пол.

— Я рада. — Ариана долго медлила, прежде чем спросила: — Ты был счастлив?

Он медленно кивнул.

— А ты? Я вспоминал о тебе иногда, где ты, что ты. Я хотел было разыскать тебя, рассказать, что все еще часто о тебе думаю, но я боялся...

— Чего?

— Боялся выглядеть дураком. Сначала я очень страдал. Мне казалось, что все время, пока мы были вместе, ты надо мной потешалась. Единственный, кто все понял до конца, это моя мать. Она догадалась, что ты поступила так ради ребенка, и еще она считала, что ты все же любила меня.

Как только речь зашла о Рут, глаза Арианы наполнились слезами.

— Я действительно любила тебя, Пол.

Он опустил голову.

— Мать так и сказала, когда хорошенько все обдумала.

После стольких лет они снова сидели рядом.

— Так, Ариана, что же нам делать с нашими детьми?

— Пусть поступают, как считают нужным. Не будем им мешать.

Ариана улыбнулась, встала и, немного поколебавшись, протянула руку. Но Пол медленно вышел из-за стола, быстро обнял ее и отступил назад.

— Прости меня за то, что произошло тогда. Прости, что я не смог понять тебя и не принял никаких объяснений.

— Все к лучшему, Пол.

Он пожал плечами и кивнул. Ариана поцеловала Пола в щеку и ушла. А он задумчиво стоял и смотрел в окно на Уолл-стрит.

Глава 50

Свадьба была назначена на следующее лето. Тамара к тому времени окончит университет; молодые подыщут подходящую квартиру; а еще Тамми предложили работу, к которой она должна была приступить осенью.

— Но сначала мы съездим в Европу! — со счастливой улыбкой сообщила Тамара Максу и Ариане.

— Куда же? — с интересом поглядел на нее Макс.

— В Париж, на Ривьеру, в Италию, а потом Ноэль хочет отвезти меня в Берлин.

На этот раз в глазах Арианы не мелькнуло и тени тревоги.

— Чудесный город. По крайней мере он был таким раньше.

Ариана часто разглядывала фотографии, которые Ноэль привез из своего путешествия два года назад, и любовалась домом в Грюневальде. Теперь не нужно было напрягаться, чтобы восстановить стершиеся из памяти детали. Сын даже привез ей фотографию замка, о котором она столько слышала от Манфреда, но который никогда не видела.

— Надолго вы уедете?

— Примерно на месяц, — радостно выдохнула Тамара. — Это ведь мое последнее вольное лето, а Ноэлю еще придется здорово постараться, чтобы добиться отпуска на целых четыре недели.

— Что вы собираетесь делать на Ривьере?

— Мы хотим повидаться с одной моей подругой. — Они решили навестить Бригитту. — Но, — Тамми хитро глянула на Ариану, — нужно еще пройти испытание, именуемое свадьбой.

— Все пройдет чудесно.

Вот уже несколько месяцев Ариана принимала участие в обсуждении планов на будущее. Пол наконец смягчился и вынужден был признать, что Ноэль ему нравится. И вот уже в феврале они начали обсуждать свадьбу, которая должна была состояться в июне.

Когда наконец долгожданный день настал, Тамми была хороша как никогда в роскошном платье из шелка сливочного цвета, обшитом бесценным брюссельским кружевом. Великолепная воздушная фата, надетая на черные волосы, ниспадала легкими складками и делала фигуру невесты почти невесомой. Даже Ариана замерла в восхищении.

— Боже мой, Макс, она просто восхитительна!

— Конечно. — Он широко улыбнулся жене. — Но ведь и Ноэль чудо как хорош.

Во фраке и полосатых брюках Ноэль с блестящими голубыми глазами и прямыми светлыми волосами казался еще элегантнее, чем обычно. Усмехнувшись про себя, Ариана подумала, что он — типичный немец. Но это уже не имело значения. Пол Либман улыбнулся молодым. Он потратил в свое время целое состояние, чтобы отпраздновать собственную свадьбу в соответствии с экстравагантными вкусами своей жены. Ариана наконец познакомилась с этой симпатичной женщиной, которая, вероятно, была ему хорошей и верной женой.

Дебби вышла замуж за продюсера из Голливуда. Джулия с возрастом расцвела внешне и духовно, а ее дети казались очень умненькими и одновременно забавными. Но обе женщины лишь перекинулись несколькими словами с Арианой. Они так и не простили ей прошлого. Для всех них Ариана перестала существовать с того самого дня, когда Пол оставил ее.

Пару раз во время свадебного торжества Ариана ловила на себе взгляды Пола. Однажды глаза их встретились, и в первый раз за долгое время она подумала о нем с теплым чувством. И в тот же момент ее пронзило горькое сожаление о том, что она никогда больше не увидит Рут и Сэма.

— Итак, миссис Трипп, дело сделано.

Ноэль искоса глянул на Тамми, а она с нежностью прижалась губами к его шее.

— Я люблю тебя, Ноэль.

— Я тебя тоже, но, если ты будешь продолжать в том же духе, я начну наш медовый месяц прямо здесь, в самолете.

Она застенчиво взглянула на мужа, откинулась на сиденье, счастливо вздохнула и снова залюбовалась своим великолепным бриллиантовым перстнем. Тамара никак не могла свыкнуться с мыслью, что это бесценное кольцо действительно принадлежит ей. Девушка по-настоящему полюбила мать Ноэля и знала, что Ариана тоже любит ее всем сердцем.

— Я хочу купить в Париже что-нибудь потрясающее для твоей матери.

— Например, что? — Ноэль оторвал глаза от книги. Когда живешь вместе почти два года, бракосочетание утрачивает нервозность, обычно сопровождающую это событие. Им было хорошо друг с другом, вместе они везде чувствовали себя как дома. — Так что же ты хочешь ей купить?

— Не знаю. Что-нибудь невероятное. Картину или платье от Диора.

— Господи, намерения у тебя и в самом деле серьезные. С чего это вдруг?

Вместо ответа она вытянула руку с кольцом, и он улыбнулся.

Они остановились в роскошном номере отеля «Плаза-Атене» — это был свадебный подарок отца Тамми. Торжественно отметив начало медового месяца ужином при свечах, молодая пара отправилась в знаменитый гостиничный бар на встречу с Бригиттой. Войдя туда, они очутились среди весьма странно выглядевших людей: у мужчин в рубашках с открытым воротом на шее висели кресты, а женщины были одеты еще причудливее — кто в длинных красных шелковых брюках с разрезами, кто в коротком норковом жакете и джинсах.

Тамми едва узнала девушку, с которой когда-то вместе училась в Рэдклифе. Белое лицо, ярко накрашенные губы, светлые волосы всклокочены. Но синие глаза глядели по-прежнему озорно, а тоненькая фигурка, облаченная в брюки и смокинг, смотрелась все так же очаровательно. Кроме смокинга, на Бригитте были надеты лишь атласный черный цилиндр и шелковый красный лифчик.

— Дорогая, вот уж не думал, что ты теперь одеваешься столь консервативно.

Все трое хмыкнули. Бригитта Годар стала еще более экстравагантной, чем прежде.

— Да и ты, Ноэль, выглядишь солиднее.

Бригитта кокетливо улыбнулась, а Тамми засмеялась:

— Эй вы, двое. Не забудьте, мы теперь женаты. Так что, ребята, флирту конец, уж извините...

Но Ноэль любовно взглянул на нее, а Бригитта сдержанно улыбнулась:

— Для меня Ноэль слишком высокий. И вообще он не в моем вкусе.

— Замолчи, а то он такой ранимый.

Тамми приложила палец к губам подруги, и все трое снова рассмеялись. Они вместе провели чудесный вечер, а всю следующую неделю Бригитта показывала им Париж; они обедали у «Фуке», ужинали в Латинском квартале в кафе «Липп», танцевали в ночных клубах «Кастель» и «У королевы», завтракали в ресторане «Хальс», устраивали пиршество у «Максима». Она таскала их по барам, ресторанам и вечеринкам; казалось, ее знал весь Париж, а мужчины буквально не давали ей проходу. Тамми и Ноэль с искренним восхищением следили, как она меняла наряды — один нелепее другого.

— Правда, она восхитительна? — шепнула Ноэлю Тамми, когда они бродили по очередному дорогому магазину.

— Да, но все же несколько с приветом. Ты мне, пожалуй, нравишься больше, детка.

— Приятно слышать.

— Вообще-то я не жажду встречаться с ее семейством.

— О, они совершенно нормальные.

— Давай не будем у них задерживаться, Тамми. Денька два — и хватит. Я хочу побыть с тобой вдвоем. В конце концов, у нас ведь медовый месяц.

Он слегка обиженно взглянул на жену. Она засмеялась и поцеловала его.

— Ничего не поделаешь, дорогой.

— Ладно, только пообещай, что мы пробудем на Ривьере не более двух дней, а потом уедем в Италию. Клянешься?

— Слушаюсь, сэр! — лихо отсалютовала Тамми.

Тут к ним подошла Бригитта, и они продолжили прогулку по магазинам.

У Диора Тамара отыскала именно то, что она хотела купить для Арианы: изысканное розовато-лиловое платье для коктейля. Тамми знала, как очаровательно оно будет гармонировать с огромными синими глазами Арианы. К платью в тон Тамара подобрала шарф и серьги. Весь комплект стоил более четырехсот долларов, и Ноэль, доставая бумажник, тяжело вздохнул.

— В сентябре я начну работать, Ноэль. Не беспокойся о деньгах.

— Надеюсь. Иначе ты разоришь меня подобными подарками.

Но оба понимали, что этот подарок — особый. Таким образом Тамми пыталась выразить свою благодарность за кольцо. Бригитта обратила на него внимание в первый же вечер. Она была просто очарована перстнем и призналась Тамаре, что не может оторвать от него глаз. В галерее отца недавно появилась коллекция антикварных предметов и драгоценностей, но они не шли ни в какое сравнение с новым кольцом Тамми.

В последний день перед отъездом из Парижа Бригитта отвела молодоженов в галерею Жерара Годара, и они бродили там около часа, любуясь Ренуаром, Пикассо, изделиями Фаберже, бесценными антикварными бриллиантовыми браслетами, бюстами и статуями. Когда они вышли из галереи, Ноэль поглядел на Бригитту с неподдельным восхищением:

— Здорово! Прямо маленький музей, только лучше.

Та с гордостью кивнула:

— Да, некоторые папины вещицы вполне хороши.

Ноэль и Тамми даже улыбнулись, услышав столь явную недооценку. Вот, оказывается, зачем отец посылал Бригитту в Рэдклиф: он надеялся, что девочка получит основательные знания по истории искусств. Но Бригитта научилась лишь играть в футбол, устраивать вечеринки, встречаться с мальчиками и курить травку. После двух лет такой «учебы» разочарованный отец привез дочь обратно в Париж, к развлечениям и занятиям попроще. Иногда Бригитта как-то вскользь упоминала об изучении фотографии или операторского искусства, но было очевидно, что честолюбием девушка явно не страдает. Зато она была презабавной. Бригитта Годар порхала, как бабочка с цветка на цветок, быстро загораясь чем-то новым, но так же быстро остывая. Подобное непостоянство в последнее время стало настоящим mal du siecle — недугом столетия.

— Такое ощущение, что она никогда не повзрослеет, — задумчиво проговорила Тамми.

Ноэль пожал плечами.

— Наверно. Но некоторые люди так на всю жизнь и остаются детьми. А ее брат такой же?

— Да. Даже хуже.

— В каком смысле? — озадаченно спросил Ноэль.

— Не знаю. Он не то избалованный, не то несчастный. Ты увидишь их родителей, и сам все поймешь. Мамаша — жуткая стерва, а отец — человек очень замкнутый. Он словно живет в потустороннем мире и общается с привидениями.

Глава 51

Полет до Ниццы занял всего час. В аэропорту их встречал Бернар Годар. Светловолосый и красивый, как сестра, он стоял босиком, в шелковых брюках и шелковой рубашке. Молодой человек имел совершенно отсутствующий вид, словно забрел сюда случайно. Лишь когда подошла сестра и обняла его, он, казалось, пришел в себя. Подобное состояние объяснялось просто: в отделении для перчаток его «феррари» лежала серебряная коробочка с марихуаной.

Но беседа с Ноэлем и Тамарой до некоторой степени вывела его из оцепенения.

— Я собираюсь в ноябре приехать в Нью-Йорк, — дружелюбно улыбнулся Бернар, и вдруг у Ноэля мелькнула странная мысль, что брат Бригитты напоминает ему какую-то старую фотографию, виденную давным-давно. — Вы уже вернетесь?

— Да, конечно, — ответила за Ноэля Тамара.

— Когда-когда? — удивленно воззрилась на брата Бригитта.

— В ноябре.

— Ты же собирался в Бразилию?

— Нет, я вообще не уверен, что поеду в Бразилию. Мими хочет в Буэнос-Айрес.

Бригитта кивнула, словно получила исчерпывающее объяснение, а Ноэль и Тамми молча обменялись недоуменными взглядами. Тамми как-то подзабыла, до чего же они странные люди, и теперь пожалела о своем решении остановиться в их доме в Ницце перед отъездом в Рим.

— Хочешь, уедем завтра же утром? — прошептала она Ноэлю, когда они следовали за братом и сестрой к огромному дому в прованском стиле.

— Прекрасно. Я скажу, что должен по дороге в Рим встретиться с клиентом нашей фирмы.

Тамми заговорщицки кивнула, и они вошли в отведенную им комнату огромного размера с высоченными потолками, роскошной кроватью в античном стиле и с великолепным видом на простирающееся до горизонта море. Пол был выложен светло-бежевым мрамором, а на террасе стоял старинный портшез, куда Бригитта для удобства поставила специально предназначенный для них телефонный аппарат.

Завтрак был сервирован внизу, в саду, и, несмотря на все сумасбродства и странности, Бригитта и Бернар старались изо всех сил, чтобы развлечь друзей. Зная теперь, что уедут на следующий день, Ноэль и Тамара ощущали себя куда лучше — не пленниками, угодившими в некую фантастическую страну, а обыкновенными гостями.

Но настоящими гостями они почувствовали себя вечером, когда в чопорной гостиной были официально представлены родителям Бригитты и Бернара. Перед ними стояла полноватая, но удивительно красивая женщина с неестественно блестящими зелеными глазами. У нее была ослепительная улыбка и длинные стройные ноги, но в ней чувствовалась какая-то жесткость. Возникло ощущение, что она привыкла командовать и делать все по-своему. К собственным детям она не испытывала особой симпатии, но Ноэля и Тамми нашла очаровательными и, желая казаться радушной хозяйкой, общалась только с ними, ни на кого больше не обращая внимания, включая собственного мужа — высокого светловолосого мужчину со спокойными, но печальными синими глазами. Несколько раз за вечер Ноэль ловил себя на мысли, что крайне заинтригован этим человеком. У него было странное ощущение, что он когда-то знал его или видел. Но потом Ноэль уверил себя, что все очень просто — Жерар Годар слишком похож со своим сыном.

Когда после трапезы мадам Годар увела Тамми показать небольшую картину Пикассо, Жерар Годар заговорил с Ноэлем, и тут впервые американец заметил у хозяина некоторый акцент. Тот говорил по-французски так, словно это был его неродной язык. Может, он бельгиец или швейцарец, подумал Ноэль. Но еще больше его заинтересовала странная печаль, читавшаяся в чертах Годара-старшего.

Тамми вернулась со своей маленькой экскурсии, и все болтали о том о сем до тех пор, пока Тамми не положила руку на стол и в свете канделябров не сверкнул ее бриллиантовый перстень. В то же мгновение Жерар Годар впился в него глазами и остановился на полуслове. Потом, не спрашивая разрешения, он взял руку Тамми в свою и стал смотреть на камень.

— Правда, оно чудесно, папа? — Бригитта тут же снова начала восхищаться кольцом, а мадам Годар безразлично взглянула в их сторону и продолжила беседу с сыном.

— Оно восхитительно. — Месье Годар продолжал держать руку Тамары в своей. — Могу я взглянуть?

Тамми медленно стянула с пальца кольцо и с улыбкой протянула ему.

— Это мое обручальное кольцо. Подарок Ноэля.

— Вот как? — Годар посмотрел на своих гостей. — Где вы его купили? В Америке? — Казалось, вопросы сами срывались с его губ.

— Оно принадлежало моей матери.

— Неужели? — Взгляд Жерара Годара затуманился.

— Это долгая семейная история. Моя мать расскажет ее вам лучше, чем я, если вы как-нибудь окажетесь в Нью-Йорке.

— Да-да... — Мгновение его мысли витали где-то далеко, а потом он улыбнулся Ноэлю и Тамми. — Я собираюсь посетить Нью-Йорк и непременно позвоню ей. — И быстро продолжил: — Знаете, мы завели целую коллекцию драгоценностей в галерее. Может, у вашей матери есть еще что-нибудь интересное?

Ноэль улыбнулся. Хозяин проявлял непонятную настойчивость, в которой ощущалось нечто лихорадочное, отчаянное.

— Не думаю, что она продаст вам что-то, месье Годар, но у нее есть еще одно кольцо моей бабушки.

— Неужели? — Глаза Жерара расширились.

— Да, — вмешалась Тамара. — С роскошным изумрудом. Вот такого размера. — Она показала пальцами.

— Вы непременно должны мне сказать, как связаться с вашей матерью.

— Ну конечно. — Ноэль вынул блокнот и маленький серебряный карандаш и стал писать адрес и телефон. — Уверен, она будет рада встретиться с вами, когда вы окажетесь в Нью-Йорке.

— Это лето она проводит в городе?

Ноэль утвердительно кивнул, и лицо Жерара Годара осветила довольная улыбка.

Разговор переключился на другие темы, и наконец пришло время прощаться на ночь. Тамми и Ноэль хотели лечь спать пораньше, чтобы отдохнуть как следует перед завтрашней долгой поездкой. Они собирались взять в Каннах напрокат машину и ехать в Рим. Бригитта и Бернар намерены были отправиться на вечеринку, которая, по их утверждению, начиналась только после полуночи. Так вышло, что в гостиной остались лишь Жерар и его жена; они глядели друг на друга и думали каждый о своем.

— Ты опять за старое? — Она смотрела на него в мерцающем свете свечей, голос ее звучал резко и неприязненно. — Я видела, как ты разглядывал кольцо этой девчонки.

— Хороший экземпляр для галереи, а у ее свекрови есть и другие драгоценности. Я хочу слетать в Нью-Йорк на днях.

— Что? — Мадам Годар подозрительно взглянула на мужа. — Зачем? Ты не говорил об этом раньше.

— Там один коллекционер продает чудного Ренуара. Хочу взглянуть на него, прежде чем участвовать в официальных торгах.

Она понимающе кивнула. Муж он, конечно, никакой, но дела галереи вел прекрасно, куда лучше, чем даже мог мечтать ее отец. Именно поэтому она даже позволила Жерару изменить название галереи и дать ей его собственное имя. Но разумеется, с самого первого дня их брак был браком по расчету; они взяли его к себе, дали ему дом, работу, искусствоведческое образование. Все это произошло после того, как во время войны она и отец сумели выбраться в Цюрих.

Там они и встретили Жерара. Когда война закончилась и можно было возвращаться в Париж, они взяли его с собой. К тому времени Жизель уже была беременна, и отец не дал Жерару никакого выбора. Но в результате тихий беженец обскакал двух хитрых парижан и достиг такого мастерства в своем деле, что галерея стала пользоваться небывалым успехом. Впрочем, Жизель не придавала этому особого значения. С ее точки зрения, их семья дала Жерару все — дом, преуспевание, деньги, а он использовал все средства только для своих поисков.

На самом же деле именно эти поиски и помогали Жерару держаться на плаву все эти годы.

Вот уже двадцать семь лет он разыскивал отца и сестру и уже давно понял, что никогда не найдет их. И все же он снова бросался на поиски каждый раз, когда мелькал очередной лучик надежды: кто-то что-то видел, или слышал, или помнил... Жерар ездил в Берлин раз шестьдесят. И все безрезультатно. Никакой зацепки. В глубине души Жерар понимал, что отец и сестра умерли. В любом другом случае он бы их отыскал или они нашли бы его. Его имя не так уж сильно изменилось. Герхард фон Готхард стал Жераром Годаром. Ведь после войны носить немецкое имя во Франции означало навлекать на себя ненависть, оскорбления, гнев, даже побои. Долго выносить подобную жизнь Герхард не смог. Старику пришло в голову изменить имя юноши, и по тем временам это было весьма мудрое решение. А сейчас, после стольких лет, Жерар ощущал себя куда больше французом, чем немцем. Да и вообще какая разница! Все равно ничего не изменишь. Мечтам не суждено было сбыться.

Иногда он думал, а что произошло бы, если б он в самом деле разыскал их? Неужели все действительно переменилось бы? И отвечал себе: да. Он наконец нашел бы в себе мужество расстаться с Жизель; он, может быть, стал бы строже относиться к детям, а то и вовсе продал бы галерею и зажил в свое удовольствие. Он улыбнулся своим безудержным фантазиям. Втайне он понимал, что встреча с родными стала бы не концом мечтаний, а началом новой жизни.

На следующее утро Тамми и Ноэль попрощались с Бригиттой и Бернаром и уже собрались покинуть дом, как по лестнице торопливо сбежал Жерар Годар. Он взглянул Ноэлю прямо в глаза, представляя себе, а что, если... но нет, это сумасшествие... не может быть... но вдруг эта миссис Томас хоть что-нибудь знает... С этой безумной мыслью Жерар Годар жил почти тридцать лет.

— Большое спасибо, мистер Годар.

— Не за что, Ноэль... Тамара... Надеюсь, мы увидимся снова.

Больше он им ничего не сказал, лишь помахал в ответ.

— Мне понравились твои друзья из Нью-Йорка, Бригитта.

Жерар тепло улыбнулся дочери, она в ответ одарила его столь же нежной улыбкой. Отец всегда был таким далеким, таким печальным, таким несчастным. Всю свою жизнь она чувствовала его отстраненность.

— Мне они тоже нравятся, папа. Очень милые.

Бригитта смотрела, как он задумчиво расхаживает по комнате. А позже тем утром она услышала, как он разговаривает по телефону с «Эр Франс», и тут же помчалась в его комнату. Мать уже ушла.

— Ты куда-то собираешься, папа?

Он медленно кивнул:

— В Нью-Йорк. Сегодня вечером.

— По делу?

Он снова кивнул.

— Можно, я поеду с тобой?

Он испуганно взглянул на дочь. Сейчас она казалась почти такой же одинокой, как он сам. Но это путешествие он совершит без нее. Может быть, в следующий раз... если...

— Давай лучше в следующий раз? Мне предстоит одно непростое дело, придется повозиться. Да и потом я скоро вернусь.

Она спокойно смотрела на него.

— Ты правда возьмешь меня в следующий раз, папа?

Он утвердительно кивнул, не веря собственным ушам — она нечасто его о чем-нибудь просила.

— Обязательно.

Потом он рассеянно говорил о чем-то с Жизель, не торопясь укладывал чемодан в своей комнате. Поездка будет недолгой — день-два, не больше. Торопливо поцеловав на прощание Жизель и детей, он отправился в аэропорт. Он успел как раз вовремя к самолету Ницца — Париж — Нью-Йорк. В аэропорту Кеннеди Жерар взял такси, остановился у телефонной будки неподалеку от ее дома и дрожащими руками набрал номер.

— Миссис Томас?

— Да.

— Боюсь, вы не знаете меня, но моя дочь — подруга Тамми...

— Что-то случилось? — перепугалась Ариана.

Голос ее был ему совершенно не знаком. Вероятно, очередная пустая попытка. Как и все прочие до этого.

— Нет-нет, не волнуйтесь, — торопливо успокоил он ее. — Сегодня утром они отправились в Италию. Все в порядке. Знаете... я здесь по делу... продается картина Ренуара... а на меня произвело сильное впечатление кольцо вашей невестки. Она сказала, что у вас есть еще одно, с изумрудом. А у меня как раз выдалось свободное время, вот я и подумал... — Он замолчал, удивляясь про себя, какого черта он приехал в такую даль.

— Мое кольцо не продается.

— Конечно-конечно. Я прекрасно понимаю.

Этот человек говорил так сбивчиво и неуверенно, что ей стало жаль его. Внезапно она сообразила, что это, должно быть, Жерар Годар, о котором рассказывала Тамми, и устыдилась, что ведет себя столь холодно и негостеприимно.

— Но если вы хотите только взглянуть на него, может быть, нам встретиться через некоторое время?

— Я был бы счастлив, миссис Томас... Через полчаса? Чудесно.

Жерар даже не снял номера в отеле, чемодан лежал в ожидавшем его такси, а надо было где-то провести тридцать минут. Тогда он просто велел таксисту ездить кругами от Мэдисон-авеню до Пятой улицы. Наконец пришло время отправляться на свидание с ней. Когда Годар вылез из машины, у него подогнулись колени.

— Вас подождать? — предложил шофер.

Набежало уже сорок долларов, так что клиент был выгодный. Но француз покачал головой и сунул таксисту пятидесятидолларовую купюру, которую поменял в аэропорту. Он позвонил в звонок, рядом с которым висел латунный молоточек, и стал ждать. Ему казалось, что время тянется невероятно медленно. На Жераре был великолепно сшитый серый костюм и темно-синий галстук от Диора; белая сорочка измялась во время путешествия, но она, как и ботинки, была, несомненно, из дорогого магазина. Однако, несмотря на эту элегантную экипировку, Годар вдруг снова почувствовал себя маленьким мальчиком, ждущим отца, который никогда не вернется.

— Мистер Годар?

Ариана распахнула дверь и приветливо улыбнулась гостю. На руке сверкнуло кольцо с изумрудом. Их глаза встретились — совершенно одинаковые синие глаза. Она сначала не узнала его и ничего не поняла, но стоявший перед ней мужчина, чье имя было Герхард фон Готхард, знал, что наконец он нашел ее. Не произнося ни слова, он заплакал. Та самая девочка из его детства... то же лицо... те же смеющиеся синие глаза...

— Ариана, — прошептал он, и его голос отозвался в памяти Арианы давно забытым: криками на лестнице, визгом, доносящимся из лаборатории, играми в саду...

Ариана... Она слышала этот голос раньше... Ариана!

— Ариана!

Из груди ее вырвалось рыдание, и она бросилась к нему.

— Боже мой... Боже мой... это ты... О Герхард!

Сколько лет ей мучительно хотелось обнять его, и вот теперь она сжимала в объятиях высокого красивого голубоглазого плачущего мужчину.

Они стояли бесконечно долго, прижавшись друг к другу; потом она провела брата в дом. Она нежно улыбалась ему, а он — ей. Эти двое, половину жизни несшие тяжкий груз одиночества, наконец нашли друг друга, и прошлое выпустило их из своих тисков.

Уважаемые читатели!
Даниэла Стил готова ответить
на Ваши вопросы.
Присылайте их по адресу:
129085, Москва, Звездный бульвар, 21
Издательство АСТ, отдел рекламы.

Литературно-художественное издание

Стил Даниэла

Кольцо

Редактор Н.В. Крылова
Художественный редактор О.Н. Адаскина
Компьютерный дизайн: Е.Н. Волченко
Технический редактор Н.Н. Хотулева
Младший редактор Е.В. Панова

Подписано в печать 12.01.99.
Формат 84x108 $^1/_{32}$. Гарнитура Академия.
Усл. печ. л. 24,36. Тираж 15000 экз.
Заказ № 277.

Налоговая льгота – общероссийский классификатор продукции
ОК-00-93, том 2; 953000 – книги, брошюры

Гигиенический сертификат
№ 77.ЦС.01.952.П.01659.Т.98. от 01.09.98 г.

ООО "Фирма "Издательство АСТ"
Лицензия 06 ИР 000048 № 03039 от 15.01.98.
366720, РФ, Республика Ингушетия,
г.Назрань, ул.Московская, 13а
Наши электронные адреса:
WWW.AST.RU
E-mail: AST@POSTMAN.RU

Отпечатано с готовых диапозитивов
в типографии издательства "Самарский Дом печати".
443086, г. Самара, пр. К. Маркса, 201.